CB019875

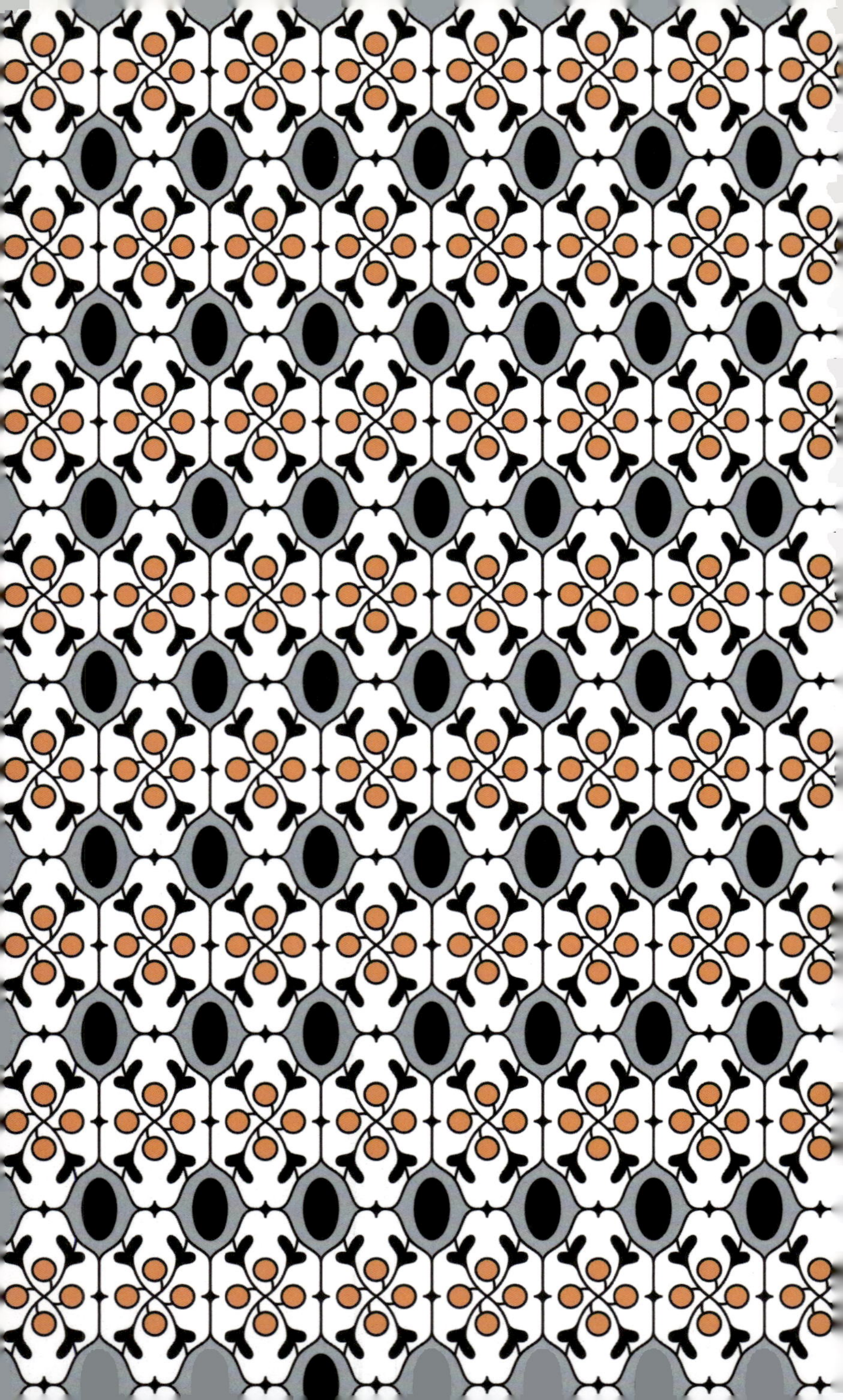

SIGMUND

# FREUD

OBRAS COMPLETAS

SIGMUND

# FREUD

OBRAS COMPLETAS VOLUME 16

## O EU E O ID, "AUTOBIOGRAFIA" E OUTROS TEXTOS

## (1923-1925)

TRADUÇÃO PAULO CÉSAR DE SOUZA

*12ª reimpressão*

COMPANHIA DAS LETRAS

*Grafia atualizada segundo o Acordo Ortográfico da Língua Portuguesa de 1990, que entrou em vigor no Brasil em 2009.*

Os textos deste volume foram traduzidos de *Gesammelte Werke*, volumes I, XIII e XIV (Londres: Imago, 1952, 1940 e 1955). Os títulos originais estão na página inicial de cada texto. A outra edição alemã referida é *Studienausgabe* (Frankfurt: Fischer, 2000).

Capa e projeto gráfico
warrakloureiro

Imagens das pp. 3 e 4: obras da coleção pessoal de Freud
Jarro com Édipo e a Esfinge, Atenas, séc. IV a.C., 22,8 cm
Retrato para uma múmia, Egito, período romano, séc. III, 34 × 23 cm
Freud Museum, Londres

Preparação
Célia Euvaldo

Índice remissivo
Luciano Marchiori

Revisão
Jane Pessoa
Luciana Baraldi

Dados Internacionais de Catalogação na Publicação (CIP)
(Câmara Brasileira do Livro, SP, Brasil)

Freud, Sigmund, 1856-1939.
Obras completas, volume 16 : O eu e o id, "autobiografia" e outros textos (1923-1925) / Sigmund Freud ; tradução Paulo César de Souza — 1ª ed. — São Paulo: Companhia das Letras, 2011.

Título original: Gesammelte Werke e Studienausgabe
ISBN 978-85-359-1872-4

1. Freud, Sigmund, 1856-1939 2. Psicanálise 3. Psicologia 4. Psicoterapia
I. Título.

11-04070 CDD-150.1954

Índice para catálogo sistemático:
1. Freud: Sigmund, Obras completas: Psicologia analítica 150.1954


EDITORA SCHWARCZ S.A.
Rua Bandeira Paulista, 702, cj. 32
04532-002 — São Paulo — SP
Telefone: (11) 3707-3500
www.companhiadasletras.com.br
www.blogdacompanhia.com.br
facebook.com/companhiadasletras
instagram.com/companhiadasletras
twitter.com/cialetras

# SUMÁRIO

## ESTA EDIÇÃO

Esta edição das obras completas de Sigmund Freud pretende ser a primeira, em língua portuguesa, traduzida do original alemão e organizada na sequência cronológica em que apareceram originalmente os textos.

A afirmação de que são obras completas pede um esclarecimento. Não se incluem os textos de neurologia, isto é, não psicanalíticos, anteriores à criação da psicanálise. Isso porque o próprio autor decidiu deixá-los de fora quando se fez a primeira edição completa de suas obras, nas décadas de 1920 e 30. No entanto, vários textos pré-psicanalíticos, já psicológicos, serão incluídos nos dois primeiros volumes. A coleção inteira será composta de vinte volumes, sendo dezenove de textos e um de índices e bibliografia.

A edição alemã que serviu de base para esta foi *Gesammelte Werke* [Obras completas], publicada em Londres entre 1940 e 1952. Agora pertence ao catálogo da editora Fischer, de Frankfurt, que também recolheu num grosso volume, intitulado *Nachtragsband* [Volume suplementar], inúmeros textos menores ou inéditos que haviam sido omitidos na edição londrina. Apenas alguns deles foram traduzidos para a presente edição, pois muitos são de caráter apenas circunstancial.

A ordem cronológica adotada pode sofrer pequenas alterações no interior de um volume. Os textos considerados mais importantes do período coberto pelo volume, cujos títulos aparecem na página de rosto, vêm em primeiro lugar. Em uma ou outra ocasião, são reunidos aqueles que tratam de um só tema, mas não foram publicados sucessivamente; é o caso dos artigos sobre a técnica psicanalítica, por exemplo. Por fim, os textos mais curtos são agrupados no final do volume.

Embora constituam a mais ampla reunião de textos de Freud, os dezessete volumes dos *Gesammelte Werke* foram sofrivelmente editados, talvez devido à penúria dos anos de guerra e de pós-guerra na Europa. Embora ordenados cronologicamente, não indicam sequer o ano da publicação de cada trabalho. O texto em si é geralmente confiável, mas sempre que possível foi cotejado com a *Studienausgabe* [Edição de estudos], publicada pela Fischer em 1969-75, da qual consultamos uma edição revista, lançada posteriormente. Trata-se de onze volumes organizados por temas (como a primeira coleção de obras de Freud), que não incluem vários textos secundários ou de conteúdo repetido, mas incorporam, traduzidas para o alemão, as apresentações e notas que o inglês James Strachey redigiu para a *Standard edition* (Londres, Hogarth Press, 1955-66).

O objetivo da presente edição é oferecer os textos com o máximo de fidelidade ao original, sem interpretações de comentaristas e teóricos posteriores da psicanálise, que devem ser buscadas na bibliografia sobre o tema. Informações sobre a gênese de cada obra também podem ser encontradas na literatura secundária. Para questionamentos de pontos específicos e do próprio conjunto da teoria freudiana, o leitor deve recorrer à literatura crítica de M. Macmillan, Joel Paris, F. Cioffi, E. Gellner, Borch-Jacobsen e outros.

Após o título de cada texto há apenas a referência bibliográfica da primeira publicação, não a das edições subsequentes ou em outras línguas, que interessam tão somente a alguns especialistas. Entre parênteses se acha o ano da publicação original; havendo transcorrido mais de um ano entre a redação e a publicação, a data da redação aparece entre colchetes. As indicações bibliográficas do autor foram normalmente conservadas tais como ele as redigiu, isto é, não foram substituídas por edições mais recentes das obras citadas. Mas sempre é fornecido o ano da publicação, que, no caso de remissões do autor a seus próprios textos, permite que o leitor os localize sem maior dificuldade, tanto nesta como em outras edições das obras de Freud.

As notas do tradutor geralmente informam sobre os termos e passagens de versão problemática, para que o leitor tenha uma ideia mais precisa de seu significado e para justificar em alguma medida as soluções aqui adotadas. Nessas notas são reproduzidos os equivalentes achados em algumas versões estrangeiras dos textos, em línguas aparentadas ao português e ao alemão. Não utilizamos as duas versões das obras completas já aparecidas em português, das editoras Delta e Imago, pois não foram traduzidas do alemão, e sim do francês e do espanhol (a primeira) e do inglês (a segunda).

No tocante aos termos considerados técnicos, não existe a pretensão de impor as escolhas aqui feitas, como se fossem absolutas. Elas apenas pareceram as menos insatisfatórias para o tradutor, e os leitores e profissionais que empregam termos diferentes, conforme suas diferentes abordagens e percepções da psicanálise, devem sentir-se à vontade para conservar suas opções — que cada qual seja "feliz à sua maneira", como disse aquele famoso rei da Prússia, citado por Freud.

P.C.S.

# O EU E O ID (1923)

TÍTULO ORIGINAL: *DAS ICH UND DAS ES*. PUBLICADO PRIMEIRAMENTE EM VOLUME AUTÔNOMO: LEIPZIG, VIENA E ZURIQUE: INTERNATIONALER PSYCHOANALYTISCHER VERLAG [EDITORA PSICANALÍTICA INTERNACIONAL], 1920, 77 PP. TRADUZIDO DE *GESAMMELTE WERKE* XIII, PP. 237-89; TAMBÉM SE ACHA EM *STUDIENAUSGABE* III, PP. 273-330.

Estas considerações retomam um curso de pensamentos que iniciei em *Além do princípio do prazer* (1920), pensamentos que eu próprio olhava com certa curiosidade benévola, como lá afirmei. Elas lhes dão prosseguimento, ligam-nos a diversos fatos da observação analítica, procuram deduzir novas conclusões a partir dessa relação, mas não fazem novos empréstimos à biologia, e por isso estão mais próximas da psicanálise do que aquela obra. Têm antes o caráter de uma síntese que de uma especulação, e parecem ter se colocado uma meta elevada. Mas sei que não ultrapassam o que é apenas aproximativo, e aceito inteiramente esse limite.

Ao mesmo tempo, tangenciam coisas que até agora não foram objeto da elaboração psicanalítica, e inevitavelmente tocam em algumas teorias que foram enunciadas por não analistas ou por ex-analistas, ao se afastarem da psicanálise. Sempre estive disposto a reconhecer as dívidas para com outros pesquisadores, mas neste caso sinto que não carrego tais dívidas. Se até agora a psicanálise não apreciou certas coisas, isto não aconteceu por ignorar-lhes os efeitos ou querer negar-lhes a importância, mas porque seguiu um caminho determinado, que ainda não tinha levado àquele ponto. E, por fim, chegando até ali, as coisas lhe aparecem também de forma distinta do que para os outros.

## I. CONSCIÊNCIA E INCONSCIENTE

Nesta seção introdutória não há nada de novo a dizer, e

não há como evitar a repetição do que já foi dito antes com alguma frequência.

A diferenciação do psíquico em consciente e inconsciente é a premissa básica da psicanálise e o que lhe permite compreender e inscrever na ciência os processos patológicos da vida psíquica, tão frequentes e importantes. Dizendo-o mais uma vez e de outra forma: a psicanálise não pode pôr a essência do psíquico na consciência, mas é obrigada a ver a consciência como uma qualidade do psíquico, que pode juntar-se a outras qualidades ou estar ausente.

Se eu pudesse imaginar que todos os interessados em psicologia leriam este trabalho, esperaria que já neste ponto um bom número de leitores parasse e não seguisse adiante, pois aqui está o primeiro xibolete* da psicanálise. Para a maioria daqueles que têm cultura filosófica, é tão inapreensível a ideia de algo psíquico que não seja também consciente, que lhes parece absurda e refutável pela simples lógica. Acho que isto se deve ao fato de não terem jamais estudado os pertinentes fenômenos da hipnose e do sonho, que — sem considerar o dado patológico — obrigam a tal concepção. A sua psicologia da consciência é incapaz de resolver os problemas do sonho e da hipnose.

* "Xibolete. *s.m.*, sinal convencionado de identificação; senha. Do hebr. *shiboleth*, 'espiga', palavra através de cuja pronúncia os soldados de Jefté identificavam os efraimitas, que a articulavam como *siboleth*" (*Dicionário Houaiss da Língua Portuguesa*. Rio de Janeiro: Objetiva, 2001). [As notas chamadas por asterisco e as interpolações às notas do autor, entre colchetes, são de autoria do tradutor. As notas do autor são sempre numeradas.]

"Estar consciente" é, em primeiro lugar, uma expressão puramente descritiva, que invoca a percepção imediata e segura. A experiência nos mostra, em seguida, que um elemento psíquico — por exemplo, uma ideia — normalmente não é consciente de forma duradoura. É típico, isto sim, que o estado de consciência passe com rapidez; uma ideia agora consciente não o é mais no instante seguinte, mas pode voltar a sê-lo em determinadas condições fáceis de se produzirem. Nesse intervalo ela era ou estava — não sabemos o quê. Podemos dizer que era *latente*, com isso querendo dizer que a todo momento era *capaz de tornar-se consciente*. Ou, se dissermos que era *inconsciente*, também forneceremos uma descrição correta. Este "inconsciente" coincide com "latente, capaz de consciência". É certo que os filósofos objetariam: "Não, o termo 'inconsciente' não pode ser usado aqui; enquanto a ideia estava em estado de latência não era nada psíquico". Se já os contradisséssemos neste ponto, cairíamos numa disputa puramente verbal, que a nada levaria.

Mas nós chegamos ao termo ou conceito de inconsciente por um outro caminho, elaborando experiências em que a *dinâmica* psíquica desempenha um papel. Aprendemos — isto é, tivemos de supor — que existem poderosos processos ou ideias psíquicas (e aqui entra em consideração, pela primeira vez, um fator quantitativo, e portanto econômico) que podem ter, na vida psíquica, todos os efeitos que têm as demais ideias, incluindo efeitos tais que por sua vez podem tornar-se conscientes como ideias, embora eles mesmos não se tornem conscientes. Não é necessário repetirmos em detalhes o que já foi exposto com alguma frequência. Basta dizer que aqui aparece a teoria psicanalítica, afirmando que tais ideias não podem ser conscientes porque uma certa força se opõe a isto, que de outro modo elas poderiam tornar-se conscientes, e então se veria como elas se diferenciam pouco de outros elementos psíquicos reconhecidos. Essa teoria torna-se irrefutável por terem sido encontrados, na técnica psicanalítica, meios com cujo auxílio pode-se cancelar a força opositora e tornar conscientes as ideias em questão. Ao estado em que se achavam estas, antes de tornarem-se conscientes, denominamos *repressão*, e dizemos que durante o trabalho analítico sentimos como *resistência* a força que provocou e manteve a repressão.

Portanto, adquirimos nosso conceito de inconsciente a partir da teoria da repressão. O reprimido é, para nós, o protótipo do que é inconsciente. Mas vemos que possuímos dois tipos de inconsciente: o que é latente, mas capaz de consciência, e o reprimido, que em si e sem dificuldades não é capaz de consciência. Esta nossa visão da dinâmica psíquica não pode deixar de influir na terminologia e na descrição. Ao que é latente, tão só descritivamente inconsciente, e não no sentido dinâmico, chamamos de *pré-consciente*; o termo *inconsciente* limitamos ao reprimido dinamicamente inconsciente, de modo que possuímos agora três termos, consciente (*cs*), pré-consciente (*pcs*) e inconsciente (*ics*), cujo sentido não é mais puramente descritivo. O *Pcs*, supomos, está muito mais próximo ao *Cs* do que o *Ics*, e, como qualificamos o *Ics* de psíquico, tampouco hesitaremos em qualificar o *Pcs* latente de psíquico.* Mas por que não permanecemos de acordo com os filósofos e coerentemente separamos tanto o *Pcs* como o *Ics* do psíquico consciente? Os filósofos então nos proporiam descrever o *Pcs* e o *Ics* como duas espécies ou dois estágios do *psicoide*, e se estabeleceria a concordância. Mas dificuldades sem fim apareceriam por conta disso na exposição, e o único fato importante, o de que esses estágios psicoides coincidem em quase todos os outros pontos com o que é reconhecidamente psíquico, seria empurrado para segundo plano, em favor de um preconceito vindo de um tempo em que ainda não se conheciam esses psicoides ou o que é mais importante neles.

Agora podemos comodamente empregar nossos três termos, *cs*, *pcs* e *ics*, mas não esquecendo que no sentido descritivo há apenas dois tipos de inconsciente, e no sentido dinâmico, apenas um. Para fins de exposição podemos, às vezes, negligenciar tal distinção, mas outras vezes ela é naturalmente indispensável. Em todo caso, já nos habituamos bastante a essa ambiguidade do inconsciente, e pudemos lidar bem com ela. Não é possível evitá-la, pelo que vejo; a diferenciação entre consciente e inconsciente é, afinal, uma questão de percepção, a que se deve responder com "sim" ou "não", e o ato da percepção mesmo não informa por qual razão algo é

* Freud recorre a iniciais minúsculas para grafar *cs*, *pcs* e *ics* quando estes são adjetivos, e a maiúsculas quando são substantivos. A distinção é ignorada na edição *Standard* inglesa, que sempre utiliza iniciais maiúsculas.

percebido ou não. Não podemos nos queixar porque o dinâmico acha expressão apenas ambígua no fenômeno.[1]

1 Veja-se, a propósito, as minhas "Observações sobre o conceito de inconsciente" (1912). Uma nova direção tomada pela crítica do inconsciente merece ser aqui apreciada. Alguns pesquisadores que não se furtam a reconhecer os fatos psicanalíticos, mas não querem admitir o inconsciente, buscam uma saída no fato incontroverso de que também a consciência — enquanto fenômeno — apresenta muitas gradações de intensidade ou nitidez. Assim como há processos que são conscientes de maneira muito viva, forte, tangível, também experimentamos outros que são conscientes de forma débil, quase imperceptível, e os mais debilmente conscientes seriam bem aqueles aos quais a psicanálise deseja aplicar o inadequado termo "inconsciente". Mas eles seriam também conscientes ou estariam "na consciência", e poderiam ser tornados conscientes de modo intenso e completo, se lhes fosse dada suficiente atenção.

Se for possível influir com argumentos na decisão de uma questão assim, que depende da convenção ou de fatores emocionais, as seguintes observações podem ser feitas. A referência a uma escala de nitidez da consciência nada tem de conclusivo e não possui maior força demonstrativa do que, digamos, estas proposições análogas: "Havendo tantas gradações de iluminação, da luz mais evidente e ofuscante ao mais fraco bruxuleio, não existe absolutamente escuridão". Ou: "Há diversos graus de vitalidade, portanto não existe morte". Estas afirmações podem, de certo modo, fazer sentido, mas são inadmissíveis na prática, como se constata ao fazermos certas inferências a partir delas; por exemplo: "Então não é preciso acender uma luz", ou "Então todos os organismos são imortais". Além do mais, ao subsumir o imperceptível no consciente, tudo o que obtemos é estragar a única certeza imediata que existe no psíquico. Uma consciência da qual nada se sabe parece-me bem mais absurda do que algo psíquico inconsciente. Por fim, uma tal equiparação do impercebido ao inconsciente foi claramente feita sem levar em conta as relações dinâmicas, que foram decisivas para a concepção psicanalítica. Pois há dois fatos que são aí negligenciados: primeiro, é muito difícil,

Mas no curso posterior do trabalho psicanalítico verifica-se que também essas diferenciações não bastam, são insuficientes na prática. Entre as situações que o demonstram, a seguinte sobressai como a decisiva. Formamos a ideia de uma organização coerente dos processos psíquicos na pessoa, e a denominamos o *Eu** da pessoa. A este Eu liga-se a consciência, ele domina os acessos à motilidade, ou seja: a descarga das excitações no mundo externo; é a instância psíquica que exerce o controle sobre todos os seus processos parciais, que à noite dorme e ainda então pratica a censura nos sonhos. Desse Eu partem igualmente as repressões através das quais certas tendências psíquicas devem ser excluídas não só da consciência, mas também dos outros modos de vigência e atividade. Na análise, o que foi posto de lado pela repressão se contrapõe ao Eu, e ela se defronta com a tarefa de abolir as resistências que o Eu manifesta em ocupar-se do reprimido. Ora, durante a análise observamos

---

requer um enorme esforço, dedicar suficiente atenção a algo assim impercebido; segundo, quando se consegue isto, o antes impercebido não é então reconhecido pela consciência, mas parece-lhe, com frequência, inteiramente desconhecido, a ela oposto, e é rudemente rejeitado. Portanto, recorrer ao pouco percebido ou não percebido, evitando o inconsciente, é apenas um derivado do preconceito que vê como estabelecida de uma vez por todas a identidade do psíquico com o consciente.

* Preferimos o pronome pessoal português para traduzir *das Ich*, acompanhando outras línguas latinas (o espanhol *yo*, o catalão *Jo*, o italiano *io*, o francês *moi*) e diferentemente da edição *Standard* inglesa, que, como se sabe, recorreu ao pronome latino, *ego*.

que o doente experimenta dificuldades quando lhe colocamos certas tarefas; suas associações falham quando devem aproximar-se do reprimido. Aí lhe dizemos que ele se acha sob o domínio de uma resistência, mas ele nada sabe disso, e mesmo que intua, por suas sensações de desprazer, que uma resistência atua nele então, não sabe dar-lhe nome ou descrevê-la. Mas como certamente essa resistência vem do seu Eu e a ele pertence, achamo-nos diante de uma situação imprevista. Encontramos no próprio Eu algo que é também inconsciente, comporta-se exatamente como o reprimido, isto é, exerce poderosos efeitos sem tornar-se consciente, e requer um trabalho especial para ser tornado consciente. Para a prática psicanalítica, a consequência dessa descoberta é que deparamos com inúmeras obscuridades e dificuldades, se mantemos a nossa habitual forma de expressão e, por exemplo, fazemos derivar a neurose de um conflito entre o consciente e o inconsciente. A partir da nossa compreensão das relações estruturais da vida psíquica, temos de substituir essa oposição por uma outra: aquela entre o Eu coerente e aquilo reprimido que dele se separou.[2]

As consequências para a nossa concepção do inconsciente são ainda mais significativas. A consideração dinâmica havia nos levado à primeira correção, a compreensão estrutural nos leva à segunda. Reconhecemos que o *Ics* não coincide com o reprimido; continua certo que todo reprimido é *ics*, mas nem todo *Ics* é também

2 Cf. *Além do princípio do prazer* [1920].

reprimido. Também uma parte do Eu — e sabe Deus quão importante é ela — pode ser *ics*, é certamente *ics*. E esse *Ics* do Eu não é latente no sentido do *Pcs*, senão não poderia ser ativado sem tornar-se *cs*, e torná-lo consciente não ofereceria dificuldades tão grandes. Se nos vemos assim obrigados a instituir um terceiro *Ics*, um não reprimido, temos de conceder que a característica da inconsciência perde alguma importância para nós. Torna-se uma qualidade ambígua, que não autoriza as conclusões abrangentes e inevitáveis para as quais desejaríamos utilizá-la. Mas não devemos negligenciá-la, pois a qualidade de ser consciente ou não é, afinal, a única luz na escuridão da psicologia das profundezas.

## II. O EU E O ID

A investigação patológica fez o nosso interesse dirigir-se muito exclusivamente para o reprimido. Gostaríamos de saber mais sobre o Eu, depois que aprendemos que também o Eu pode ser inconsciente no verdadeiro sentido da palavra. Nosso único ponto de apoio, em nossas pesquisas, foi até o momento o traço distintivo de ser consciente ou inconsciente; e afinal percebemos quão ambíguo pode ser ele.

De modo que todo o nosso conhecimento está sempre ligado à consciência. Também o *Ics* só podemos conhecer ao torná-lo consciente. Porém, alto lá, como é possível isto? Que significa tornar algo consciente? Como pode isto suceder?

Já sabemos de onde devemos partir quanto a isso. Dissemos que a consciência é a *superfície* do aparelho psíquico, isto é, atribuímo-la, como função, a um sistema que espacialmente é o primeiro desde o mundo externo. Espacialmente, aliás, não apenas no sentido da função, mas aí também no sentido da dissecção anatômica.[3] Também a nossa investigação deve ter como ponto de partida esta superfície percipiente.

Desde o início *cs* são todas as percepções que vêm de fora (percepções sensoriais) e de dentro, às quais chamamos de sensações e sentimentos. E quanto aos processos internos que podemos — de forma tosca e imprecisa — reunir sob o nome de processos de pensamento? Eles, que se efetivam como deslocamentos da energia psíquica a caminho da ação, em algum lugar dentro do aparelho, avançam para a superfície que faz surgir a consciência? Ou a consciência vai até eles? Esta é, notamos, uma das dificuldades que surgem ao considerarmos seriamente a ideia espacial, *topológica*, do funcionamento psíquico. As duas possibilidades são igualmente impensáveis, deve haver uma terceira.

Em outro lugar[4] fiz a suposição de que a verdadeira diferença entre uma ideia *ics* e uma *pcs* (um pensamento) consiste em que a primeira se produz em algum material que permanece desconhecido, enquanto na segunda (a *pcs*) acrescenta-se a ligação com *representa-*

3 Cf. *Além do princípio do prazer* [1920].
4 "O inconsciente" [1915].

*ções verbais*.* Foi esta uma primeira tentativa de oferecer, para os sistemas *Pcs* e *Ics*, traços distintivos que não sejam a relação com a consciência. A questão: "Como algo se torna consciente?" seria, mais apropriadamente formulada: "Como algo se torna pré-consciente?". E a resposta seria: pela ligação com as representações verbais correspondentes.

Essas representações verbais são resíduos de memória; foram uma vez percepções e, como todos os resíduos mnemônicos, podem voltar a ser conscientes. Antes de seguirmos tratando de sua natureza, ocorre-nos, como uma nova descoberta, que apenas pode tornar-se consciente aquilo que uma vez já foi percepção *cs*, e que, excluindo os sentimentos, o que a partir de dentro quer tornar-se consciente deve tentar converter-se em percepções externas. O que se torna possível mediante os traços mnemônicos.

Imaginamos os resíduos de memória como estando contidos em sistemas adjacentes ao sistema *Pcp-Cs*, de forma que os seus investimentos podem, com facilidade, prosseguir nos elementos desse sistema a partir do interior. Aqui pensamos logo na alucinação e no fato de que a lembrança mais viva é sempre diferenciada tanto da alucinação como da percepção externa, mas também de imediato se apresenta a informação de que, ao se reavivar uma lembrança, o investimento é conservado

* "Representações verbais": *Wortvorstellungen*; ver nota sobre a versão desse temo em "O inconsciente", parte VII (v. 12 destas *Obras completas*).

no sistema mnemônico, ao passo que a alucinação não distinguível da percepção pode surgir quando o investimento não só se propaga para o elemento *Pcp*, a partir do traço mnemônico, mas passa inteiramente para ele.

Os resíduos verbais derivam essencialmente de percepções acústicas, de modo que ao sistema *Pcs* é dada como que uma origem sensorial especial. Pode-se inicialmente ignorar os componentes visuais da representação verbal como secundários, adquiridos mediante a leitura, e assim também seus acompanhamentos motores,* que, exceto no caso dos surdos-mudos, têm o papel de sinais auxiliares. A palavra é, afinal, o resíduo mnemônico da palavra ouvida.

Mas não podemos, em nome da simplificação, esquecer a importância dos resíduos mnemônicos óticos — das coisas — ou negar que é possível, e em muitas pessoas parece ser privilegiado, que os processos de pensamento se tornem conscientes mediante o retorno aos resíduos visuais. O estudo dos sonhos e das fantasias pré-conscientes, conforme as observações de J. Varendonck, pode nos dar uma ideia da natureza específica deste pensamento visual. Vemos que nele, em geral, apenas o material concreto do pensamento se torna consciente, mas não pode ser dada expressão visual às relações que caracterizam particular-

* "Acompanhamentos motores": *Bewegungsbilder*. As versões estrangeiras consultadas — a espanhola da Biblioteca Nuova, a argentina da Amorrortu, a italiana da Boringhieri e a *Standard* inglesa — são mais literais nesse ponto, com exceção da primeira: *sus componentes de movimiento*, *imágenes motrices de palavra*, *immagini motorie della parola*, *the motor images of words*.

mente o pensamento. Pensar em imagens é, portanto, uma forma bastante incompleta de tornar-se consciente. De algum modo, também se acha mais próximo dos processos inconscientes do que pensar em palavras, e é sem dúvida mais antigo, ontogenética e filogeneticamente.

Logo, para retornar ao nosso argumento, se esta é a maneira como algo inconsciente em si torna-se consciente, a questão de como tornamos (pré-)consciente algo reprimido deve ser respondida assim: ao estabelecer tais elos intermediários *pcs*, por meio do trabalho analítico. A consciência permanece em seu lugar, então, mas tampouco o *Ics* subiu, digamos, até o *Cs*.

Enquanto o vínculo entre a percepção externa e o Eu é bem evidente, aquele entre a percepção interna e o Eu requer uma investigação especial. Faz surgir, mais um vez, a dúvida sobre a justeza de referir toda a consciência a um único sistema superficial, o *Pcp-Cs*.

A percepção interna traz sensações de processos vindos das camadas mais diversas, e certamente mais profundas, do aparelho psíquico. Elas são mal conhecidas; as da série prazer-desprazer ainda podem ser vistas como o melhor exemplo delas. São mais primordiais, mais elementares do que as que vêm de fora, mesmo em estados de consciência turva podem ocorrer. Sobre a sua maior significação econômica e os fundamentos metapsicológicos para isso pude manifestar-me em outro lugar. Estas sensações são pluriloculares como as percepções externas, podem vir simultaneamente de lugares diversos, e com isso ter qualidades diversas, também opostas.

As sensações de caráter prazeroso nada possuem de

premente em si, mas as sensações desprazerosas têm isso em alto grau. Elas premem por mudança, por descarga, e portanto referimos o desprazer a uma elevação e o prazer a uma diminuição do investimento de energia. Se denominamos o que se torna consciente como prazer e desprazer algo quantitativa-qualitativamente outro no curso psíquico, a questão é se um tal outro pode se tornar consciente no próprio lugar ou se tem de ser conduzido ao sistema *Pcp*.

A experiência clínica decide por esse último caso. Ela mostra que esse outro comporta-se como um impulso reprimido. Ele pode desenvolver força impulsora, sem que o Eu note a pressão. Somente resistência à pressão, estorvo da reação de descarga, torna esse outro imediatamente consciente como desprazer. Assim como as tensões da carência, também a dor pode permanecer inconsciente, esta coisa intermediária entre percepção externa e interna, que se comporta como uma percepção interna mesmo quando se origina do mundo exterior. É correto, portanto, que também sensações e sentimentos tornam-se conscientes apenas ao atingir o sistema *Pcp*; se o caminho é barrado, não se produzem como sensações, embora o outro que a elas corresponde no curso da excitação seja o mesmo. De maneira mais curta, não inteiramente correta, falamos então de *sentimentos inconscientes*; conservamos a analogia, não inteiramente justificada, com ideias inconscientes. Pois a diferença está em que, para a ideia *ics*, precisam antes ser criados elos que a conduzam ao *Cs*, e isso não vale para os sentimentos, que continuam diretamente. Em outras palavras: a diferença entre *Cs* e *Pcs* não tem sentido para os sentimentos, o *Pcs* aqui não cabe, os sentimentos são conscientes ou inconscientes. Mesmo ao serem ligados a representações verbais, não devem a elas o fato de tornar-se conscientes, mas fazem-no diretamente.

O papel das representações verbais é agora perfeitamente claro. Pela sua intermediação, processos de pensamento internos são transformados em percepções. É como se fosse demonstrada a proposição de que todo saber tem origem na percepção externa. Num superinvestimento do pensar, todos os pensamentos são percebidos realmente — como de fora — e por isso tidos como verdadeiros.

Após assim clarificar as relações entre percepção externa e interna e o sistema superficial *Pcp-Cs*, podemos passar a desenvolver nossa concepção do Eu. Nós o vemos partir do sistema *Pcp*, seu núcleo, e inicialmente abarcar o *Pcs*, que se apoia nos resíduos mnemônicos. Mas, como aprendemos, o Eu é também inconsciente.

Agora será de grande proveito para nós, creio, acompanharmos a sugestão de um autor que em vão assegura, por motivos pessoais, nada ter com a ciência estrita e elevada. Refiro-me a Georg Groddeck, que está sempre a enfatizar que aquilo a que chamamos nosso Eu conduz-se, na vida, de modo essencialmente passivo, que somos, como diz, "vividos" por poderes desconhecidos e incontroláveis.[5] Nós todos tivemos esta impressão, embora ela não nos tenha dominado a ponto de excluir as

5 Groddeck, *Das Buch vom Es* [O livro do Id], Internationaler Psychoanalytischer Verlag, 1925. [Ed. bras.: *O livro dIsso*, trad. Teixeira Coelho. São Paulo: Perspectiva, 1987.]

demais, e não hesitamos em atribuir à intuição de Groddeck um lugar no conjunto da ciência. Proponho que a levemos em consideração, chamando de *Eu* a entidade que parte do sistema *Pcp* e é inicialmente *pcs*, e de *Id*,* segundo o uso de Groddeck, a outra parte da psique, na qual ela prossegue, e que se comporta como *ics*.[6]

Logo veremos se será possível tirar alguma vanta-

* Tendo adotado *Eu* e *Super-eu* para *Ich* e *Über-Ich*, em lugar dos tradicionais *ego* e *superego*, seria de esperar que optássemos por *Isso* para verter *Es*. No caso, porém, a estranheza causada por *Isso* (maior que a de *Eu* e *Super-eu*, acreditamos) levou-nos a sacrificar a coerência. Inspirados na edição italiana das obras completas de Freud, que traduz as três instâncias da psique por *io*, *super-io* e *es*, conservando o original alemão nesta última, resolvemos manter o *id* latino da versão tradicional (pois o *Es* alemão poderia gerar confusão com o verbo *ser*, além de soar estranho). Naturalmente, quem preferir *Isso* deve continuar usando esse pronome. O que importa, nas traduções dos termos técnicos, é não esquecer que as diferentes denominações se aplicam à mesma coisa. Como disse Freud numa carta a Groddeck, nesse caso específico: "Quem reconhece que transferência e resistência são o eixo do tratamento, esse já pertence irremediavelmente ao 'bando selvagem' [referência jocosa aos psicanalistas]. Não faz diferença que chame o 'Ics' de 'Es'" (em G. Groddeck/ S. Freud, *Briefwechsel* [Correspondência]. Wiesbaden: Limes, 1970, p. 20, carta de 5 de junho de 1917). A dificuldade em traduzir esses nomes das instâncias da psique é o tema de um capítulo do livro *As palavras de Freud*, de autoria deste tradutor (São Paulo: Companhia das Letras, nova ed. revista, 2010, pp. 92-9).

6 O próprio Groddeck seguiu provavelmente o exemplo de Nietzsche, que com frequência utiliza esse termo gramatical para o que em nós é impessoal e, digamos, necessário por natureza. [Sobre o uso de *Es* por Nietzsche, ver, por exemplo, o aforismo 17 de *Além do bem e do mal* e a nota correspondente do tradutor (São Paulo: Companhia das Letras, 1992).]

gem disso para a descrição e a compreensão. Um indivíduo é então, para nós, um Id [um algo] psíquico, irreconhecido e inconsciente, em cuja superfície se acha o Eu, desenvolvido com base no sistema *Pcp*, seu núcleo. Se buscamos uma representação gráfica, podemos acrescentar que o Eu não envolve inteiramente o Id, mas apenas à medida que o sistema *Pcp* forma a sua superfície [do Eu], mais ou menos como o "disco germinal" se acha sobre o ovo. O Eu não é nitidamente separado do Id; conflui com este na direção inferior.

Mas também o reprimido conflui com o Id, é somente uma parte dele. O reprimido é claramente separado do Eu apenas pelas resistências da repressão; pelo Id pode comunicar-se com ele. Logo percebemos que quase todas as demarcações que a patologia nos levou a fazer concernem apenas às camadas superficiais do aparelho psíquico, as únicas que conhecemos. Poderíamos esboçar um desenho desta situação, desenho cujas linhas servem apenas à exposição, não solicitam nenhuma interpretação particular. Digamos também que o Eu tem um "boné auditivo", apenas de um lado, conforme atesta a anatomia cerebral. Usa-o de lado, por assim dizer.

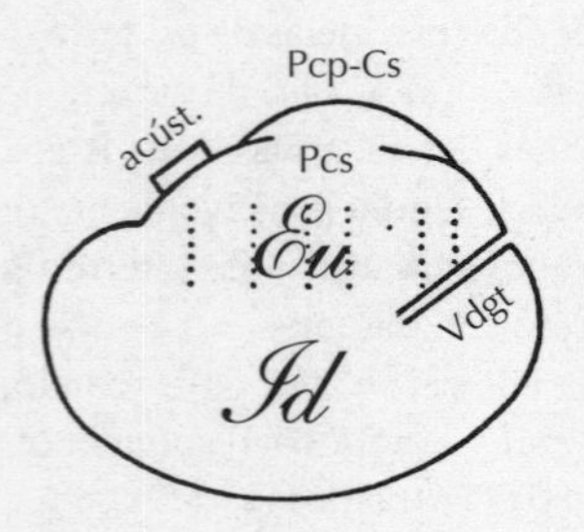

É fácil ver que o Eu é a parte do Id modificada pela influência direta do mundo externo, sob mediação do *Pcp-Cs*, como que um prosseguimento da diferenciação da superfície. Ele também se esforça em fazer valer a influência do mundo externo sobre o Id e os seus propósitos, empenha-se em colocar o princípio da realidade no lugar do princípio do prazer, que vigora irrestritamente no Id. A percepção tem, para o Eu, o papel que no Id cabe ao instinto. O Eu representa o que se pode chamar de razão e circunspecção, em oposição ao Id, que contém as paixões. Tudo isso corresponde a notórias distinções populares, mas deve ser entendido tão só como aproximadamente ou idealmente correto.

A importância funcional do Eu se expressa no fato de que normalmente lhe é dado o controle dos acessos à motilidade. Assim, em relação ao Id ele se compara ao cavaleiro que deve pôr freios à força superior do cavalo, com a diferença de que o cavaleiro tenta fazê-lo com suas próprias forças, e o Eu, com forças emprestadas. Este símile pode ser levado um pouco adiante. Assim como o cavaleiro, a fim de não se separar do cavalo, muitas vezes tem de conduzi-lo aonde ele quer ir, também o Eu costuma transformar em ato a vontade do Id, como se ela fosse a sua própria.

Um outro fator, além da influência do sistema *Pcp*, parece ter tido efeito sobre a gênese do Eu e sua diferenciação do Id. O corpo, principalmente sua superfície, é um lugar do qual podem partir percepções internas e externas simultaneamente. É visto como um outro objeto, mas ao ser tocado produz dois tipos de sensações, um dos quais pode equivaler a uma percepção interna. Já se discutiu bastante, na psicofisiologia, de que maneira o corpo sobressai no mundo da percepção. Também a dor parece ter nisso um papel, e o modo como adquirimos um novo conhecimento de nossos órgãos, nas doenças dolorosas, é talvez um modelo para a forma como chegamos à ideia de nosso corpo.

O Eu é sobretudo corporal, não é apenas uma entidade superficial, mas ele mesmo a projeção de uma superfície.[7] Procurando uma analogia anatômica para ele, podemos identificá-lo com o "homúnculo do cérebro" dos anatomistas, que fica no córtex, de cabeça para baixo e com os calcanhares para cima, olha para trás e, como se sabe, tem no lado esquerdo a zona da linguagem.

A relação do Eu com a consciência já foi várias vezes examinada, mas há alguns fatos importantes a serem apontados aqui. Acostumados a sempre levar uma escala de valores social ou ética, não nos surpreendemos ao saber que a atividade das paixões inferiores se dá no inconsciente, mas esperamos que as funções psíquicas tenham mais facilmente acesso seguro à consciência quanto mais elevadas se situem nessa escala. Nisso a experiência psicanalíti-

7 Ou seja, o Eu deriva, em última instância, das sensações corporais, principalmente daquelas oriundas da superfície do corpo. Pode ser visto, assim, como uma projeção mental da superfície do corpo, além de representar, como vimos acima, as superfícies do aparelho psíquico. [Esta nota não se acha na edição alemã utilizada. Segundo informa James Strachey, foi acrescentada à tradução inglesa de 1927 (feita por Joan Riviere), com a observação de haver sido autorizada por Freud. Ela foi incorporada, porém à Studienausgabe.]

ca nos decepciona, porém. Temos comprovação, por um lado, de que mesmo o trabalho intelectual difícil e sutil, que normalmente requer estrênua reflexão, também pode ser efetuado pré-conscientemente, sem chegar à consciência. Esses casos são indubitáveis, verificam-se, por exemplo, durante o sono, evidenciando-se no fato de um indivíduo saber, imediatamente após o despertar, a solução de um difícil problema matemático ou de outro gênero, que no dia anterior se esforçara em vão por encontrar.[8]

Bem mais peculiar é uma outra constatação. Aprendemos, em nossas análises, que há pessoas nas quais a autocrítica e a consciência [moral],* ou seja, ações psíquicas altamente valorizadas, são inconscientes e, enquanto tais, produzem os efeitos mais importantes; o fato de a resistência permanecer inconsciente na análise não é, portanto, a única situação desse tipo. Mas a nova constatação, que nos obriga, apesar de nossa melhor compreensão crítica, a falar de um *sentimento de culpa inconsciente*, desconcerta-nos bem mais e nos oferece novos enigmas, sobretudo quando gradualmente notamos que um tal sentimento de culpa inconsciente tem papel decisivo, em termos econômicos, num grande número de neuroses, e ergue os maiores obstáculos

8 Um caso assim me foi comunicado recentemente; como objeção, na verdade, à minha descrição do "trabalho do sonho".

* *Gewissen*: designa a consciência moral, diferentemente de *Bewußtsein*, que designa o estado de consciência. Em português há uma só palavra para os dois casos. Incluiremos o adjetivo "moral" entre colchetes, quando não for claro, pelo contexto, que Freud utiliza o termo *Gewissen* no original.

na direção da cura. Querendo retornar à nossa escala de valores, teremos de afirmar: "Não só as coisas mais fundas do Eu, também as mais altas podem ser inconscientes". É como se nos fosse demonstrado, dessa maneira, o que já afirmamos sobre o Eu consciente: que ele é sobretudo um Eu do corpo.

## III. O EU E O SUPER-EU (IDEAL DO EU)

Se o Eu fosse apenas a parte do Id modificada por influência do sistema perceptivo, o representante do mundo externo real na psique, estaríamos diante de algo simples. Mas há outras coisas a serem consideradas.

Os motivos que nos levaram a supor uma gradação no Eu, uma diferenciação em seu interior que pode ser chamada de "*ideal do Eu*" ou *Super-eu*,* foram explici-

* *Über-ich*, no original. O *Vocabulário de psicanálise*, na sua 11ª edição brasileira (São Paulo: Martins Fontes, 1991), apresenta *supereu* como alternativa para *superego*. A forma com hífen (e com maiúscula) nos parece melhor, porque mantém em destaque o "Eu", como no original. Quanto à alternativa *super-eu/superego*, há argumentos a favor de ambas as formas. *Super-eu* tem a vantagem da relação com Eu (que achamos preferível a *ego*), mas talvez ainda soe estranha, ao passo que *superego* está difundido, tem o peso da "tradição" criada pela edição *Standard* brasileira, que o tomou da *Standard* inglesa. Sobre a versão desses termos, ver nota no v. 18 destas *Obras completas*, p. 213 (na 31ª das *Novas conferências introdutórias*). Lembremos ainda que o prefixo "super" é aqui usado na acepção de "em cima de", como em "superpor" e "supercílio", e não no sentido de abundância ou excesso, como em "superfaturar" e "superproteção".

tados em outros trabalhos.[9] Eles continuam válidos.[10] A novidade que exige explicação é o fato de essa parcela do Eu ter relação menos estreita com a consciência.

Aqui nós temos que abarcar um âmbito maior. Foi-nos dado esclarecer o doloroso infortúnio da melancolia, através da suposição de que um objeto perdido é novamente estabelecido no Eu, ou seja, um investimento objetal é substituído por uma identificação.[11] Mas ainda não reconhecíamos, então, todo o significado deste processo, e não sabíamos como ele é típico e frequente. Desde então compreendemos que tal substituição participa enormemente na configuração do Eu e contribui de modo essencial para formar o que se denomina seu *caráter*.

Bem no início, na primitiva fase oral do indivíduo, investimento objetal e identificação provavelmente não se distinguem um do outro. Só podemos supor que mais tarde os investimentos objetais procedam do Id, que sente como necessidades os impulsos eróticos. O Eu, inicialmente ainda frágil, toma conhecimento dos

9 "Introdução ao narcisismo" [1914], *Psicologia das massas e análise do Eu* [1921].

10 Mas parece errôneo, e necessitado de correção, o fato de eu haver atribuído a função do exame da realidade a esse Super-eu. Estaria perfeitamente de acordo com as relações do Eu para com o mundo da percepção que o exame da realidade permanecesse tarefa dele próprio. — Também declarações anteriores, formuladas um tanto imprecisamente, a respeito de um *núcleo do Eu*, devem ser corrigidas no sentido de que só o sistema *Pcp-Cs* pode ser visto como núcleo do Eu.

11 "Luto e melancolia" [1917].

investimentos objetais, aprova-os ou procura afastá-los mediante o processo da repressão.[12]

Se um tal objeto sexual deve ou tem de ser abandonado, não é raro sobrevir uma alteração do Eu, que é preciso descrever como estabelecimento do objeto no Eu, como sucede na melancolia; ainda não conhecemos as circunstâncias exatas dessa substituição. Talvez, com essa introjeção que é uma espécie de regressão ao mecanismo da fase oral, o Eu facilite ou permita o abandono do objeto. Talvez essa identificação seja absolutamente a condição sob a qual o Id abandona seus objetos. De todo modo, o processo é muito frequente, sobretudo nas primeiras fases do desenvolvimento, e pode possibilitar a concepção de que o caráter do Eu é um precipitado dos investimentos objetais abandonados, de que contém a história dessas escolhas de objeto. Desde logo há que se conceder, naturalmente, uma gradação da capacidade de resistência, até que ponto o caráter de uma pessoa rejeita ou acolhe estas influências da história de suas escolhas eróticas de objeto. Em mulheres que tiveram muitas experiências amorosas acreditamos poder

12 Um interessante paralelo para a substituição da escolha objetal pela identificação se acha na crença dos povos primitivos, e nas proibições nela baseadas, de que as características do animal incorporado como alimento persistem no caráter daquele que o devora. Sabe-se que essa crença é também parte dos fundamentos do canibalismo, e prossegue atuando em toda a série de costumes ligados à refeição totêmica, até a Sagrada Comunhão. As consequências que aí se atribuem à posse oral do objeto verificam-se de fato na posterior escolha sexual do objeto.

mostrar facilmente, nos seus traços de caráter, os vestígios de seus investimentos objetais. Também devemos considerar o investimento objetal e a identificação simultâneos, ou seja, uma alteração do caráter anterior ao abandono do objeto. Nesse caso a mudança do caráter poderia sobreviver à relação objetal e, num certo sentido, conservá-la.

Segundo outro modo de ver, essa transformação de uma escolha erótica de objeto numa alteração do Eu é também uma via pela qual o Eu pode controlar o Id e aprofundar suas relações com ele, embora à custa de uma larga tolerância para com as experiências dele. Se o Eu assume os traços do objeto, como que se oferece ele próprio ao Id como objeto de amor, procura compensá-lo de sua perda, dizendo: "Veja, você pode amar a mim também, eu sou tão semelhante ao objeto".

A transformação da libido objetal em libido narcísica, que então ocorre, evidentemente acarreta um abandono das metas sexuais, uma dessexualização, ou seja, uma espécie de sublimação. E surge mesmo a questão, digna de um tratamento mais aprofundado, de que este seria talvez o caminho geral da sublimação, de que talvez a sublimação ocorra por intermediação do Eu, que primeiro converte a libido objetal sexual em libido narcísica, para depois dar-lhe quiçá outra meta.[13] Mais adiante con-

13 Agora, após a distinção entre Eu e Id, temos de reconhecer o Id como o grande reservatório da libido, no sentido da "Introdução ao narcisismo" [1914]. A libido, que aflui para o Eu através das identificações aqui mostradas, produz o seu "*narcisismo secundário*".

sideraremos se tal transformação não pode ocasionar outros destinos para os instintos, como, por exemplo, uma disjunção* dos diversos instintos amalgamados.

Embora constitua uma digressão, relativamente ao nosso objetivo, não podemos evitar que a nossa atenção se volte momentaneamente para as identificações objetais do Eu. Se estas predominam, tornam-se muito numerosas e fortes, incompatibilizando-se umas com as outras, um desfecho patológico é provável. Pode-se chegar a uma fragmentação do Eu, quando as várias identificações se excluem umas às outras mediante resistências, e o segredo dos casos chamados de *múltipla personalidade* talvez esteja em que as várias identificações tomam alternadamente a consciência. Mesmo não indo tão longe, há a questão dos conflitos das diferentes identificações em que o Eu se distribui, conflitos que, afinal, não podem ser claramente descritos como patológicos.

Mas, como quer que seja depois a resistência do caráter às influências dos investimentos objetais abandonados, serão gerais e duradouros os efeitos das identificações iniciais, sucedidas na idade mais tenra. Isso nos leva de volta à origem do ideal do Eu, pois por trás dele se esconde a primeira e mais significativa identificação do indivíduo, aquela com o pai da pré-história

* "Disjunção": *Entmischung*, ou seja, o contrário de *Mischung*, "mistura". As versões consultadas apresentam: *disociación*, *desmezcla*, *disimpasto*, *defusion*; o termo também aparece em "'Psicanálise' e 'Teoria da libido'" (1923) e "A negação" (1925).

pessoal.[14] Esta não parece ser, à primeira vista, resultado ou consequência de um investimento objetal; é uma identificação direta, imediata, mais antiga do que qualquer investimento objetal. Mas as escolhas de objeto pertencentes ao primeiro período sexual e relativas a pai e mãe parecem resultar normalmente em tal identificação, e assim reforçar a identificação primária.

De todo modo, essas relações são tão complexas que se torna necessário descrevê-las com mais vagar. Dois fatores respondem por essa complexidade: a natureza triangular da situação edípica e a bissexualidade constitucional do indivíduo.

Simplificadamente, o caso se configura da forma seguinte para o menino. Bastante cedo ele desenvolve um investimento objetal na mãe, que tem seu ponto de partida no seio materno e constitui o protótipo de uma escolha objetal por "apoio"; do pai o menino se apodera por identificação. As duas relações coexistem por algum tempo, até que, com a intensificação dos desejos sexuais pela mãe e a percepção de que o pai é um obstáculo a esses desejos, tem origem o complexo de Édipo.[15] A iden-

14 Seria talvez mais prudente dizer "com os pais", pois pai e mãe não são avaliados de forma diversa, antes do conhecimento seguro da diferença entre os sexos, da falta do pênis. Há pouco tempo ouvi, de uma jovem senhora, que, desde que notara a ausência de pênis em si mesma, não excluía da posse desse órgão todas as mulheres, mas apenas aquelas tidas por inferiores. A mãe o conservara, na sua opinião. Para simplificar a exposição, abordarei apenas a identificação com o pai.

15 Cf. *Psicologia das massas e análise do Eu* [1921], cap. VII.

tificação com o pai assume uma tonalidade hostil, muda para o desejo de eliminá-lo, a fim de substituí-lo junto à mãe. Desde então é ambivalente a relação com o pai; é como se a ambivalência desde o início presente na identificação se tornasse manifesta. A postura ambivalente ante o pai e a relação objetal exclusivamente terna com a mãe formam, para o menino, o conteúdo do complexo de Édipo simples e positivo.

Com o desmoronamento do complexo de Édipo, o investimento objetal na mãe tem que ser abandonado. Em seu lugar pode surgir uma identificação com a mãe ou um fortalecimento da identificação com o pai. Costumamos ver este segundo desfecho como o mais normal; ele permite conservar, em alguma medida, a relação terna com a mãe. Graças à dissolução do complexo de Édipo, a masculinidade no caráter do menino experimentaria uma consolidação. De modo inteiramente análogo, a postura edípica da menina pode resultar num fortalecimento (ou no estabelecimento) de sua identificação com a mãe, que fixa o caráter feminino da criança.

Tais identificações não correspondem à nossa expectativa, pois não introduzem no Eu o objeto abandonado; mas esse desfecho também ocorre, e pode ser observado mais facilmente nas garotas do que nos meninos. Com muita frequência a análise nos revela que a menina, após ter de renunciar ao pai como objeto amoroso, põe à frente sua masculinidade e se identifica não com a mãe, mas com o pai, ou seja, o objeto perdido. A questão, claramente, é se suas disposições masculinas são fortes o bastante — não importando em que consistam.

Portanto, o desenlace da situação edípica numa identificação com o pai ou a mãe parece depender, em ambos os sexos, da relativa força das duas disposições sexuais. Esta é uma das formas como a bissexualidade intervém no destino do complexo de Édipo. A outra é ainda mais importante. Pois temos a impressão de que o complexo de Édipo simples não é absolutamente o mais frequente, mas corresponde a uma simplificação ou esquematização que, não há dúvida, com frequência se justifica em termos práticos. Uma investigação mais penetrante mostra, em geral, o complexo de Édipo *mais completo*, que é duplo, um positivo e um negativo, dependente da bissexualidade original da criança; isto é, o menino tem não só uma atitude ambivalente para com o pai e uma terna escolha objetal pela mãe, mas ao mesmo tempo comporta-se como uma garota, exibe a terna atitude feminina com o pai e, correspondendo a isso, aquela ciumenta e hostil em relação à mãe. Essa interferência da bissexualidade torna muito difícil compreender as primitivas identificações e escolhas objetais, e ainda mais difícil descrevê-las de modo inteligível. Também pode ser que a ambivalência constatada na relação com os pais deva se referir inteiramente à bissexualidade, e não, como apresentei acima, ter se desenvolvido a partir da identificação, pela atitude de rivalidade.

Acho que convém supor, em geral e muito especialmente nos neuróticos, a existência do complexo de Édipo completo. A experiência analítica ensina, então, que em bom número de casos um ou outro componente dele se reduz a traços quase imperceptíveis, de modo que se produz uma série, numa ponta da qual está o complexo de Édipo normal, positivo, e na outra ponta aquele contrário, negativo, enquanto os elos intermediários exibem a forma completa, com participação desigual dos dois componentes. Na dissolução do complexo de Édipo, as quatro tendências nele existentes se agruparão de forma tal que delas resultará uma identificação com o pai e uma identificação com a mãe, a identificação com o pai mantendo o objeto materno do complexo positivo e ao mesmo tempo substituindo o objeto paterno do complexo contrário; as coisas sucederão de forma análoga na identificação com a mãe. O peso maior ou menor das duas disposições sexuais será refletido na diferente intensidade das duas identificações.

*Podemos supor, então, que o resultado mais comum da fase sexual dominada pelo complexo de Édipo é um precipitado no Eu, consistindo no estabelecimento dessas duas identificações, de algum modo ajustadas uma à outra. Essa alteração do Eu conserva a sua posição especial, surgindo ante o conteúdo restante do Eu como ideal do Eu ou Super-eu.*

Mas o Super-eu não é simplesmente um resíduo das primeiras escolhas objetais do Id; possui igualmente o sentido de uma enérgica formação reativa a este. Sua relação com o Eu não se esgota na advertência: "Assim (como o pai) você *deve* ser"; ela compreende também a proibição: "Assim (como o pai) você *não pode* ser, isto é, não pode fazer tudo o que ele faz; há coisas que continuam reservadas a ele". Essa dupla face do ideal do Eu deriva do fato de ele haver se empenhado na repressão do complexo de Édipo, de até mesmo dever sua existência a essa grande reviravolta. Claramente, a repressão do complexo de Édipo não foi tarefa simples. Como os pais, em especial o pai, foram percebidos como obstáculo à realização dos desejos edípicos, o Eu infantil fortificou-se para essa obra de repressão, estabelecendo o mesmo obstáculo dentro de si. Em certa medida tomou emprestada ao pai a força para isso, e esse empréstimo é um ato pleno de consequências. O Super-eu conservará o caráter do pai, e quanto mais forte foi o complexo de Édipo tanto mais rapidamente (sob influência de autoridade, ensino religioso, escola, leituras) ocorreu sua repressão, tanto mais severamente o Super-eu terá domínio sobre o Eu como consciência moral, talvez como inconsciente sentimento de culpa. — Mais adiante apresentarei uma conjectura acerca de onde ele tira forças para esse domínio, o caráter coercivo que se manifesta como imperativo categórico.

Considerando uma vez mais a gênese do Super-eu, tal como foi aqui descrita, nós o vemos como o resultado de dois fatores biológicos altamente significativos: o longo desamparo e dependência infantil do ser humano e o fato do seu complexo de Édipo, que relacionamos à interrupção do desenvolvimento da libido pelo período de latência e, assim, ao *começo em dois tempos* da vida sexual.* Essa última característica, especificamente humana, ao que parece, tem uma hipótese psicanalítica, segundo a qual é uma herança da evolução para a cultura imposta pela era glacial. Com isto a diferenciação do Super-eu em relação ao Eu não é algo fortuito, representa os traços mais significativos da evolução do indivíduo e da espécie; e, dando expressão duradoura à influência dos pais, perpetua a existência dos fatores a que deve sua origem.

Já inúmeras vezes se fez à psicanálise a objeção de não se importar com o que é elevado, moral e suprapessoal no homem. Tal objeção é duas vezes injusta: tanto histórica como metodologicamente. No primeiro caso, porque desde o início atribuímos às tendências morais e estéticas do Eu o estímulo à repressão; no segundo, porque não se quis ver que a investigação psicanalítica não podia apresentar-se como um sistema filosófico, com um edifício teórico inteiro e completo, mas teve que abrir seu caminho para o entendimento das com-

* Na *Standard* inglesa há duas mudanças nesta passagem, que James Strachey informa, numa nota, haverem sido feitas por ordem expressa de Freud. Eis a mesma passagem no texto da *Standard*: "Considerando uma vez mais a gênese do Super-eu [*super-ego*], tal como foi aqui descrita, nós o vemos como o resultado de dois fatores altamente significativos, um de natureza biológica e o outro, histórica: o longo desamparo e dependência infantil do ser humano e o fato do seu complexo de Édipo, cuja repressão mostramos estar ligada à interrupção do desenvolvimento da libido pelo período de latência e, assim, ao começo em dois tempos da vida sexual". Esta passagem também é reproduzida numa nota da *Studienausgabe*; em inglês, pois não chegou a ser redigida em alemão.

plicações da psique passo a passo, através da dissecação analítica de fenômenos normais e anormais. Enquanto nos ocupávamos do estudo do reprimido na vida psíquica, não precisamos partilhar a trêmula aflição com o paradeiro do elevado no ser humano. Agora que nos lançamos à análise do Eu, podemos responder o seguinte, a todos os que, abalados em sua consciência ética, queixaram-se de que tem de haver algo elevado* no homem: "Sem dúvida, e é este o algo elevado, o ideal do Eu ou Super-eu, o representante de nossa relação com os pais. Quando pequenos nós conhecemos, admiramos, tememos estes seres elevados; depois os acolhemos dentro de nós".

O ideal do Eu é, portanto, herdeiro do complexo de Édipo e, desse modo, expressão dos mais poderosos impulsos e dos mais importantes destinos libidinais do Id. Estabelecendo-o, o Eu assenhorou-se do complexo de Édipo e, ao mesmo tempo, submeteu-se ao Id. Enquanto o Eu é essencialmente representante do mundo exterior, da realidade, o Super-eu o confronta como advogado do mundo interior, do Id. Conflitos entre Eu e ideal refletirão em última instância — agora estamos preparados para isso — a oposição entre real e psíquico, mundo exterior e mundo interior.

O que a biologia e as vicissitudes da espécie humana criaram e deixaram no Id é assumido pelo Eu, através

* "Algo elevado": *ein höheres Wesen*, em alemão; *Wesen* pode significar "ser, natureza, essência". Logo adiante, na referência aos pais como "estes seres elevados", encontra-se a mesma palavra no original.

da formação do ideal, e revivenciado nele individualmente. Graças à história de sua formação, o ideal do Eu tem amplos laços com a aquisição filogenética, a herança arcaica do indivíduo. O que fez parte do que é mais profundo na vida psíquica de cada um se torna, através da formação do ideal, no que é mais elevado na alma humana, conforme nossa escala de valores. Mas em vão nos empenharíamos em localizar o ideal do Eu, ainda que apenas de modo semelhante ao que fizemos com o Eu, ou inseri-lo numa das imagens com que tentamos figurar a relação entre Eu e Id.

Não é difícil mostrar que o ideal do Eu satisfaz tudo o que se espera do algo elevado no ser humano. Como formação substitutiva do anseio pelo pai, contém o gérmen a partir do qual se formaram todas as religiões. O juízo acerca da própria insuficiência, ao comparar o Eu com seu ideal, produz o sentimento religioso de humildade que o crente invoca ansiosamente. No curso posterior do desenvolvimento, professores e autoridades levam adiante o papel do pai; suas injunções e proibições continuam poderosas no ideal do Eu, e agora exercem a censura moral como *consciência*. A tensão entre as expectativas da consciência e as realizações do Eu é percebida como *sentimento de culpa*. Os sentimentos sociais repousam em identificações com outras pessoas, com base no mesmo ideal do Eu.

Religião, moral e sentimento social — os conteúdos principais do que é elevado no ser humano —[16]

16 Deixando aqui de lado a ciência e a arte.

foram originalmente uma só coisa. Segundo a hipótese de *Totem e tabu*, foram adquiridos filogeneticamente no complexo paterno; religião e limitação ética, pelo domínio sobre o complexo de Édipo mesmo; os sentimentos sociais, pela obrigação de superar a rivalidade restante entre os membros da nova geração. Em todas essas conquistas éticas o sexo masculino parece ter tomado a frente; a herança cruzada levou esse patrimônio também às mulheres. Ainda hoje os sentimentos sociais nascem, no indivíduo, como uma superestrutura sobre os impulsos de ciúme e rivalidade contra os irmãos. Como a hostilidade não pode ser satisfeita, ocorre uma identificação com o inimigo inicial. Observações feitas em casos de homossexualidade leve apoiam a suspeita de que também essa identificação é substituto para uma escolha objetal terna, que tomou o lugar da postura agressiva-hostil.[17]

Entretanto, com a menção da filogênese aparecem novos problemas, aos quais hesitaríamos em oferecer resposta. Mas não há saída, é preciso arriscar, ainda que receando que isso ponha à mostra a insuficiência de todo o nosso esforço. A questão é: Foi o Eu ou o Id do homem primitivo que naquele tempo adquiriu religião e moralidade do complexo paterno? Se foi o Eu, por que não falamos simplesmente de uma transmissão hereditária no Eu? Se foi o Id, como se harmoniza isso com

17 Cf. *Psicologia das massas e análise do Eu* (1921) e "Alguns mecanismos neuróticos no ciúme, na paranoia e na homossexualidade" (1922).

o caráter do Id? Ou não se pode estender a diferenciação de Eu, Super-eu e Id a uma época tão remota? Ou deve-se francamente admitir que toda esta concepção dos processos do Eu em nada contribui para o entendimento da filogênese e não é aplicável a esta?

Respondamos primeiramente o que pode ser respondido com maior facilidade. A diferenciação entre Eu e Id temos de atribuir não só ao homem primitivo, mas também a organismos muito mais simples, pois é a inevitável expressão da influência do mundo externo. Quanto ao Super-eu, achamos que derivou justamente daquelas vivências que conduziram ao totemismo. A questão de se foi o Eu ou o Id que experimentou e adquiriu tais coisas não se sustenta. A reflexão logo nos diz que o Id é incapaz de viver ou experimentar vicissitudes externas senão através do Eu, que nele representa o mundo externo. Mas não se pode falar de uma transmissão hereditária no Eu. Aqui surge o hiato que separa o indivíduo real do conceito de espécie. Também não se deve tomar rigidamente a distinção entre Eu e Id, e não esquecer que o Eu é uma parte do Id especialmente diferenciada. As vivências do Eu parecem inicialmente perdidas para a herança, mas, quando se repetem com frequência e força suficientes, em muitos indivíduos que se sucedem por gerações, elas como que se transformam em vivências do Id, experiências cujas impressões são mantidas hereditariamente. Assim, o Id hereditário alberga os resíduos de incontáveis existências de Eu, e, quando o Eu cria seu Super-eu a partir do Id, talvez apenas faça aparecer de novo anteriores formas de Eu, proporcione-lhes uma ressurreição.

A história da gênese do Super-eu torna compreensível que velhos conflitos do Eu com os investimentos objetais do Id possam prosseguir em conflitos com o herdeiro destes, o Super-eu. Quando o Eu não consegue dominar o complexo de Édipo, o investimento de energia deste, oriundo do Id, volta a operar na formação reativa do ideal do Eu. A profusa comunicação entre esse ideal e esses impulsos instintuais *ics* resolve o enigma de o ideal mesmo poder ficar em grande parte inconsciente, inacessível ao Eu. A luta que já se deu nas camadas mais profundas, e que não chegou ao fim mediante rápida sublimação e identificação, prossegue numa região mais elevada, como na pintura de Kaulbach sobre a Batalha dos Hunos.*

# IV. AS DUAS ESPÉCIES DE INSTINTOS

Dissemos que, se a nossa divisão da psique em um Id, um Eu e um Super-eu significa um progresso em nosso conhecimento, ela deve revelar-se também um meio para a compreensão mais profunda e melhor descrição das relações dinâmicas da vida psíquica. Também ficou

* Segundo esclarece James Strachey, esta foi a batalha, mais conhecida como batalha de Châlons, em que Átila, rei dos Hunos, foi derrotado por romanos e visigodos, no ano de 451. O pintor Wilhelm von Kaulbach (1805-74) retratou-a num afresco, no qual os guerreiros mortos continuam lutando no céu, acima do campo da batalha — conforme uma lenda medieval.

claro, para nós, que o Eu se acha sob a influência particular da percepção, e que é possível dizer, *grosso modo*, que as percepções têm, para o Eu, a mesma importância que os instintos para o Id. Mas o Eu está sujeito ao influxo dos instintos assim como o Id, do qual é apenas uma parte especialmente modificada.

Acerca dos instintos desenvolvi recentemente (em *Além do princípio do prazer*) uma concepção que aqui manterei e tomarei como base para as discussões que seguem. De acordo com ela, há que distinguir duas espécies de instintos, das quais uma, os *instintos sexuais* ou *Eros*, é de longe a mais visível e mais acessível ao conhecimento. Ela compreende não apenas o próprio instinto sexual desinibido e os impulsos instintuais sublimados e inibidos na meta, dele derivados, mas também o instinto de autoconservação, que devemos consignar ao Eu e que no início do trabalho analítico opusemos, com boas razões, aos instintos objetais sexuais. Determinar a segunda espécie de instintos foi mais difícil para nós; afinal viemos a enxergar no sadismo o seu representante. Com base em reflexões teóricas amparadas pela biologia, supusemos que há um *instinto de morte*, cuja tarefa é reconduzir os organismos viventes ao estado inanimado, enquanto Eros busca o objetivo de, agregando cada vez mais amplamente a substância viva dispersa em partículas, tornar mais complexa a vida, nisso conservando-a, naturalmente. Ambos os instintos comportam-se de maneira conservadora no sentido mais estrito, ao se empenhar em restabelecer um estado que foi perturbado pelo surgimento da vida.

Este surgimento seria, então, a causa da continuação da vida e, ao mesmo tempo, da aspiração pela morte, a própria vida sendo luta e compromisso entre essas duas tendências. A questão da origem da vida permaneceria cosmológica, a da finalidade e propósito da vida seria respondida de forma *dualista*.

A cada uma dessas duas espécies de instintos estaria associado um processo fisiológico especial (assimilação e desassimilação [anabolismo e catabolismo]), em cada fragmento de substância viva estariam ativas as duas, mas em mistura desigual, de modo que uma substância poderia assumir a principal representação de Eros.

Ainda não podemos conceber de que modo os instintos das duas espécies se ligam, misturam, amalgamam uns com os outros; mas que isto sucede regularmente e em larga medida é uma suposição inescapável em nosso contexto. Devido à ligação dos organismos elementares unicelulares em formas de vida pluricelulares, haveria êxito em neutralizar o instinto de morte da célula singular e desviar os impulsos destrutivos para o mundo externo, por meio de um órgão especial. Esse órgão seria a musculatura, e o instinto de morte se manifestaria então — mas provavelmente só em parte — como *instinto de destruição* voltado para o mundo externo e outras formas de vida.

Havendo admitido a concepção de uma mescla [ou junção] das duas espécies de instintos, impõe-se-nos a possibilidade de uma — mais ou menos completa — *disjunção* desses instintos. No componente sádico do instinto sexual teríamos o exemplo clássico de uma mescla instintual adequada a um fim; no *sadismo* que se tornou independente como perversão, o modelo de uma disjunção, embora não levada ao extremo. Então se descortina para nós um largo âmbito de fatos, que ainda não foi considerado sob essa luz. Percebemos que o *instinto de destruição* é habitualmente posto a serviço de Eros para fins de descarga, suspeitamos que o ataque epiléptico seja produto e indício de uma disjunção de instintos, e aprendemos a ver que, entre os efeitos de algumas neuroses graves — as neuroses obsessivas, por exemplo —, merecem particular atenção a disjunção instintual e a proeminência do instinto de morte. Numa generalização rápida, conjecturamos que a essência de uma regressão libidinal, da fase genital à sádico-anal, por exemplo, baseia-se numa disjunção instintual, e, inversamente, o avanço da fase genital inicial à definitiva tem por condição um acréscimo de componentes eróticos. Surge também a questão de a *ambivalência* ordinária, que com frequência é fortalecida na disposição constitucional à neurose, poder ser apreendida como resultado de uma disjunção; mas ela é tão primordial que deve ser antes uma mescla instintual não consumada.

Nosso interesse se volta naturalmente para a questão de se haverá nexos significativos entre as supostas formações do Eu, Super-eu e Id, por um lado, e as duas espécies de instintos, por outro lado; também para a questão de se é possível atribuir, ao princípio do prazer que rege os processos psíquicos, uma posição fixa ante as duas espécies de instintos e as diferenciações psíquicas. Antes de entrar nessa discussão, temos de lidar com uma dúvida que diz respeito à colocação mesma do problema. É certo que não há dúvida em relação ao princípio do prazer, [e] a organização do Eu tem justificação clínica, mas a distinção das duas espécies de instintos não parece bastante assegurada, e é possível que fatos da análise clínica liquidem tal pretensão.

Parece haver um fato assim. Para a oposição entre as duas espécies de instintos podemos introduzir a polaridade de amor e ódio. Não temos dificuldade em achar uma representação para Eros, mas ficamos satisfeitos em poder encontrar no instinto de destruição, para o qual o aponta o ódio, um representante do instinto de morte, de tão difícil apreensão. Ora, a observação clínica nos mostra que o ódio é não somente o inesperado acompanhante regular do amor (ambivalência), não apenas o seu frequente precursor nas relações humanas, mas também que o ódio, em várias circunstâncias, transforma-se em amor, e o amor, em ódio. Quando essa transformação é mais do que mera sucessão temporal, simples substituição, claramente desaparecem os alicerces para uma distinção fundamental como essa entre instintos eróticos e de morte, que pressupõe processos fisiológicos que correm em direções opostas.

Claramente não faz parte de nosso problema o caso em que primeiramente se ama e depois se odeia a mesma pessoa, ou o contrário, quando esta deu motivos para tanto. Tampouco o caso em que um amor ainda não manifesto se exterioriza primeiramente por hostilidade e tendência à agressão, dado que o componente destrutivo pode aí antecipar-se no investimento objetal, até que o erótico a ele se junte. Mas conhecemos vários casos da psicologia das neuroses que talvez admitam a hipótese de uma transformação. Na paranoia persecutória o enfermo se defende de uma ligação homossexual muito forte a determinada pessoa de uma certa maneira, e o resultado é que essa pessoa tão amada se torna um perseguidor, contra o qual se dirige a agressão — muitas vezes perigosa — do doente. É lícito acrescentarmos que uma fase anterior transformara o amor em ódio. Na gênese da homossexualidade, mas também dos sentimentos sociais dessexualizados, a pesquisa psicanalítica nos deu a conhecer há pouco a existência de vigorosos sentimentos de rivalidade que levam a inclinações agressivas; somente após a superação deles o objeto antes odiado torna-se amado ou objeto de uma identificação. Cabe perguntar se nesses casos devemos supor uma conversão direta de ódio em amor. Trata-se, aqui, de mudanças puramente internas, em que não participam variações de conduta do objeto.

Mas a investigação psicanalítica do processo envolvido na mudança paranoica nos familiariza com a possibilidade de um outro mecanismo. Desde o início está presente uma atitude ambivalente, e a transformação ocorre por meio de um deslocamento reativo do investimento, quando se subtrai energia do impulso erótico e se introduz energia no impulso hostil.

Não a mesma coisa, mas algo semelhante acontece na superação da rivalidade hostil que leva à homossexualidade. A atitude hostil não tem perspectiva de satisfação, por isso — por motivos econômicos, então — ela é substituída pela atitude amorosa, que oferece maior perspectiva de satisfação, ou seja, possibilidade de descarga. Com isso não precisamos supor, em nenhum desses casos, uma transformação direta de ódio em amor, que seria incompatível com a diferença qualitativa das duas espécies de instintos.

Mas notamos que, ao considerar esse outro mecanismo de transformação de amor em ódio, fizemos tacitamente uma outra suposição, que deve ser explicitada. Procedemos como se houvesse na psique — seja no Eu ou no Id — uma energia deslocável, que, em si indiferente, pode juntar-se a um impulso erótico ou destrutivo qualitativamente diferenciado e elevar o investimento total deste. Sem supor uma tal energia deslocável não avançamos. A questão é de onde procede, a que pertence e o que significa.

O problema da qualidade dos impulsos instintuais e da sua conservação nos diferentes destinos dos instintos é ainda obscuro e quase não foi abordado até hoje. Nos instintos sexuais parciais, que se prestam especialmente à observação, pode-se constatar alguns processos que se enquadram na mesma ordem; por exemplo, que há certo grau de comunicação entre os instintos parciais, que o instinto de uma fonte particularmente erógena pode ceder a sua intensidade para o fortalecimento de um instinto parcial de outra fonte, que a satisfação de um instinto substitui a de outro, e outras coisas assim, que devem dar ânimo para arriscar certas hipóteses.

E na presente discussão tenho apenas uma hipótese a oferecer, não uma prova. Parece plausível que essa energia operante no Eu e no Id, deslocável e indiferente, provenha da reserva de libido narcísica, seja Eros dessexualizado. Pois os instintos eróticos nos aparecem como mais plásticos, desviáveis e deslocáveis do que os instintos de destruição. Então podemos prosseguir, sem maior dificuldade, dizendo que essa libido deslocável trabalha para o princípio do prazer, a fim de evitar represamentos e facilitar descargas. Nisso é possível notar uma certa indiferença quanto ao caminho pelo qual sucede a descarga, desde que ela aconteça. Conhecemos esse traço como algo típico dos processos de investimento que há no Id. Ele se acha nos investimentos eróticos, em que se mostra particular indiferença quanto ao objeto, muito especialmente nas transferências durante a análise, que têm de se realizar, não importando em quais pessoas. Recentemente, Rank apresentou bons exemplos de reações neuróticas de vingança dirigidas contra as pessoas erradas. Ante essa conduta do inconsciente é impossível não lembrar a divertida anedota em que um dos três alfaiates de uma aldeia tem de ser enforcado, porque o único ferreiro da aldeia cometeu um crime capital. É necessário haver castigo, ainda que não recaia sobre o culpado. A mesma imprecisão já havíamos notado nos deslocamentos do processo primário ocorridos no trabalho do sonho. Ali os objetos eram relegados a uma segunda linha de consideração, assim como, no presente caso, as vias da ação de descarga. Seria próprio do Eu insistir numa maior exatidão na escolha do objeto e da via de descarga.

Se esta energia deslocável é libido dessexualizada, pode ser também descrita como energia *sublimada*, pois ainda manteria a principal intenção de Eros, a de unir e ligar, na medida em que contribui para a unidade — ou o esforço por unidade — que caracteriza o Eu. Se incluímos entre tais deslocamentos os processos de pensamento no mais amplo sentido, também o trabalho do pensamento é provido pela sublimação de força instintual erótica.*

Aqui nos achamos novamente ante a possibilidade, já discutida, de que a sublimação aconteça regularmente por intermédio do Eu. Lembramos do outro caso, em que o Eu lida com os primeiros investimentos objetais do Id, e sem dúvida também com os posteriores, acolhendo em si a libido deles e ligando-a à mudança do Eu produzida pela identificação. A essa transformação em libido do Eu vincula-se naturalmente um abandono dos objetivos sexuais, uma dessexualização. De todo modo, assim compreendemos um importante papel do Eu em sua relação com Eros. À medida que se apodera de tal forma da libido dos investimentos objetais, arvora-se em único objeto de amor, dessexualiza ou sublima a libido do Id, ele trabalha de encontro às intenções de Eros, coloca-se a serviço dos impulsos instintuais contrários. Tem de tolerar uma outra porção de investimentos objetais do Id, como que participar deles.

* *Erotische Triebkraft*, no original; *Triebkraft* também pode ser vertida por "força motriz", segundo o uso corrente alemão, registrado nos dicionários bilíngues. As traduções estrangeiras consultadas empregam: *energía instintiva erótica*, *fuerza pulsional erótica*, *forze motrici erotiche*, *erotic motive forces*.

Depois viremos a falar de outra consequência possível dessa atividade do Eu.

Um importante desenvolvimento haveria de ser feito agora na teoria do narcisismo. Bem no início, toda a libido se acha acumulada no Id, enquanto o Eu ainda está em formação ou é fraco. O Id envia parte dessa libido para investimentos objetais eróticos, e com isso o Eu fortalecido procura apoderar-se dessa libido objetal e impor-se ao Id como objeto de amor. O narcisismo do Eu é então um narcisismo secundário, subtraído aos objetos.

Sempre tornamos a comprovar que os impulsos instintuais cuja pista podemos seguir revelam-se derivados de Eros. Não fossem as considerações apresentadas em *Além do princípio do prazer* e, por fim, as contribuições sádicas a Eros, teríamos dificuldade em manter a concepção dualista fundamental. Mas, tendo que adotá-la, somos levados à impressão de que os instintos de morte são mudos essencialmente, e de que o fragor da vida parte geralmente de Eros.[18]

E da luta contra Eros! É difícil não imaginar que o princípio do prazer serve ao Id como uma bússola no combate à libido, que introduz perturbações no curso da vida. Se, conforme Fechner, o princípio da constância governa a vida, que seria uma descensão na morte, são as exigências de Eros, dos instintos sexuais, que, enquanto necessidades instintuais, impedem a diminuição

18 Pois, segundo nossa concepção, os instintos de destruição voltados para o exterior foram desviados do próprio Eu pela mediação de Eros.

do nível e introduzem novas tensões. O Id, guiado pelo princípio do prazer, isto é, pela percepção do desprazer, defende-se delas por vários meios. Em primeiro lugar, pela rápida indulgência para com as reivindicações da libido não dessexualizada, ou seja, o empenho na satisfação das tendências diretamente sexuais. De modo bem mais amplo, numa forma particular dessas satisfações, em que convergem todas as exigências parciais, livrando-se das substâncias sexuais, que são veículos saturados, por assim dizer, das tensões eróticas. A expulsão de matérias sexuais no ato sexual corresponde, em certa medida, à separação de soma e plasma germinal. Daí a semelhança entre o estado que segue a plena satisfação sexual e a morte, sendo que nos animais inferiores a morte coincide com o ato da procriação. Tais seres morrem na reprodução, na medida em que, após se excluir Eros mediante a satisfação, o instinto de morte fica livre para levar a cabo suas intenções. Finalmente, como vimos, o Eu facilita para o Id o trabalho de superação, ao sublimar partes da libido para si e seus fins.

## V. AS RELAÇÕES DE DEPENDÊNCIA DO EU

Talvez a complexidade da matéria sirva de desculpa para o fato de nenhum dos títulos corresponder inteiramente ao teor do capítulo, e de sempre retornarmos a coisas já tratadas quando queremos estudar novos aspectos.

Assim, afirmamos repetidamente que o Eu se constitui, em boa parte, de identificações que tomam o lugar de investimentos abandonados pelo Id; que as primeiras dessas identificações agem regularmente como instância especial dentro do Eu, confrontando este como Super-eu, enquanto mais tarde o Eu fortalecido pode se comportar de modo mais resistente às influências dessas identificações. O Super-eu deve a sua especial posição no Eu ou ante o Eu a um fator que deverá ser estimado a partir de dois lados: é a primeira identificação, acontecida quando o Eu era ainda fraco, e é o herdeiro do complexo de Édipo, ou seja, introduziu no Eu os mais imponentes objetos. Em certa medida, ele está para as mudanças posteriores do Eu como a fase sexual primária da infância está para a vida sexual após a puberdade. Embora acessível a todas as influências posteriores, conserva por toda a vida o caráter que lhe foi dado por sua origem no complexo paterno, ou seja, a capacidade de confrontar o Eu e dominá-lo. É o monumento que recorda a anterior fraqueza e dependência do Eu, e que mantém seu predomínio sobre o Eu maduro. Assim como a criança era compelida a obedecer aos pais, o Eu submete-se ao imperativo categórico do seu Super-eu.

Mas a procedência dos primeiros investimentos objetais do Id, do complexo de Édipo, significa ainda mais para o Super-eu. Como já pudemos expor, ela o relaciona às aquisições filogenéticas do Id e faz dele a reencarnação de anteriores formações de Eu, que deixaram seus precipitados no Id. Assim o Super-eu se acha constantemente próximo ao Id, e pode representá-lo perante o Eu. Está profundamente imerso no Id, e por isso mais distante da consciência do que o Eu.[19]

Tais relações nós apreciaremos melhor se nos voltarmos para certos fatos clínicos que há muito já não constituem novidade, mas ainda aguardam elaboração teórica.

Há pessoas que se comportam muito peculiarmente no trabalho analítico. Quando lhes é dada esperança e mostrada satisfação com a marcha do tratamento, parecem insatisfeitas e geralmente pioram seu estado. No começo enxerga-se nisso rebeldia e esforço de demonstrar superioridade ao médico. Depois chega-se a uma visão mais profunda e justa. Não só nos convencemos de que tais pessoas não toleram elogio e reconhecimento, mas de que reagem aos progressos da terapia de maneira inversa. Toda solução parcial, que deveria trazer — e traz em outros — uma melhora ou suspensão temporária dos sintomas, nelas provoca um momentâneo exacerbar do sofrimento, elas ficam piores durante o tratamento, em vez de melhorar. Mostram a chamada *reação terapêutica negativa*.

Não há dúvida de que nelas algo se opõe à cura, de que a aproximação desta é receada como um perigo. Dizemos que nestas pessoas não prevalece a vontade de cura, mas a necessidade de doença. Analisando essa resistência da maneira habitual, e tirando-lhe a atitude de rebeldia com o médico, a fixação nas formas de benefí-

19 Pode-se dizer que também o Eu psicanalítico ou metapsicológico se acha de ponta-cabeça como aquele anatômico, o "homúnculo do cérebro".

cio a partir da doença, sobra ainda a maior parte, e isto se revela o mais forte obstáculo ao restabelecimento, mais forte do que a inacessibilidade narcísica, a atitude negativa ante o médico e o apego ao benefício da doença, já nossos conhecidos.

Afinal chegamos a perceber que se trata de um fator "moral", digamos, de um sentimento de culpa que encontra satisfação no fato de estar doente e não deseja renunciar ao castigo de sofrer. A essa explicação nada confortadora podemos nos ater em definitivo. Mas este sentimento de culpa permanece mudo para o doente, não lhe diz que é culpado; ele não se sente culpado, mas doente. Este sentimento de culpa manifesta-se apenas como uma resistência à cura difícil de ser reduzida. Também é particularmente difícil convencer o doente desse motivo da persistência de sua enfermidade, ele se apega à explicação mais óbvia de que o tratamento analítico não é o meio correto de ajudá-lo.[20]

20 A luta contra o obstáculo do sentimento de culpa inconsciente não resulta fácil para o analista. Diretamente nada podemos fazer contra ele, e indiretamente, apenas desvendar aos poucos os seus fundamentos inconscientemente reprimidos, com o que ele gradualmente se transforma em sentimento de culpa consciente. Temos uma oportunidade especial de influenciá-lo quando este sentimento de culpa *ics* é *emprestado*, ou seja, é produto da identificação com uma outra pessoa, que uma vez foi objeto de um investimento erótico. Tal adoção do sentimento de culpa é com frequência o único vestígio, difícil de ser reconhecido, da relação amorosa abandonada. A semelhança com o processo da melancolia é inconfundível. Se pudermos desvendar esse antigo investimento objetal por trás do sentimento de culpa *ics*, a tarefa terapêutica resolve-se brilhantemente, com frequência; de outro modo, não se garante absolutamente o

A descrição aqui feita corresponde às situações extremas, mas poderia valer, em medida menor, para muitos casos graves de neurose, talvez para todos. Mais até: talvez seja precisamente esse fator, o comportamento do ideal do Eu, que determine a gravidade de uma doença neurótica. Não evitaremos, então, fazer algumas observações mais sobre a manifestação do sentimento de culpa em diferentes condições.

O sentimento de culpa normal, consciente (a consciência moral), não oferece dificuldades à interpretação, baseia-se na tensão entre o Eu e o ideal do Eu, expressa uma condenação do Eu por sua instância crítica. Os conhecidos sentimentos de inferioridade dos neuróticos não se achariam distantes dele. Em duas afecções que nos são familiares o sentimento de culpa é sobremaneira consciente; o ideal do Eu exibe uma severidade especial, muitas vezes enfurecendo-se com o Eu de forma cruel. Junto a essa semelhança há nesses dois estados, a neurose obsessiva e a melancolia, diferenças na atitude do ideal do Eu que não são menos significativas.

---

desfecho do esforço terapêutico. Em primeiro lugar depende da intensidade do sentimento de culpa, a que a terapia, frequentemente, não pode opor uma força contrária de igual magnitude. Talvez dependa também de a pessoa do analista permitir que seja colocada, pelo doente, no lugar de seu ideal do Eu; e a isto se relaciona a tentação de desempenhar, ante o paciente, o papel de profeta, salvador de almas, redentor. Como as regras da análise se opõem resolutamente a essa utilização da personalidade médica, há que honestamente conceder que temos aí um novo limite à ação da psicanálise, que, afinal, deve proporcionar ao Eu do paciente a *liberdade* de decidir de uma ou outra maneira, e não tornar impossíveis as reações patológicas.

Na neurose obsessiva (em algumas formas dela) o sentimento de culpa é bastante forte, mas não consegue se justificar perante o Eu. Daí o Eu do paciente indignar-se com a imputação de culpa e solicitar do médico que o fortaleça na rejeição desses sentimentos de culpa. Seria tolo concordar com isso, pois não teria efeito. A análise mostra depois que o Super-eu é influenciado por processos que permaneceram inconscientes para o Eu. É mesmo possível descobrir os impulsos reprimidos que alicerçam o sentimento de culpa. O Super-eu, aqui, sabia mais sobre o Id inconsciente do que o Eu.

Na melancolia é ainda mais forte a impressão de que o Super-eu arrebatou a consciência. Mas aqui o Eu não ousa reclamar, ele se reconhece culpado e submete-se ao castigo. Nós compreendemos a diferença. Na neurose obsessiva trata-se de impulsos chocantes que permaneceram fora do Eu; na melancolia, o objeto a que toca a ira do Super-eu foi acolhido no Eu por identificação.

Claro que não é evidente por que o sentimento de culpa atinge uma força extraordinária nesses dois distúrbios neuróticos, mas o principal problema está em outro lugar. Adiaremos sua discussão até havermos abordado outros casos em que o sentimento de culpa permanece inconsciente.

Isto ocorre essencialmente na histeria e em estados do tipo histérico. É fácil imaginar o mecanismo pelo qual ele permanece inconsciente. O Eu histérico defende-se da percepção dolorosa com que o ameaça a crítica do seu Super-eu, da mesma forma como costuma se defender de um investimento objetal intolerável

— através de um ato de repressão. Portanto, depende do Eu que o sentimento de culpa permaneça inconsciente. Sabe-se que em geral o Eu efetua as repressões a serviço e em nome de seu Super-eu; mas eis um caso em que ele se utiliza da mesma arma contra o seu severo amo. Na neurose obsessiva predominam notoriamente os fenômenos da formação reativa; aqui o Eu consegue apenas manter a distância o material a que se refere o sentimento de culpa.

Pode-se ir mais longe e arriscar a pressuposição de que normalmente uma grande parte do sentimento de culpa teria de ser inconsciente, porque a origem da consciência moral está intimamente ligada ao complexo de Édipo, que pertence ao inconsciente. Se alguém quisesse sustentar a tese paradoxal de que o homem normal é não só muito mais imoral do que acredita, mas também muito mais moral do que sabe, a psicanálise, cujas descobertas fundamentam a primeira parte da afirmação, também nada teria a objetar à segunda.[21]

Foi uma surpresa descobrir que um acréscimo deste sentimento de culpa *ics* pode converter um homem em criminoso. Mas não há dúvida de que é assim. Em muitos criminosos, principalmente juvenis, pode-se demonstrar que havia um poderoso sentimento de culpa antes do crime, e que, portanto, é o motivo deste,

21 Esta frase é só aparentemente um paradoxo; ela diz simplesmente que a natureza do ser humano ultrapassa em muito, tanto no bem como no mal, o que ele acredita a respeito de si, ou seja, o que é conhecido de seu Eu através da percepção da consciência.

não sua consequência; como se fosse um alívio poder ligar este sentimento de culpa inconsciente a algo real e imediato.

Em todas essas situações o Super-eu mostra sua independência do Eu consciente e suas íntimas relações com o Id inconsciente. Agora, considerando a importância que atribuímos aos resíduos verbais pré-conscientes que há no Eu, cabe perguntar se o Super-eu, quando é *ics*, consiste em tais representações verbais, ou em outras coisas. A singela resposta será que o Super-eu também não pode negar sua origem no que foi ouvido, pois é parte do Eu e continua acessível à consciência a partir dessas representações verbais (conceitos, abstrações), mas a energia do investimento não é levada a esses conteúdos do Super-eu a partir da percepção auditiva, da instrução, da leitura, mas das fontes no interior do Id.

A questão cuja resposta adiamos é: como acontece de o Super-eu manifestar-se essencialmente como sentimento de culpa (ou melhor, como crítica; sentimento de culpa é a percepção no Eu que corresponde a essa crítica) e desenvolver tão extraordinário rigor e dureza para com o Eu? Voltando-nos primeiro para a melancolia, vemos que o Super-eu extremamente forte, que arrebatou a consciência, arremete implacavelmente contra o Eu, como se tivesse se apoderado de todo o sadismo disponível na pessoa. Seguindo nossa concepção do sadismo, diríamos que o componente destrutivo instalou-se no Super-eu e voltou-se contra o Eu. O que então vigora no Super-eu é como que pura cultura do instinto de morte, e de fato este consegue frequentemente impelir o Eu à morte, quando o Eu não se defende a tempo de seu tirano, através da conversão em mania.

Em determinadas formas de neurose obsessiva as objeções da consciência vêm a ser igualmente penosas e torturantes, mas a situação é menos clara. É digno de nota que o doente obsessivo, ao contrário do melancólico, jamais chega realmente ao suicídio, ele é como que imune ao perigo da autodestruição, muito mais protegido contra ele do que o histérico. Compreendemos que é a conservação do objeto que garante a segurança do Eu. Na neurose obsessiva tornou-se possível, através de uma regressão à organização pré-genital, que os impulsos amorosos se convertam em impulsos agressivos contra o objeto. Novamente o instinto de destruição ficou livre e quer destruir o objeto, ou ao menos parece existir esse propósito. O Eu não adotou essas tendências, ele se opõe a elas com formações reativas e medidas de precaução; elas permanecem no Id. Mas o Super-eu procede como se o Eu fosse responsável por elas, e ao mesmo tempo nos mostra, pela seriedade com que pune esses propósitos de destruição, que eles não constituem mera aparência suscitada pela regressão, mas verdadeira substituição de amor por ódio. Desamparado em ambas as direções, o Eu se defende em vão das instigações do Id assassino e dos reproches da consciência punitiva. Consegue apenas inibir as ações mais grosseiras dos dois lados, o resultado sendo primeiro um infindável autotormento e, depois, um tormento sistemático do objeto, quando este é acessível.

Os perigosos instintos de morte são tratados de várias maneiras no indivíduo, em parte são tornados inofensivos pela mistura com componentes eróticos, em parte são desviados para fora como agressão, e em larga medida prosseguem desimpedidos o seu trabalho interior. Como sucede, então, que na melancolia o Super-eu possa tornar-se uma espécie de local de reunião dos instintos de morte?

Do ponto de vista da restrição instintual, da moralidade, pode-se dizer que o Id é totalmente amoral, o Eu se empenha em ser moral, e o Super-eu pode ser hipermoral e tornar-se cruel como apenas o Id vem a ser. É notável que o homem, quanto mais restringe sua agressividade ao exterior, mais severo, mais agressivo se torna em seu ideal do Eu. Para a consideração habitual é o oposto, ela vê na exigência do ideal do Eu o motivo para a supressão da agressividade. Mas o fato permanece como o enunciamos: quanto mais um indivíduo controla sua agressividade, tanto mais aumenta a inclinação agressiva do seu ideal ante o seu Eu. É como um deslocamento, uma volta contra o próprio Eu. Já a moral comum, normal, tem o caráter de algo duramente restritivo, cruelmente proibitivo. Daí vem, afinal, a concepção de um ser superior que pune implacavelmente.

Não posso continuar a discutir essa questão sem introduzir uma nova suposição. O Super-eu nasceu de uma identificação com o modelo do pai. Toda identificação assim tem o caráter de uma dessexualização ou mesmo sublimação. Parece que também ocorre, numa tal transformação, uma disjunção instintual. O componente erótico não mais tem a força, após a sublimação, de vincular toda a destrutividade a ele combinada, e esta é liberada como pendor à agressão e à destruição. Dessa disjunção o ideal tiraria o caráter duro e cruel do imperioso "Ter que".

Detenhamo-nos ainda um pouco na neurose obsessiva. Nela a situação é outra. A disjunção do amor em relação à agressividade não foi obra do Eu, mas consequência de uma regressão efetuada no Id. Mas esse processo estendeu-se do Id para o Super-eu, que então aumenta seu rigor para com o Eu inocente. Em ambos os casos, porém, o Eu, tendo controlado a libido por meio da identificação, receberia em troca a punição do Super-eu, através da agressividade misturada à libido.

Nossas concepções do Eu começam a se tornar claras, suas diferentes relações ganham nitidez. Agora vemos o Eu em sua força e em suas fraquezas. Ele é incumbido de importantes tarefas; em virtude de sua relação com o sistema perceptivo, ele estabelece a ordenação temporal dos processos psíquicos e os submete à prova da realidade. Interpolando os processos de pensamento, ele alcança um adiamento das descargas motoras e domina os acessos à motilidade. Este domínio, entretanto, é mais formal do que factual; em relação ao agir, o Eu tem posição semelhante à de um monarca constitucional, sem cuja sanção nada pode se tornar lei, mas que precisa refletir muito, antes de impor seu veto a uma proposta do parlamento. O Eu se enriquece com todas as vivências oriundas de fora; mas o Id é seu outro mundo exterior, que ele se empenha em subjugar. Ele retira libido do Id, transforma os investimentos objetais do Id em configurações do Eu. Com ajuda do Super-eu, e de forma ainda obscura para nós, ele haure as experiências pré-históricas armazenadas no Id.

Por dois caminhos o conteúdo do Id pode penetrar no Eu. Um é direto, o outro passa pelo ideal do Eu, e pode ser decisivo, para algumas atividades psíquicas, em qual desses dois caminhos elas sucedem. O Eu se desenvolve da percepção dos instintos ao domínio sobre eles, da obediência aos instintos à inibição deles. Nesta operação tem forte presença o ideal do Eu, que é, em parte, uma formação reativa aos processos instintuais do Id. A psicanálise é um instrumento que deve possibilitar ao Eu a conquista progressiva do Id.

De outro lado, no entanto, vemos esse Eu como uma pobre criatura submetida a uma tripla servidão, que sofre com as ameaças de três perigos: do mundo exterior, da libido do Id e do rigor do Super-eu. Três espécies de angústia correspondem a tais perigos, pois angústia é expressão de um recuo ante o perigo. Como entidade fronteiriça, o Eu quer mediar entre o mundo e o Id, tornando o Id obediente ao mundo e, com sua atividade muscular, fazendo o mundo levar em conta o desejo do Id. Na verdade, ele se comporta como o médico num tratamento analítico, na medida em que, com sua atenção ao mundo real, oferece-se ao Id como objeto libidinal e procura guiar para si a libido do Id. Ele é não apenas o auxiliar do Id, mas também o seu escravo submisso, que roga pelo amor do amo. Ele procura, sempre que possível, permanecer em bom acordo com o Id; reveste as ordens *ics* deste com suas racionalizações *pcs*; simula a obediência do Id às advertências da realidade, mesmo quando o Id é obstinado e inflexível; disfarça os conflitos do Id com a realidade e, quando possível, também aqueles com o Super-eu. Em sua posição de permeio entre o Id e a realidade, é frequente ele sucumbir à tentação de tornar-se adulador, oportunista e mendaz, como um estadista que percebe tudo isso mas quer manter o favor da opinião pública.

Ante as duas espécies de instintos ele não se mantém imparcial. Com seu trabalho de identificação e sublimação presta ajuda aos instintos de morte na subjugação da libido, mas arrisca tornar-se objeto desses instintos e mesmo perecer. A fim de prestar esse auxílio, teve de encher-se ele próprio de libido; com isso torna-se representante de Eros, e quer então viver e ser amado.

Mas, como o seu trabalho de sublimação tem por consequência uma disjunção instintual e liberação dos instintos de agressão no Super-eu, ele se expõe, em sua luta contra a libido, ao perigo dos maus-tratos e da morte. Quando o Eu sofre ou mesmo sucumbe à agressão do Super-eu, seu destino é uma contrapartida daquele dos protozoários que perecem devido aos produtos de decomposição que eles mesmos criaram. No sentido econômico, a moral atuante no Super-eu nos parece tal produto de decomposição.

Entre as relações de dependência do Eu, a mais interessante é talvez aquela com o Super-eu.

O Eu é propriamente a sede da angústia.* Ameaçado

* O leitor deve ter presente que em alemão há uma só palavra para "medo" e "angústia", de modo que *Angststätte*, o termo aqui usado por Freud, também poderia ser vertido por "sede (ou, mais poeticamente, 'morada') do medo", e *Todesangst*, que aparece nos parágrafos seguintes, é traduzido tanto por "medo da morte" como por "angústia da (ou diante da) morte".

por perigos de três direções, ele desenvolve o reflexo de fuga, retirando seu próprio investimento da percepção ameaçadora ou do processo no Id avaliado como ameaçador, e externando-o como angústia. Essa reação primitiva é depois sucedida pela instauração de investimentos protetores (mecanismo das fobias). Não podemos especificar o que o Eu teme nos perigos externos e no perigo da libido do Id; sabemos que é a dominação ou a destruição, mas analiticamente não se deixa apreender. O Eu segue, simplesmente, a admoestação do princípio do prazer. No entanto é possível dizer o que se esconde atrás da angústia do Eu ante o Super-eu, angústia da consciência moral. O ser superior, que se tornou ideal do Eu, ameaçou uma vez com a castração, e esse medo da castração é provavelmente o núcleo em volta do qual se armazena a posterior angústia da consciência, é ele que prossegue como angústia da consciência.

A frase altissonante que diz: "Todo medo é, no fundo, medo da morte" dificilmente tem sentido, de toda forma não se justifica. Parece-me correto, isto sim, separar o medo da morte da angústia ante o objeto (angústia real) e da neurótica angústia libidinal. Ele oferece à psicanálise um difícil problema, pois a morte é um conceito abstrato de teor negativo, para o qual não se acha uma correspondência inconsciente. O mecanismo do medo da morte só poderia ser este: o Eu dispensa em larga medida o seu investimento libidinal narcísico, isto é, abandona a si mesmo, como a um outro objeto em caso de angústia. Penso que o medo da morte se dá entre o Eu e o Super-eu.

Sabemos que o medo da morte aparece sob duas

condições, que, aliás, são inteiramente análogas às do desenvolvimento habitual da angústia: como reação a um perigo externo e como processo interno, na melancolia, por exemplo. Mais uma vez, o caso neurótico pode nos auxiliar na compreensão do caso real.

A angústia da morte, na melancolia, admite apenas uma explicação: o Eu abandona a si mesmo por sentir-se odiado e perseguido pelo Super-eu, em vez de amado. De modo que para o Eu viver significa ser amado, ser amado pelo Super-eu, que também aí surge como representante do Id. O Super-eu desempenha a mesma função protetora e salvadora que tinha antes o pai, depois a Providência ou o Destino. A mesma conclusão deve tirar o Eu quando se acha ante um imenso perigo real, que não acredita poder superar com suas próprias forças. Vê-se desamparado de todos os poderes protetores e deixa-se morrer. Esta é, aliás, a mesma situação que subjaz ao primeiro grande estado de angústia, o do nascimento, e à angústia infantil da nostalgia, a da separação da mãe protetora.

Com base nessas considerações, a angústia da morte, tal como a angústia da consciência moral, pode ser apreendida como elaboração da angústia de castração. Dada a enorme importância do sentimento de culpa nas neuroses, também não se pode excluir que a angústia neurótica ordinária seja reforçada, em casos severos, pelo desenvolvimento da angústia entre Eu e Super-eu (angústia de castração, da consciência, da morte).

O Id, ao qual retornamos por fim, não tem meios de mostrar amor ou ódio ao Eu. Não pode dizer o que quer; não constituiu uma vontade uniforme. Eros e instinto de morte lutam dentro dele; vimos com que meios uma dessas classes de instintos se defende da outra. Poderíamos imaginar que o Id se acha sob a dominação dos silenciosos, mas poderosos, instintos de morte, que querem ter paz e fazer calar Eros, o estraga sossegos, por instigação do princípio do prazer; mas com isso tememos subestimar o papel de Eros.

# "AUTOBIOGRAFIA" (1925)

TÍTULO ORIGINAL: "SELBSTDARSTELLUNG".
PUBLICADO PRIMEIRAMENTE EM
*DIE MEDIZIN DER GEGENWART IN SELBSTDARSTELLUNGEN* [A MEDICINA
DE HOJE POR SEUS REPRESENTANTES],
LEIPZIG: FELIX MEINER, N. 4, 1925, PP. 1-52.
TRADUZIDO DE *GESAMMELTE WERKE* XIV,
PP. 33-96; TAMBÉM FOI UTILIZADA A EDIÇÃO
REVISTA DE ILSE GRUBRICH-SIMITIS,
FRANKFURT: FISCHER TASCHENBUCH, 1973.

# I

Vários colaboradores desta série de "Autobiografias"* iniciam sua contribuição com algumas reflexões sobre a dificuldade e singularidade da tarefa que assumiram. Creio poder afirmar que a minha tarefa é ainda um pouco mais difícil, pois já algumas vezes publiquei trabalhos semelhantes, e verificou-se que a natureza do tema me levou a falar mais de minha pessoa do que é habitual ou parece necessário.

Fiz a primeira exposição do desenvolvimento e do teor da psicanálise em 1909, em cinco palestras na Universidade Clark, em Worcester, Massachusetts, aonde fui convidado por ocasião dos festejos do vigésimo aniversário daquela instituição.[1] E recentemente concordei em fazer uma contribuição similar para uma publicação coletiva americana sobre o início do século XX, pois seus editores haviam reconhecido a importância da psicanálise ao lhe reservar um capítulo especial.[2] En-

* "*Selbstdarstellungen*", que literalmente significaria "autoapresentações". O título deste ensaio tem aspas na edição alemã das obras completas porque não foi dado pelo autor; mas nesta tradução as aspas podem assumir outro significado, indicando que ele não é uma autobiografia no sentido usual do termo.

1 Foram publicadas primeiramente em inglês, no *American Journal of Psychology* (1910); depois em alemão, com o título de "Über Psychoanalyse" ["Cinco lições de psicanálise", 1910].

2 *These eventful years. The twentieth century in the making as told by many of its makers*. Londres/Nova York: The Encyclopaedia Britannica [1924]. Meu ensaio, traduzido pelo dr. A. A. Brill, forma o cap. LXXIII do segundo volume ["Resumo da psicanálise", 1924].

tre as duas houve um ensaio, "Contribuição à história do movimento psicanalítico", de 1914, que a bem dizer já contém tudo de essencial que eu poderia comunicar aqui. Como não posso me contradizer nem gostaria de me repetir, devo procurar oferecer uma exposição que combine de uma nova maneira os elementos subjetivo e objetivo, os interesses biográfico e histórico.

Nasci em 6 de maio de 1856, em Freiberg (na Morávia), pequenina cidade da atual Tchecoslováquia.* Meus pais eram judeus, e eu também permaneci judeu. Tenho motivos para crer que meus antepassados paternos viveram por longo período na região do Reno (em Colônia), fugiram para o Leste devido a uma perseguição aos judeus, no século XIV ou XV, e no decorrer do século XIX retornaram da Lituânia para a Áustria alemã, através da Galícia.** Quando era uma criança de quatro anos de idade vim para Viena, onde se realizou toda a minha educação. No ginásio fui o primeiro aluno durante sete anos; tinha uma posição privilegiada, quase nunca tive de fazer provas. Embora vivêssemos em condições bastante modestas, meu pai insistiu que na escolha da pro-

* Após a divisão da Tchecoslováquia, ocorrida em 1992, fica na atual República Tcheca, formada pelas regiões da Boêmia, Silésia e Morávia.

** Região no sul da Polônia e oeste da Ucrânia; não deve ser confundida com aquela de mesmo nome (Galícia ou Galiza) no noroeste da Espanha.

fissão eu me guiasse apenas por minhas inclinações. Não senti preferência especial pela carreira médica naqueles anos da juventude; nem depois, aliás. Movia-me, isto sim, uma ânsia de saber que se dirigia mais às questões humanas do que aos objetos naturais, e que não reconhecera o valor da observação como um meio primordial para a sua satisfação. O fato de ter-me ocupado precocemente da história bíblica, tão logo aprendi a arte da leitura, influiu de forma duradoura na direção de meus interesses, como vim a reconhecer bem depois.* Sob forte influência da amizade com um colega um tanto mais velho, que depois se tornou um político de renome,** quis estudar direito, como ele, e desenvolver atividade pública. No entanto, eu era enormemente atraído pela teoria de Darwin, então em voga, pois ela prometia um extraordinário avanço na compreensão do mundo, e sei que a apresentação do belo ensaio de Goethe sobre a natureza,*** numa das populares conferências do prof. Carl Brühl, pouco antes de eu concluir o curso, fez com que eu decidisse me matricular em medicina.

* Essa frase e a seguinte, acrescentadas em 1935, estão omitidas na edição dos *Gesammelte Werke* (que reproduz o texto dos *Gesammelte Schriften*, de 1924), mas se acham na edição de Ilse Grubrich-Simitis e na *Standard* inglesa.

** Trata-se de Heinrich Braun (1854-1927), que em 1883 fundaria, com Karl Kautsky e Wilhelm Liebknecht, o órgão central do Partido Social-Democrata Alemão.

*** Segundo James Strachey, em 1956 descobriu-se que o verdadeiro autor desse ensaio — de 1780 — foi o suíço G. C. Tobler.

A universidade, que passei a frequentar em 1873, trouxe-me inicialmente algumas claras decepções. Deparei com a insinuação de que eu deveria me sentir inferior e estrangeiro por ser judeu. Rejeitei decididamente o primeiro adjetivo. Nunca pude compreender por que deveria me envergonhar de minha origem — ou raça, como as pessoas começavam a dizer. Quanto ao pertencimento à comunidade nacional, que me era negado, a ele abdiquei sem muito lamentar. Achava que para um indivíduo trabalhador sempre haveria um lugar nas fileiras da humanidade, mesmo sem aquela inclusão. Mas uma importante consequência dessas primeiras impressões da universidade foi que bastante cedo me familiarizei com a sina de estar na oposição e ser proscrito pela "maioria compacta".* Uma certa independência de espírito começou a se formar dessa maneira.

Além disso, nos primeiros anos de universidade me dei conta de que a especificidade de minhas aptidões me vedava o êxito em várias disciplinas científicas em que o ardor juvenil me havia lançado. Então aprendi como é verdadeira a admoestação de Mefistófeles:

*É em vão que vagais pelas ciências,*
*Cada qual aprende somente o que pode aprender.***

* Expressão do dramaturgo norueguês Ibsen, na peça *O inimigo do povo* (1882).

** No original: *Vergebens, daß ihr ringsum wissenschaftlich schweift,/ Ein jeder lernt nur, was er lernen kann. Fausto* I, cena 4 (vv. 2015-6).

No laboratório fisiológico de Ernst Brücke encontrei enfim tranquilidade e plena satisfação, e também pessoas que pude respeitar e considerar modelos: o próprio Brücke e seus assistentes Sigmund Exner e Ernst Von Fleischl-Marxow, dos quais o último, uma personalidade esplêndida, honrou-me inclusive com sua amizade. Brücke me encarregou de uma pesquisa no âmbito da histologia do sistema nervoso, que fui capaz de realizar, para sua satisfação, e depois prosseguir por minha conta. Trabalhei nesse instituto entre 1876 e 1882, com breves interrupções, e todos me consideravam destinado a preencher a primeira vaga de assistente que surgisse. As disciplinas propriamente médicas não me atraíam — com exceção da psiquiatria. Fiz os estudos de medicina de forma negligente, e apenas em 1881, com certo atraso, portanto, recebi o título de doutor em ciências médicas.

O momento decisivo ocorreu em 1882, quando meu venerado mestre corrigiu a generosa leviandade de meu pai, ao recomendar vivamente que, tendo em conta minha situação material, eu abandonasse a carreira teórica. Segui seu conselho; deixei o laboratório de fisiologia e entrei no Hospital Geral como aspirante. Lá fui promovido a *Sekundararzt** após algum tempo e servi em vários departamentos, passando mais de seis meses com Meynert, cuja obra e cuja personalidade me haviam impressionado já quando eu era estudante.

* *Sekundararzt*, literalmente "médico secundário", equivaleria ao residente no sistema brasileiro. Já o *Primararzt*, que aparece mais adiante (p. 87), é o médico diretor.

Em certo sentido, porém, permaneci fiel à primeira linha de trabalho. Brücke me havia proposto como objeto de pesquisa a medula espinhal de um dos peixes inferiores (*Ammocoetes petromyzon*). Nesse momento passei ao sistema nervoso central humano; as descobertas de Flechsig sobre a não simultaneidade da formação das bainhas de mielina lançavam então uma viva luz sobre a sua complicada estrutura fibrilar. Também o fato de eu inicialmente eleger como objeto de estudo apenas a *medulla oblongata* mostrava a continuidade de minha orientação. Em contraste com o caráter difuso de meus estudos nos primeiros anos de universidade, desenvolvi então uma tendência a concentrar-me exclusivamente numa matéria ou questão. Essa inclinação permaneceu em mim, e mais tarde me rendeu a acusação de unilateralidade.

No Instituto de Anatomia Cerebral tornei-me um pesquisador tão dedicado quanto fora no de fisiologia. Datam desses anos alguns pequenos trabalhos sobre o percurso dos tratos e as origens dos núcleos na *medulla oblongata*, que foram notados por Edinger. Um dia, Meynert — que me havia concedido acesso ao laboratório, mesmo não trabalhando com ele — sugeriu que eu me voltasse definitivamente para a anatomia cerebral, e prometeu que me passaria seu curso, pois se sentia demasiado velho para lidar com os novos métodos. Recusei, assombrado com a magnitude da tarefa; e talvez eu já adivinhasse então que aquele homem genial não era absolutamente bem-disposto em relação a mim.

Do ponto de vista prático, a anatomia cerebral certamente não era um progresso em comparação com a fisiologia. Levei em conta as necessidades materiais, iniciando o estudo das doenças nervosas. Essa especialidade não era muito cultivada em Viena, o material se achava disperso em vários departamentos do hospital, não havia oportunidade para uma boa formação, cada qual tinha de ser seu próprio mestre. Nem mesmo Nothnagel, que fora convidado pouco antes a lecionar, por seu livro sobre a localização cerebral [das doenças], diferenciava a neuropatologia de outras subdivisões da medicina. O grande nome de Charcot brilhava a distância, e eu concebi o plano de obter a docência em doenças nervosas na universidade de Viena e depois viajar para Paris, a fim de continuar minha formação.

Nos anos seguintes, trabalhando como *Sekundararzt*, publiquei várias observações clínicas sobre doenças orgânicas do sistema nervoso. Pouco a pouco me familiarizei com esse terreno; tornei-me capaz de localizar tão acuradamente um foco na *medulla oblongata* que o patologista nada precisava acrescentar; fui o primeiro em Viena a mandar um caso com o diagnóstico de polineurite aguda para a dissecção. A fama de meus diagnósticos confirmados pela autópsia trouxe-me a visita de médicos americanos, aos quais dei, numa espécie de *pidgin-English*, palestras sobre os enfermos de meu setor. De neuroses eu nada entendia. Numa ocasião em que apresentei a meus ouvintes um neurótico com persistente encefaleia como um caso de meningite crônica circunscrita, todos eles me abandonaram, com justa indignação crítica, e minha prematura atividade docente chegou ao fim. Seja lembrado, como atenuante, que naquele tempo até mesmo grandes autoridades médicas de Viena costumavam diagnosticar a neurastenia como tumor cerebral.

Na primavera de 1885 obtive a docência em neuropatologia, com base em meus trabalhos histológicos e clínicos. Pouco depois recebi, graças à viva recomendação de Brücke, uma considerável bolsa de estudos para o exterior. No outono daquele ano viajei para Paris.

Entrei como aluno na Salpêtrière,* mas, sendo um dos muitos estrangeiros visitantes, pouca atenção recebi de início. Um dia escutei Charcot lamentar que depois da guerra não tivesse mais notícias do tradutor alemão de suas conferências; que ficaria feliz se alguém se encarregasse da tradução alemã de suas *Novas conferências*. Escrevi-lhe, dispondo-me a fazê-lo; ainda lembro que na carta havia uma frase em que eu dizia ser afetado apenas pela *aphasie motrice*, não pela *aphasie sensorielle du français*. Charcot aceitou a oferta, acolheu-me em seu círculo particular, e a partir de então eu participei plenamente em tudo o que sucedia na clínica.

Enquanto escrevo estas linhas, recebo numerosos textos e artigos de imprensa da França, que evidenciam forte oposição à psicanálise e, com frequência, trazem afirmações totalmente equivocadas sobre minha relação com a escola francesa. Leio, por exemplo, que aproveitei minha estada em Paris para me familiarizar com os ensinamentos de Pierre Janet e depois fui em-

* Célebre hospital psiquiátrico de Paris, atualmente hospital universitário.

bora com meu butim. Portanto, quero deixar claro que durante minha permanência na Salpêtrière não foi pronunciado o nome de Janet.

De tudo o que vi junto a Charcot, o que mais me impressionou foram suas últimas investigações sobre a histeria, que em parte foram realizadas diante de meus olhos. Ou seja, a prova da autenticidade e regularidade dos fenômenos histéricos ("*Introite et hic dii sunt*"),* da frequente ocorrência da histeria em homens, a produção de paralisias e contraturas histéricas mediante sugestão hipnótica, o fato de esses produtos artificiais terem, inclusive em detalhes, as mesmas características dos ataques espontâneos, muitas vezes provocados por traumas. Várias das demonstrações de Charcot geraram inicialmente, tanto em mim como em outros visitantes, estranheza e tendência à dúvida, que procuramos justificar com uma das teorias que predominavam. Ele discutia nossas objeções de modo afável e paciente, mas também resoluto; foi numa dessas discussões que afirmou: "*Ça n'empêche pas d'exister*",** algo que jamais esqueci.

* Significa "Entrem, aqui também se acham os deuses"; frase que Aristóteles atribui a Heráclito (na forma grega); cf. carta de Freud a Fliess em 4 de dezembro de 1896, em que diz que planejava usá-la como epígrafe do capítulo de um livro sobre a histeria — que não chegou a escrever, porém.
** "Isso não impede que [os fatos] existam", cf. o obituário de Charcot escrito por Freud (1897), em que o episódio é descrito com mais detalhes; em nota à sua tradução das *Leçons du mardi* [Conferências das terças-feiras], do mestre francês (reproduzidas no *Nachtragsband* dos *GW* e no v. 1 da *SE*), Freud revela que a observação foi dirigida a ele próprio.

Como se sabe, nem tudo o que Charcot nos ensinou se mantém de pé ainda hoje. Algumas coisas se tornaram incertas, outras não resistiram à prova do tempo; mas restou o suficiente para serem vistas como patrimônio duradouro da ciência. Antes de deixar Paris, combinei com o mestre o plano de um estudo comparativo das paralisias histéricas e orgânicas. Eu queria provar a tese de que, na histeria, paralisias e anestesias de partes do corpo se delimitam de um modo que corresponde à representação comum (não anatômica) do ser humano. Ele concordou com o plano, mas não era difícil perceber que no fundo não tinha maior interesse em se aprofundar na psicologia da neurose. Afinal, ele vinha da anatomia patológica.

Antes de regressar a Viena me detive por algumas semanas em Berlim, para obter algum conhecimento sobre enfermidades gerais da infância. Kassowitz, que dirigia uma instituição pública de pediatria em Viena, prometera criar para mim um departamento de doenças nervosas infantis. Em Berlim, tive boa acolhida e assistência por parte de Baginsky. No curso dos anos seguintes, enquanto estava no instituto de Kassowitz, publiquei alguns trabalhos de considerável extensão sobre paralisias cerebrais unilaterais e bilaterais em crianças. Em consequência disso, mais tarde, em 1897, Nothnagel me encarregou de tratar o mesmo tema em seu volumoso *Handbuch der allgemeinen und speziellen Therapie* [Manual de terapia geral e especial].

No outono de 1886 me estabeleci como médico em Viena e desposei a garota que havia mais de quatro anos esperava por mim, numa cidade distante.* Posso dizer, voltando um pouco atrás, que graças à minha noiva não me tornei famoso já quando era jovem. Em 1884, um interesse paralelo, mas profundo, tinha me levado a solicitar à Merck uma amostra de cocaína, alcaloide então pouco conhecido, para estudar seus efeitos fisiológicos. No meio desse trabalho, surgiu a oportunidade de uma viagem para rever minha noiva, que havia dois anos eu não encontrava. Terminei apressadamente a pesquisa sobre a cocaína, e em meu estudo incluí a previsão de que em breve apareceriam novas aplicações para ela. Mas sugeri a um amigo, o oftalmologista Königstein, que investigasse em que medida as propriedades anestésicas do alcaloide poderiam ser úteis em casos de doenças nos olhos. Quando voltei das férias, descobri que não ele, mas outro amigo, Carl Koller (atualmente em Nova York), ao qual eu também havia falado sobre a cocaína, havia realizado experimentos decisivos em olhos de animais, apresentando-os em seguida no congresso de oftalmologia de Heidelberg. Koller é considerado, de maneira justa, o descobridor da anestesia local mediante cocaína, que se tornou tão importante nas pequenas cirurgias; mas não guardei rancor a minha noiva por aquele estorvo.**

* Martha Bernays, que vivia próximo a Hamburgo.

** Na primeira edição, de 1925, achava-se *mein damaliges Versäumnis* (algo como "aquela ocasião que perdi") em vez de *die damalige Störung* ("aquele estorvo" — em sua carreira, entende-se), como está na edição revista de 1934. Essa mudança não aparece nos *Gesammelte Werke* (v. XIV, 1948), porque estes reproduzem o texto dos *Gesammelte Schriften*, de 1928, anterior à revisão.

Volto ao momento em que me estabeleci como médico de nervos em Viena, em 1886. Eu tinha a obrigação de fazer, na Sociedade dos Médicos, um relato acerca do que vira e aprendera com Charcot. No entanto, tive uma péssima acolhida.* Autoridades como o presidente da sessão, o dr. Bamberg, declararam ser incrível o que eu dizia. Meynert me instou a encontrar também em Viena e apresentar à Sociedade casos como os que eu descrevia. Procurei fazer isso, mas os *Primarärzte* em cujos departamentos achei casos semelhantes não me permitiram observá-los ou trabalhar com eles. Um deles, um velho cirurgião, logo exclamou: "Mas caro colega, como pode o sr. falar tal absurdo?! *Hysteron* (sic) significa 'útero'. Como poderia um homem ser histérico?". Repliquei, em vão, que eu apenas necessitava dispor dos casos da doença, não da aprovação de meu diagnóstico. Finalmente encontrei, fora do hospital, um caso clássico de hemianestesia histérica num homem, que apresentei à Sociedade. Dessa vez me aplaudiram, mas depois não me dedicaram maior interesse. Permaneceu intacta a impressão de que as grandes autorida-

* A reconstrução desse episódio pelo historiador Henri F. Ellenberger, feita a partir de documentos da época (em *The Discovery of the Unconscious*, Nova York: Basic Books, 1970, pp. 437-42), contradiz essa versão em pontos essenciais. A principal objeção dos debatedores, na realidade, teria sido a pouca originalidade do que foi apresentado, pois casos de histeria masculina já eram conhecidos em Viena — algo que Freud, em sua idealização de Charcot, não se dispunha a perceber. Quanto a seus laços com a Sociedade dos Médicos, ele foi admitido nela após esse episódio e nunca renunciou à filiação, embora não a frequentasse.

des não admitiam minhas novidades; e, com a histeria masculina e a geração de paralisias histéricas através da sugestão, achei-me impelido à oposição. Quando, logo em seguida, foi-me interditado o laboratório de anatomia cerebral e durante o semestre não tive local onde pudesse dar conferência, afastei-me da vida acadêmica e das reuniões dos colegas. Há alguns decênios deixei de visitar a Sociedade dos Médicos.

Quando se tenciona viver do tratamento de doentes nervosos, naturalmente é preciso ser capaz de lhes prestar algum auxílio. Meu arsenal terapêutico incluía somente duas armas, a eletroterapia e a hipnose, pois enviar o enfermo para um estabelecimento de hidroterapia após uma só consulta não representava uma fonte satisfatória de renda. Na eletroterapia eu me fiei no manual de W. Erb, que oferecia prescrições minuciosas para o tratamento de todos os sintomas das doenças nervosas. Infelizmente, logo tive de constatar que a obediência às prescrições em nada ajudava, que o que eu havia tomado como fruto de observações exatas era apenas uma construção da fantasia. A percepção de que a obra do principal nome da neuropatologia alemã não tinha maior relação com a realidade do que, digamos, um livro de sonhos "egípcio", desses que são vendidos em nossas livrarias baratas, foi algo doloroso, mas contribuiu para minar um pouco mais a ingênua fé na autoridade, de que eu ainda não estava inteiramente livre. Então pus de lado o aparelho elétrico, ainda antes que

Möbius fizesse a liberadora afirmação de que os êxitos do tratamento elétrico de doentes nervosos são — quando ocorrem de fato — efeito da sugestão médica.

Com o hipnotismo as coisas estavam melhores. Ainda quando era estudante, eu havia assistido a uma apresentação pública do "*magnetiseur*" Hansen, e notara que um dos indivíduos do experimento fora tomado de uma palidez mortal ao entrar na rigidez cataléptica, e assim permaneceu enquanto durou esta condição. Isso fundamentou minha convicção da autenticidade dos fenômenos hipnóticos. Pouco depois, essa concepção teve em Heidenhain seu representante científico, o que não impediu os professores de psiquiatria, no entanto, de ainda por muito tempo afirmar que o hipnotismo era algo fraudulento e perigoso, olhando os hipnotizadores com desprezo. Em Paris eu observara que o hipnotismo era usado sem problemas, como método para criar sintomas nos doentes e em seguida eliminá-los. Então chegou-nos a informação de que em Nancy surgira uma escola que empregava a sugestão para fins terapêuticos em larga medida, com ou sem hipnose, tendo ótimos resultados. Assim, ocorreu naturalmente que nos primeiros anos de minha prática médica a sugestão hipnótica se tornasse o principal instrumento de trabalho, sem contar métodos psicoterapêuticos casuais e não sistemáticos.

É verdade que isso implicou renunciar ao tratamento das doenças nervosas orgânicas, mas foi uma renúncia de pouca monta. Por um lado, a terapia desses estados não apresentava perspectivas favoráveis; por outro lado, o número de enfermos desse tipo, na clientela particular do médico de uma grande cidade, era muito pequeno em comparação ao de neuróticos, que também pareciam multiplicar-se ao correr, sem melhoria, de um médico para outro. De resto, o trabalho com a hipnose era realmente sedutor. Pela primeira vez superávamos a sensação da própria impotência, e a reputação de fazer milagres era bastante lisonjeira. As falhas desse procedimento eu descobriria depois. Naquele instante havia apenas dois motivos para queixa: primeiro, eu não conseguia hipnotizar todos os doentes; segundo, não era possível pôr determinados pacientes em hipnose tão profunda como seria desejável. Para aperfeiçoar minha técnica de hipnose, no verão de 1889 fui para Nancy, onde passei várias semanas. Foi comovente presenciar o velho Liébault em seu trabalho com as mulheres e crianças pobres da população operária; testemunhei os assombrosos experimentos de Bernheim com seus pacientes de hospital, e recebi fortes impressões sobre a possibilidade da existência de processos psíquicos poderosos que permanecem ocultos à consciência humana. Para fins de instrução, eu convencera uma de minhas pacientes a ir me encontrar em Nancy. Era uma senhora histérica, distinta, extremamente talentosa, que me fora confiada porque ninguém sabia o que fazer com ela. Mediante a influência hipnótica eu lhe havia possibilitado levar uma existência digna, e repetidamente conseguia tirá-la da miséria do seu estado. Ela sempre recaía após algum tempo, o que eu atribuía, em meu desconhecimento de então, ao fato de sua hipnose nunca alcançar o grau de sonambulismo com amnésia. O próprio Bernheim tentou várias vezes, mas também não conseguiu. Disse-me, com toda a franqueza, que seus grandes sucessos terapêuticos através da sugestão eram obtidos apenas em seu consultório do hospital, não com a clientela particular. Tive muitas conversas estimulantes com ele, e me encarreguei de traduzir para o alemão suas duas obras sobre a sugestão e seus efeitos terapêuticos.

No período entre 1886 e 1891, pouco me dediquei ao trabalho científico e quase nada publiquei. Estava ocupado em afirmar-me na nova profissão e assegurar o sustento de minha família, que crescia rapidamente. Em 1891 surgiu o primeiro de meus trabalhos sobre paralisias cerebrais de crianças, redigido em colaboração com o dr. Oskar Rie, meu amigo e assistente. No mesmo ano, uma solicitação para colaborar num dicionário de medicina me levou a examinar a teoria da afasia, que era então dominada pelas concepções de Wernicke-Lichtheim, firmadas apenas na localização cerebral. Um pequeno livro de natureza crítica e especulativa, *Zur Auffassung der Aphasien* [Sobre o entendimento das afasias], foi o resultado desse esforço.

Agora devo expor como a pesquisa científica voltou a constituir o principal interesse de minha vida.

## II

Complementando a exposição anterior, devo afirmar que desde o início fiz outra aplicação da hipnose, além da sugestão hipnótica. Utilizei-a para interrogar o paciente sobre o surgimento de seu sintoma, do qual ele frequentemente nada ou muito pouco sabia quando estava desperto. Esse método não apenas parecia mais eficaz do que o mero ordenar ou proibir pela sugestão, como também satisfazia o desejo de saber do médico, que, afinal, tinha o direito de aprender algo acerca da origem do fenômeno que ele buscava eliminar com o monótono procedimento da sugestão.

Cheguei a essa outra aplicação da seguinte maneira. Ainda no laboratório de Brücke conheci o dr. Josef Breuer, que era um dos médicos de família mais respeitados de Viena, mas também tinha um passado de cientista, pois dele procediam alguns trabalhos duradouros sobre a fisiologia da respiração e sobre o órgão do equilíbrio. Era um homem de inteligência extraordinária, catorze anos mais velho do que eu. Nossas relações logo se estreitaram; ele se tornou meu amigo, ajudou-me em circunstâncias difíceis da vida. Habituamo-nos a partilhar um com o outro os interesses científicos. Certamente era eu quem mais ganhava nessa relação. O desenvolvimento da psicanálise veio a me custar essa amizade. Para mim não foi fácil pagar esse preço; mas era inevitável.

Já antes de minha viagem a Paris, Breuer me havia informado sobre um caso de histeria que submetera, entre 1880 e 1882, a uma forma especial de tratamento, em que pudera penetrar nas causas e no significado dos sintomas histéricos. Isto se deu num momento em que os trabalhos de Janet ainda eram coisa do futuro. Em várias ocasiões Breuer me leu passagens do caso clínico, e tive a impressão de que aquilo se aproximava mais da compreensão da neurose do que tudo o que se fizera antes. Resolvi comunicar a Charcot essas descobertas quando fosse a Paris, o que fiz realmente. Mas o mestre não demonstrou interesse ao ouvir minhas primeiras referências, de modo que não retornei ao assunto e também o abandonei eu próprio.

De volta a Viena, retomei as observações de Breuer, pedindo-lhe que me relatasse mais a respeito delas. A paciente era uma jovem de educação e dotes incomuns, que adoecera enquanto cuidava do pai que muito amava. Quando Breuer a recebeu, ela apresentava um embaraçoso quadro de paralisias com contraturas, inibições e estados de confusão mental. Uma observação casual fez o médico perceber que ela poderia ser livrada daquelas turvações da consciência se ele a induzisse a expressar em palavras a fantasia afetiva que no momento a dominava. A partir dessa experiência, Breuer chegou a um método de tratamento. Ele punha a paciente em hipnose profunda e a fazia contar o que lhe oprimia o espírito. Depois que os acessos de confusão depressiva eram superados dessa maneira, ele aplicava o mesmo procedimento para eliminar suas inibições e seus distúrbios físicos. Quando estava desperta, a garota, assim como outros doentes, não sabia dizer como haviam surgido os sintomas e não enxergava ligação entre eles e quaisquer impressões de sua vida. Hipnotizada, descobria imediatamente o nexo procurado. Verificou-se que todos os seus sintomas remontavam a fortes vivências tidas enquanto cuidava do pai doente, ou seja, tinham significado e correspondiam a vestígios ou reminiscências daquelas situações afetivas. Habitualmente aconteceu que, estando à cabeceira do pai, ela tivera de suprimir um pensamento ou impulso; no lugar deste, representando-o, aparecera depois o sintoma. Em geral, porém, o sintoma não era o precipitado* de uma única cena "traumática", e sim o resultado da soma de inúmeras situações semelhantes. Quando a enferma, hipnotizada, recordava uma situação dessas de forma alucinatória, e posteriormente realizava até o fim o ato psíquico então suprimido, dando livre curso ao afeto, o sintoma era removido e não tornava a aparecer. Mediante esse procedimento Breuer conseguiu, após demorado e penoso trabalho, livrar sua paciente de todos os sintomas.

Ela se curou e permaneceu sadia, inclusive tornou-se capaz de realizações notáveis.** Mas o desfecho do tratamento hipnótico ficou envolto em certa obscuridade, que Breuer nunca dissipou para mim; e tampouco pude entender por que havia ele escondido longamente aquele conhecimento — que me parecia inestimável —, em vez

* "Precipitado": *Niederschlag*. Nossa tradução é literal, mas cabe considerar que o termo alemão é também usado figuradamente, em contextos que indicam o significado de "expressão, fruto, resultado"; na seguinte frase, por exemplo: "O encontro do poeta com aquela senhora teve seu *Niederschlag* em numerosos poemas". Na frase anterior, "impulso" traduz o mesmo termo original, *Impuls*, e "suprimir" é versão de *unterdrücken*.

** Essa paciente, que Breuer chamou "Ana O.", era Bertha Pappenheim (1859-1936). A afirmação de que ela se curou veio a ser questionada por vários estudiosos; cf. Borch-Jacobsen, *Souvenirs d'Anna O.* (1995), *Folies à plusieurs* (2002).

de enriquecer a ciência com ele. Mas a questão imediata era se cabia generalizar o que ele havia encontrado num só caso clínico. As coisas por ele desvendadas me pareciam de natureza tão fundamental que eu não podia crer que pudessem estar ausentes em algum caso de histeria, uma vez demonstrada sua existência num único caso. Mas só a experiência poderia decidir. Comecei então a repetir as investigações de Breuer em meus pacientes, e, sobretudo depois que minha visita a Bernheim (em 1889) me mostrou as limitações na eficácia da sugestão hipnótica, não trabalhei de outra forma. Como por vários anos tive apenas confirmações, em cada caso de histeria que era acessível a esse tratamento, e também já dispunha de boa quantidade de observações análogas às suas, sugeri-lhe uma publicação conjunta, algo que inicialmente ele rejeitou com firmeza. Mas finalmente cedeu, tanto mais que naquele meio-tempo os trabalhos de Janet haviam antecipado uma parte de suas conclusões, a referência dos sintomas histéricos a impressões recebidas na vida e sua eliminação por meio da reprodução hipnótica *in statu nascendi*. Em 1893 nós publicamos uma comunicação preliminar, "Sobre o mecanismo psíquico dos fenômenos histéricos", e, em 1895, o livro *Estudos sobre a histeria*.

Se a presente exposição fez o leitor acreditar que os *Estudos sobre a histeria* são, no que têm de essencial, produto intelectual de Breuer, isso é exatamente o que sempre defendi e que faço constar também aqui. Colaborei na teoria enunciada no livro, mas hoje não é mais possível determinar até que ponto. Essa teoria é modesta, não vai muito além da expressão imediata das observações. Não pretende examinar a fundo a natureza da histeria, apenas iluminar a gênese de seus sintomas. Nisso dá ênfase ao significado da vida afetiva, à importância de distinguir entre atos psíquicos inconscientes e conscientes (ou melhor, capazes de consciência), introduz um fator dinâmico, ao supor que um sintoma se origina do represamento de um afeto, e um econômico, ao considerar o mesmo sintoma o resultado da transformação de uma quantidade de energia que é normalmente utilizada de outra maneira (a chamada *conversão*). Breuer chamou nosso procedimento de *catártico*; o objetivo terapêutico explicitado era fazer com que o montante de afeto empregado na manutenção do sintoma, que caíra em trilhas erradas e nelas permanecera como que entalado, tomasse as vias normais, onde podia chegar à descarga (ab-reagir). O êxito do método catártico foi notável. As deficiências que depois se verificaram eram as de qualquer tratamento hipnótico. Ainda hoje há psicoterapeutas que prosseguem usando a catarse, tal como Breuer a entendia, e falam em seu favor. No tratamento de neuroses de guerra de soldados alemães, durante a Grande Guerra, ela novamente se revelou satisfatória como método terapêutico breve, nas mãos de Ernst Simmel. Pouco se fala da sexualidade na teoria da catarse. Nos casos clínicos que foram minha contribuição aos *Estudos*, fatores sexuais desempenham determinado papel, mas quase não recebem mais atenção do que outras excitações afetivas. Breuer disse de sua primeira paciente, que se tornaria famosa, que nela o elemento sexual era surpreendentemente pouco desenvolvido. Pelos *Estudos sobre a histeria* não se descobriria facilmente a importância da sexualidade na etiologia das neuroses.

A parte seguinte do desenvolvimento, a transição da catarse para a psicanálise propriamente, já expus várias vezes em detalhes, de maneira que será difícil apresentar algo de novo aqui. Esse período teve início quando Breuer se afastou de nosso trabalho em comum, e então me tornei o único administrador de seu legado. Havíamos tido diferenças de opinião bem cedo, mas nada que justificasse um rompimento. Na questão de quando um processo psíquico se torna patogênico, isto é, excluído de uma solução normal, Breuer dava preferência a uma teoria que podemos chamar de fisiológica; achava que se subtraíam ao destino normal os processos que se haviam originado em estados psíquicos excepcionais, hipnoides. Com isso lançava-se uma nova questão, a da procedência desses estados hipnoides. Eu, por outro lado, supunha a existência de um jogo de forças, a ação de intenções e tendências, como aquelas observadas na vida normal. Assim, a "histeria hipnoide" contrapunha-se à "neurose de defesa". Mas diferenças como esta provavelmente não o teriam alienado da pesquisa, se outros fatores não tivessem se juntado a elas. Um deles, sem dúvida, era que suas obrigações como internista e médico particular o absorviam bastante, e ele não podia, como eu, dedicar-se inteiramente ao trabalho com a catarse. Além disso, influiu sobre ele a recepção que nosso livro teve em Viena e no *Reich*.* Sua autoconfiança e sua capacidade

* Referência à Alemanha, que então era um *Reich* ("reino").

de resistência não se achavam à altura de sua compleição intelectual. Quando, por exemplo, os *Estudos* foram duramente rejeitados por Strümpell,* eu fui capaz de rir da crítica insensata, mas Breuer magoou-se e perdeu o alento. O que mais contribuiu para sua decisão, porém, foi o fato de meus trabalhos subsequentes tomarem uma direção que lhe era impossível acompanhar.

A teoria que havíamos apresentado nos *Estudos* era mesmo bastante incompleta; em particular, mal havíamos tocado no problema da etiologia, a questão de em que terreno se origina o processo patogênico. Minha crescente experiência mostrava, então, que não eram quaisquer excitações afetivas que agiam por trás dos fenômenos da neurose, mas habitualmente os de natureza sexual: conflitos sexuais atuais ou repercussões de vivências sexuais antigas. Eu não estava preparado para esse resultado, minha expectativa não teve participação nele, eu havia iniciado a pesquisa sobre neuróticos sem ideia preconcebida. Quando, em 1914, escrevi a "História do movimento psicanalítico", vieram-me à lembrança algumas declarações de Breuer, Charcot e Chrobak, a partir das quais eu poderia ter chegado bem antes a esse conhecimento. Mas na época eu não compreendia o que essas autoridades queriam dizer; elas me revelavam

* O conhecido neurologista Adolf Strümpell reconheceu os méritos do livro, na verdade, embora fizesse alguns reparos; é o que afirmam os historiadores imparciais que leram sua resenha.

mais do que elas próprias sabiam e estavam dispostas a defender. O que delas ouvi dormitava em mim sem produzir efeito, até que, por ocasião das experiências com a catarse, surgiu como um conhecimento aparentemente original. Eu tampouco sabia que, ao relacionar a histeria com a sexualidade, havia remontado aos primeiros tempos da medicina e acompanhado Platão. Inteirei-me disso apenas depois, num artigo de Havelock Ellis.*

Influenciado por minha espantosa descoberta, dei um passo de grande consequência. Fui além da histeria e comecei a pesquisar a vida sexual dos chamados "neurastênicos", que não eram poucos em meu consultório. É verdade que esse experimento me custou o bom nome que tinha como médico, mas trouxe-me convicções que até hoje, trinta anos depois, não se estiolaram. Era necessário sobrepujar muitos segredos e mentiras, mas, tendo-se feito isso, notava-se que em todos esses doentes havia sérios abusos da função sexual. Dada a grande frequência de tais abusos por um lado, e da neurastenia por outro lado, não provava muita coisa o fato de muitas vezes serem encontrados juntos os dois; mas a questão não se limitava a um mero fato. Uma observação mais detida me levou a extrair, da profusão de quadros clínicos designada com o nome de histeria, dois tipos fundamentalmente diversos, que podiam aparecer

* Esse artigo, de 1898, é mencionado por Freud na correspondência com Fliess; cf. *The complete letters of Sigmund Freud to Wilhelm Fliess 1887-1904*, org. e trad. Jeffrey Moussaieff Masson (Cambridge, Mass.: Harvard, 1985), carta de 3 de janeiro de 1899 [ed. bras.: Rio de Janeiro: Imago, 1986].

em qualquer grau de mistura mas também ser observados em formas puras. Num deles, o fenômeno central era o ataque de angústia com seus equivalentes, suas formas rudimentares e sintomas substitutivos crônicos; por isso chamei-o *neurose de angústia*. Reservei para o outro tipo a denominação de *neurastenia*. Nesse ponto foi fácil constatar que cada um deles tinha uma anormalidade da vida sexual como fator etiológico (*coitus interruptus*, excitação frustrada, abstinência sexual, num caso; masturbação excessiva, poluções frequentes, no outro). Em alguns casos particularmente instrutivos, em que houve surpreendente mudança de um tipo para outro no quadro clínico, foi possível mostrar que tinha havido uma alteração correspondente no regime sexual. Conseguindo-se pôr termo ao abuso e substituí-lo por uma atividade sexual normal, a recompensa era uma notável melhora da condição.

Assim fui levado a perceber as neuroses, de maneira bastante geral, como distúrbios da função sexual; as chamadas neuroses atuais como expressão tóxica direta e as psiconeuroses como expressão psíquica desses distúrbios. Minha consciência médica ficou satisfeita com esse resultado. Eu esperava ter preenchido uma lacuna na medicina, que, numa função de tal importância biológica, não se dispunha a considerar outros danos senão aqueles causados por infecção ou simples lesão anatômica. Além disso, favorecia a concepção médica [do problema] o fato de a sexualidade não ser algo apenas psíquico. Tinha também seu lado somático, era justificável atribuir-lhe um quimismo especial e fazer a excitação sexual derivar da presença de substâncias determinadas, embora ainda não conhecidas. Também devia haver uma boa razão para o fato de as neuroses genuínas, espontâneas, mostrarem mais semelhança, entre os grupos de doenças, com os fenômenos de intoxicação e abstinência provocados pela introdução ou privação de determinadas substâncias tóxicas ou com o mal de Basedow, cuja dependência do produto da tireoide é conhecida.

Depois não tive oportunidade de retomar a investigação sobre as neuroses atuais, nem outros estudiosos prosseguiram com essa parte de meu trabalho. Se hoje lanço um olhar a meus resultados de então, vejo-os como as primeiras, cruas esquematizações de algo provavelmente muito mais complicado. Mas no conjunto me parecem corretos ainda hoje. Eu bem gostaria de ter submetido ao exame psicanalítico outros casos de neurastenia juvenil pura; infelizmente não houve ocasião para isso. Para evitar incompreensões, quero enfatizar que está longe de mim negar a existência do conflito psíquico e dos complexos neuróticos na neurastenia. Afirmo apenas que os sintomas desses doentes não são determinados psiquicamente nem podem ser removidos pela análise, que têm de ser vistos como consequências tóxicas diretas do quimismo sexual perturbado.

Quando adquiri essas concepções sobre o papel da sexualidade na etiologia das neuroses, nos anos subsequentes aos *Estudos*, dei algumas palestras sobre o tema em sociedades médicas, mas encontrei apenas incredulidade e oposição. Breuer ainda buscou usar o peso de seu prestígio pessoal em meu favor algumas vezes, mas nada conseguiu, e não era difícil ver que o reconhecimento da etiologia sexual também contrariava sua inclinação. Ele poderia ter me liquidado ou me desorientado, remetendo ao caso de sua primeira paciente, em que fatores sexuais não teriam desempenhado nenhum papel absolutamente. Mas nunca o fez; algo que não entendi, até que fui capaz de interpretar corretamente o caso e de reconstruir o desfecho de seu tratamento, seguindo algumas observações que ele havia feito. Depois que o trabalho da catarse parecia concluído, subitamente a garota entrou num estado de "amor transferencial" que ele já não relacionou com a doença, e embaraçado se afastou dela. Era evidentemente penoso, para ele, ser lembrado desse aparente infortúnio. Na atitude para comigo oscilou algum tempo entre o reconhecimento e a crítica acerba; houve então alguns incidentes, como sempre ocorrem nas situações tensas, e nós deixamos de nos ver.

Outra consequência de meu trabalho com as doenças nervosas em geral foi que mudei a técnica da catarse. Abandonei a hipnose e procurei substituí-la por outro método, pois desejava superar a limitação do tratamento a estados histeriformes. Além disso, minha crescente experiência me produziu duas sérias dúvidas acerca da utilização da hipnose para a catarse. A primeira foi que até mesmo os melhores resultados como que desapareciam subitamente quando a relação pessoal com o paciente se anuviava. É certo que eles se restabeleciam quando se chegava à reconciliação, mas aprendíamos que a relação afetiva pessoal era mais forte que todo trabalho de catarse, e justamente aquele fator se furtava ao controle. Então tive uma experiência que me evidenciou claramente o que havia muito eu suspeitava. Achava-me com uma de minhas mais dóceis pacientes, na qual a hipnose possibilitara coisas surpreendentes, e quando lhe aliviei o sofrimento, fazendo remontar seu ataque de dor àquilo que o causara, ela jogou os braços em redor de meu pescoço ao despertar. A entrada repentina de uma serviçal nos poupou de uma explicação embaraçosa, mas a partir daquele momento renunciamos, em tácito acordo, ao tratamento hipnótico. Fui razoável o bastante para não lançar o incidente à conta de meu charme pessoal irresistível, e acreditei haver apreendido então a natureza do elemento místico que age por trás da hipnose. Para excluí-lo, ou ao menos isolá-lo, tive que abandonar o hipnotismo.

No entanto, o hipnotismo havia prestado grandes serviços ao tratamento catártico, ao ampliar o campo de consciência dos pacientes e lhes pôr à disposição um conhecimento a que não tinham acesso em estado de vigília. Não parecia fácil substituí-lo. Nesse embaraço me veio em auxílio a lembrança de um experimento que eu havia presenciado muitas vezes com Bernheim. Quando a pessoa acordava do sonambulismo, parecia haver perdido toda a lembrança do que ocorrera enquanto se achava naquele estado. Mas Bernheim afirmava que ela sabia perfeitamente o que se dera, e quando a instava para que se recordasse, quando garantia que ela sabia tudo, que devia apenas dizer, e nisso lhe punha a mão sobre a testa, as lembranças esquecidas realmente voltavam, primeiro apenas de forma hesitante e depois em torrente e com total clareza. Resolvi fazer o mesmo. Também meus pacientes tinham de "saber" tudo o que apenas a hipnose lhes tornara acessível, e minha insistência e exortação, talvez secundadas pelo posicionamento da mão, deviam ter o poder de empurrar para a consciência os fatos e nexos esquecidos. Provavelmente isto seria mais trabalhoso que a indução à hipnose, mas poderia ser muito instrutivo. Então abandonei o hipnotismo, dele conservando apenas a recomendação de o paciente se deitar num sofá enquanto eu ficava sentado atrás dele, de modo que o via mas não era visto.

## III

Minha expectativa se cumpriu; libertei-me do hipnotismo, mas com a mudança da técnica também o trabalho da catarse mudou seu aspecto. O hipnotismo havia encoberto um jogo de forças que então se revelava, e cuja compreensão dava à teoria um fundamento seguro.

Como se explicava que os doentes tivessem esquecido tantos fatos de sua vida exterior e interior, mas pudessem recordá-los quando se aplicava a eles a técnica descrita? A observação dava uma resposta exaustiva a essa pergunta. Todo o esquecido havia sido penoso de alguma maneira, terrível, doloroso ou vergonhoso para os padrões da pessoa. Impunha-se por si mesmo o pensamento de que justamente por isso fora esquecido, isto é, não permanecera consciente. Para torná-lo de novo consciente era preciso vencer no doente algo que se obstinava, era preciso despender esforços para obrigá-lo e pressioná-lo [a recordar]. Os esforços requeridos do médico variavam conforme o caso, cresciam em relação direta com a gravidade daquilo a ser lembrado. O dispêndio de energia do médico era evidentemente a medida da *resistência* por parte do doente. Era necessário apenas traduzir em palavras o que ele mesmo havia percebido, e estava-se de posse da teoria da *repressão*.

Foi simples, então, reconstruir o processo patogênico. Para ficar num exemplo fácil, digamos que aparece na vida psíquica uma única tendência,* à qual outras tendências poderosas se opõem. Segundo nossa expectativa, o *conflito* psíquico que então surge deveria transcorrer de modo que as duas grandezas dinâmicas — vamos chamá-las, para nossos propósitos, "instinto" e "resistência" — lutassem entre si por algum tempo, com forte participação da consciência, até que o instinto fosse rechaçado, sendo retirado o investimento de energia de sua tendência. Esta seria a solução normal. Mas na neurose — por razões ainda não conhecidas — o conflito tem outro desfecho. O Eu como que

* "Tendência": tradução dada a *Strebung* nesse ponto; as versões estrangeiras consultadas empregam: *tendencia*, *aspiración*, *tendenza*, *tendance*, *impulsion*. Além daquelas normalmente utilizadas (a espanhola, a argentina, a italiana e a inglesa), também pudemos consultar a nova tradução francesa dirigida por Jean Laplanche: *"Autoprésentation"*, em *Œuvres complètes*, v. XVII (Paris: PUF, 1992). Conforme o critério adotado na presente edição, de ordem decrescente de proximidade ao português, ela vem citada em penúltimo lugar, antes da edição inglesa.

se retrai no primeiro encontro com o impulso instintual repulsivo, barra-lhe o acesso à consciência e à descarga motora direta, mas este conserva seu pleno investimento de energia. Denominei este processo *repressão*. Era algo novo, nada semelhante a ele fora notado antes na vida psíquica. Era claramente um mecanismo de defesa primário, comparável a uma tentativa de fuga, um precursor do julgamento condenatório normal. O primeiro ato de repressão implicava outras consequências. Em primeiro lugar, o Eu tinha que se proteger do contínuo assédio do impulso reprimido, mediante um permanente dispêndio [de energia], um *contrainvestimento*, assim se empobrecendo; por outro lado, o reprimido, que então era *inconsciente*, podia achar descarga e satisfação substitutiva por outras vias, desse modo fazendo gorar a intenção da repressão. Na histeria de conversão essa outra via conduz à inervação somática, o impulso reprimido irrompe em qualquer lugar e cria os *sintomas*, que são resultados de compromisso; certamente satisfações substitutivas, mas deformadas e desviadas de sua meta pela resistência do Eu.

A teoria da repressão tornou-se o pilar da compreensão das neuroses. A tarefa da terapia teve de ser concebida de outra forma, seu objetivo não era mais "ab-reagir" o afeto que enveredara por vias erradas, mas sim desvendar as repressões e substituí-las por operações de julgamento que poderiam resultar na aceitação ou rejeição do que fora repudiado. Considerando esse novo estado de coisas, não mais chamei de *catarse* o procedimento de investigação e cura, e sim de *psicanálise*.

Pode-se partir da repressão, como de um centro, e pôr em relação com ela todos os elementos da teoria psicanalítica. Mas antes farei uma observação de caráter polêmico. Segundo Janet, a mulher histérica era uma pobre criatura, que em razão de uma debilidade constitucional não conseguia manter a coerência dos atos psíquicos. Por causa disso sucumbia à cisão psíquica e à limitação da consciência. Conforme os resultados das investigações psicanalíticas, porém, esses fenômenos eram consequência de fatores dinâmicos, do conflito psíquico e da repressão efetuada. Creio que a diferença é substancial, e deveria pôr fim ao frequente palavreado segundo o qual o que é valioso na psicanálise foi tomado de empréstimo às ideias de Janet. Minha exposição deve ter mostrado ao leitor que do ponto de vista histórico a psicanálise é totalmente independente das descobertas de Janet, assim como diverge e vai além delas no tocante ao conteúdo. Jamais os trabalhos de Janet teriam tido as implicações que tornaram a psicanálise tão importante para as ciências humanas* e atraíram sobre ela o interesse geral. Sempre me referi respeitosamente a Janet, pois seus achados coincidiam em boa parte com os de Breuer, que haviam sido feitos antes e publicados depois. Mas quando a psicanálise se tornou objeto de discussão

* "Ciências humanas": assim traduzimos aqui o termo *Geisteswissenschaften*, que literalmente significa "ciências do espírito", como puseram os tradutores argentino, italiano e francês; já o espanhol utilizou simplesmente *ciencia*, sem adjunto adnominal, e o inglês preferiu *mental sciences*, uma versão discutível.

também na França, ele se comportou mal, demonstrou escasso conhecimento do assunto e utilizou argumentos deselegantes. Por fim, a meus olhos ele se expôs verdadeiramente e desvalorizou sua obra mesma, ao declarar que quando havia falado de atos psíquicos "inconscientes" nada quis dizer com isso, fora apenas "*une façon de parler*" [uma maneira de falar].*

Mas o estudo das repressões patogênicas e de outros fenômenos que ainda abordaremos fez a psicanálise levar a sério a noção do "inconsciente". Para ela, tudo psíquico era primeiramente inconsciente, a qualidade de consciência podia juntar-se a esta ou permanecer ausente. Naturalmente isso deparou com a objeção dos filósofos, que consideravam "consciente" e "psíquico" idênticos e afirmavam não poder imaginar um absurdo como "inconsciente psíquico". Mas não houve jeito, foi preciso ignorar essa idiossincrasia dos filósofos. A experiência adquirida com o material patológico que eles não conheciam, relacionada à frequência e potência dos impulsos de que nada se sabia e que era preciso inferir como qualquer fato do mundo exterior — tal experiência não deixava escolha. Era possível sustentar que apenas se estava fazendo com a própria vida psíquica o que sempre se havia feito em relação à de

* Em *Gesammelte Werke* se acha "*une manière de parler*", mas na edição em volume autônomo de 1935 consta "*façon*" em vez de "*manière*". Esse parágrafo se acha em corpo menor na edição *GW*.

outras pessoas. Afinal, também atribuímos atos psíquicos* a outra pessoa, embora não tenhamos consciência imediata deles e precisemos imaginá-los** a partir de suas palavras e ações. O que é certo para o outro deve ser válido também para nossa própria pessoa. Alguém que deseje prosseguir com esse argumento e dele concluir que nossos atos ocultos pertencem a uma segunda consciência, defrontará com a concepção de uma consciência da qual nada se sabe, de uma consciência inconsciente, o que certamente não é uma vantagem diante da suposição de uma psique inconsciente. E se, como outros filósofos, alguém disser que leva em conta as incidências patológicas, mas os atos a elas subjacentes não deveriam ser chamados de "psíquicos", e sim de "psicoides", então a divergência resulta numa estéril disputa em torno de palavras, na qual o mais conveniente seria decidir manter a expressão "inconsciente psíquico". A questão de o que é em si tal inconsciente não é mais inteligente nem mais proveitosa do que a outra, anterior, de o que é o consciente.

* "Atos psíquicos": tradução literal de *psychische Akte*. As versões consultadas são também literais, exceto a inglesa, que usa *mental processes*; mas, considerando que já recorremos a "processo" para verter *Vorgang* e *Prozeß*, e que os dicionários da língua alemã não apresentam outro sentido para o termo *Akt*, mantivemos "atos psíquicos", embora admitindo a estranheza da expressão.
** "Imaginar" é a tradução que aqui damos ao verbo *erraten*, um dos favoritos de Freud (e um dos verbos fundamentais da psicanálise), que admite igualmente alguns outros sentidos ou nuances de sentido, como se vê pelas versões estrangeiras consultadas: *deducir*, *colegir*, *arguire*, *deviner*, *infer*.

Mais difícil seria expor brevemente como a psicanálise chegou a subdividir o inconsciente por ela admitido, a separá-lo em um *pré-consciente* e um inconsciente propriamente dito. Talvez baste a observação de que pareceu legítimo completar as teorias que são expressão direta da experiência com hipóteses que são adequadas para o domínio do material e concernem a relações* que não podem ser objeto de observação direta. Em ciências mais antigas também não se costuma agir de outra forma. A subdivisão do inconsciente liga-se à tentativa de imaginar o aparelho psíquico como sendo composto de determinado número de *instâncias* ou *sistemas*, de cujas relações entre si falamos em termos de espaço, mas sem buscar nexos com a anatomia real do cérebro. (O que denominamos ponto de vista *topológico*.)** Essas ideias e outras semelhantes pertencem à superestrutura especulativa da psicanálise, em que qualquer porção pode

* "Relações" é uma das versões possíveis para o termo original, *Verhältnisse*, cuja polissemia já fica mais que evidente se reproduzimos as diferentes soluções das traduções consultadas: *circunstancias*, *constelaciones*, *fenomeni*, *faits*, *matters*.

** "Topológico": no original, *topisch*, adjetivo de *Topik*, que muitas vezes encontramos vertido por "tópica" em textos de psicanálise. Mas em português essa palavra designa a "ciência ou tratado dos remédios tópicos", aqueles que atuam no local em que são aplicados. Os substantivos alemães terminados em *ik* podem induzir a erros na tradução; assim, *Pädagogik* significa "pedagogia" em português; e *Romantik*, "romantismo". Freud usa *Topik* por empréstimo da anatomia, em que o termo designa o estudo da posição relativa dos órgãos. A versão usada na *Standard* inglesa, *topography*, é sinônimo de "topologia".

ser sacrificada ou substituída sem prejuízo nem lamento, tão logo se demonstre sua precariedade. Mas restam ainda, para serem relatadas, muitas coisas que se acham mais próximas da observação.

Já mencionei que a pesquisa das causas e motivações da neurose nos levou, com frequência cada vez maior, aos conflitos entre os impulsos sexuais da pessoa e as resistências à sexualidade. Na busca das situações patogênicas em que haviam aparecido as repressões da sexualidade e de que se originavam os sintomas como formações substitutivas do [material] reprimido, fomos conduzidos a momentos sempre anteriores da vida do paciente, chegando enfim à sua primeira infância. Disso resultou aquilo que os escritores e conhecedores dos homens sempre afirmaram, que as impressões dos primeiros períodos da vida, apesar de geralmente sucumbirem à amnésia, deixam traços indeléveis no desenvolvimento do indivíduo — em especial, firmam a predisposição para adoecimentos neuróticos posteriores. Como essas vivências infantis sempre diziam respeito a excitações sexuais e à reação a elas, achamo-nos diante do fato da *sexualidade infantil*, que constituía outra novidade e contradizia um dos mais fortes preconceitos humanos. Pois a infância deveria ser "inocente", livre de apetites sexuais, e a luta com o demônio da "sensualidade" deveria começar apenas na época tempestuosa da puberdade. O que ocasionalmente era impossível não se perceber de atividade sexual nas crianças era tido como sinal de degeneração, depravação prematura, ou curioso capricho da natureza. Poucas constatações da psicanálise encontraram rejeição tão geral, suscitaram tanta indignação como a afirmativa de que a função sexual principia no começo da vida e já na infância se manifesta em fenômenos de importância. Nenhum outro achado psicanalítico pode ser demonstrado de maneira tão fácil e tão completa, no entanto.

Antes de prosseguir na abordagem da sexualidade infantil, devo lembrar um erro em que incidi por algum tempo e que quase se tornaria funesto para todo o meu trabalho. Sob a pressão do procedimento técnico que eu usava na época, a maioria dos pacientes reproduzia cenas da infância cujo conteúdo era a sedução sexual por um adulto. Nas mulheres o papel do sedutor cabia quase sempre ao pai. Dei crédito a essas comunicações e supus que havia encontrado a fonte da futura neurose nessas vivências de sedução sexual na infância. Reforçaram minha confiança alguns casos em que tais relações com o pai, um tio ou um irmão mais velho haviam se prolongado até uma idade em que a recordação é segura. Se alguém balançar a cabeça, incrédulo ante a minha credulidade, não deixarei de lhe dar alguma razão; mas posso alegar que naquele tempo eu sofreava intencionalmente o espírito crítico, para manter uma atitude imparcial e receptiva ante as novidades que diariamente me vinham ao encontro. Quando fui obrigado a reconhecer que tais cenas de sedução não haviam jamais ocorrido, eram apenas fantasias que meus pacientes tinham inventado, que talvez eu próprio lhes havia imposto, fiquei desorientado por algum tempo. A confiança em minha técnica e em seus resultados sofreu um duro golpe; afinal, eu havia chegado àquelas cenas por um procedimento técnico que me parecia correto, e seu conteúdo relacionava-se claramente com os sintomas que haviam sido o ponto de partida de minha investigação. Tendo me recomposto, tirei da experiência as conclusões corretas: que os sintomas neuróticos não se ligavam diretamente a vivências reais, e sim a fantasias envolvendo desejos,* e que para a neurose a realidade psíquica significava mais que a realidade material. Mesmo hoje não acredito haver imposto, "sugerido" a meus pacientes aquelas fantasias de sedução. Eu havia deparado ali, pela primeira vez, com o *complexo de Édipo*, que depois ganharia extraordinária importância, mas que não reconheci naquele fantasioso disfarce. Além disso, a sedução durante a infância conservou seu papel na etiologia, embora mais modesto. Mas geralmente os sedutores haviam sido crianças mais velhas.

Meu erro, então, foi como o de alguém que tomasse por verdade histórica a lendária narrativa dos reis de

* "Fantasias envolvendo desejos": *Wunschphantasien*, em que a palavra *Wunsch* significa "desejo" no sentido mais amplo, como o termo inglês *wish*, com o qual tem parentesco etimológico. Também é possível fazer uma versão puramente literal, com a simples justaposição dos termos ("fantasia-desejo"), ou, considerando que geralmente a fantasia implica o desejo, omitir esse último; mas não se pode esquecer que também existem fantasias envolvendo medo ou pavor. As versões estrangeiras consultadas trazem: *fantasías optativas*, *de deseo*, *di desiderio*, *de souhait*, *wishful phantasies*.

Roma feita por Tito Lívio, em vez de enxergá-la como aquilo que é: uma formação reativa ante a recordação de tempos e circunstâncias miseráveis, provavelmente inglórios. Após o esclarecimento do erro, o caminho para o estudo da vida sexual infantil estava livre. Vimo-nos em condições de aplicar a psicanálise a um outro âmbito do saber, inferindo de seus dados uma parte até então desconhecida do funcionamento biológico.*

A função sexual, como verifiquei, existe desde o princípio, apoia-se inicialmente nas outras funções vitais e depois se torna independente delas; passa por um longo e complicado desenvolvimento, até se tornar o que é conhecido como vida sexual normal do adulto. Manifesta-se primeiramente como atividade de toda uma série de *componentes instintuais* que são dependentes de *zonas*

* Essa última oração contém, no texto alemão, três palavras cuja tradução nem sempre é simples, e duas delas se acham entre os termos favoritos de Freud. A formulação original diz: *aus ihren Daten ein bisher unbekanntes Stück des biologischen Geschehens zu erraten*; esse último verbo significa "adivinhar, decifrar, deduzir, inferir etc.", e o substantivo *Stück* (esses os dois "favoritos") pode ser traduzido por "pedaço, fragmento, parte, parcela etc."; por fim, o verbo *geschehen*, substantivado nessa frase, significa literalmente "acontecer", mas aqui não pode ser traduzido dessa forma (ele também aparece assim no título de um importante artigo de 1911, "Formulações sobre os dois princípios do funcionamento psíquico"). Eis essas palavras nas versões estrangeiras consultadas: não se acham na edição espanhola (todo o parágrafo foi omitido!), *colegir / un fragmento / acontecer biológico*; *inferire / una parte / accadere biologico*, *deviner / une part / advenir biologique*; *discovering / a piece / biological knowledge* (sic).

*erógenas* do corpo, que surgem, em parte, sob forma de pares de opostos (sadismo—masoquismo, voyeurismo—exibicionismo),* independentemente um do outro buscam obter prazer e geralmente encontram seu objeto no próprio corpo. Portanto, no início ela é não centralizada e predominantemente autoerótica. Mais tarde surgem sínteses dentro dela; há um primeiro estágio de organização, sob o domínio dos componentes *orais*, e a ele se segue uma fase *sádico-anal*, e apenas na terceira fase, alcançada tarde, tem-se a primazia dos *genitais*, com que a função sexual entra a serviço da procriação. Durante esse desenvolvimento, várias partes de instintos** são descartadas ou dirigidas para outras aplicações, por serem inúteis para essa finalidade última, e outras são desviadas de suas metas e conduzidas à organização genital. Chamei a energia dos instintos sexuais — apenas ela — de *libido*. Precisei supor que nem sempre a libido perfaz esse desenvolvimento de maneira impecável.

* "Voyeurismo—exibicionismo": *Schautrieb—Exibitionslust*; empregamos aqui o termo de origem francesa, de uso corrente no Brasil, para verter o termo original, que se compõe de *schauen*, "ver, olhar" (ligado etimologicamente ao inglês *show*) e *Trieb*; na segunda palavra composta, *Lust* significa "prazer" (mas também "vontade, desejo de"). Eis o que encontramos nas versões consultadas: *instinto de contemplación—exhibicionismo*, *pulsión de ver—pulsión de exhibición*, *pulsione di guardare—piacere di esibirsi*, *pulsion de regarder—plaisir-désir d'exhibition*, *impulses to look and to be looked at*.

** "Partes de instintos": *Triebanteile* — nas versões consultadas: *factores instintivos* (sic), *aportes pulsionales*, *pulsioni parziali*, *éléments pulsionnels*, *elements of the various component instincts*.

Devido à força excessiva de determinados componentes ou a experiências precoces de satisfação, há *fixações* da libido em certos pontos do desenvolvimento. Então a libido tende a retornar a esses pontos, no caso de uma repressão posterior ([processo de] *regressão*), e a partir deles ocorre a irrupção [da energia] para o sintoma. Uma compreensão posterior acrescentou que a localização do ponto de fixação é também decisiva para a escolha da neurose, para a forma como surge a doença posterior.

Ao lado da organização da libido ocorre o processo de escolha do objeto, que desempenha um grande papel na vida psíquica. O primeiro objeto amoroso após o estágio do *autoerotismo* será, para ambos os sexos, a mãe, cujo órgão nutridor provavelmente não é diferenciado de seu corpo no início. Depois, mas ainda na primeira infância, estabelece-se a relação do complexo de Édipo, em que o menino concentra seus desejos sexuais na pessoa da mãe e desenvolve impulsos hostis para com o pai, vendo este como rival. De maneira análoga se comporta a menina;[3] todas as variações e consequências do complexo de Édipo se tornam significa-

3 [Nota acrescentada em 1935:] As constatações sobre a sexualidade infantil foram adquiridas na análise de homens, e a teoria delas derivada foi ajustada para o menino. A expectativa de um completo paralelismo entre os dois sexos era natural, mas demonstrou ser infundada. Investigações e considerações ulteriores revelaram profundas diferenças entre o desenvolvimento sexual dos homens e o das mulheres. Também para a menina a mãe é o primeiro objeto sexual; no entanto, para atingir a meta do desenvolvimento normal a mulher deve mudar não apenas o objeto sexual, mas também a zona genital dominante. Disso resultam dificuldades e possivelmente inibições que não se apresentam para o homem.

tivas, a inata constituição bissexual se faz valer e aumenta o número de impulsos simultaneamente ativos. Transcorre um bom tempo até a criança notar claramente a diferença entre os sexos; nesse período da *pesquisa sexual* ela engendra típicas *teorias sexuais*, que, por depender da incompletude de sua organização somática, misturam coisas certas e erradas e não podem solucionar o problema da vida sexual (o enigma da Esfinge: de onde vêm as crianças?). A primeira escolha de objeto da criança é *incestuosa*, portanto. Todo o desenvolvimento aqui descrito é rapidamente percorrido. A mais notável característica da sexualidade humana é seu início *em dois tempos*, com uma pausa entre eles. No quarto e quinto ano de vida ela alcança um primeiro apogeu, mas logo termina esse desabrochar da sexualidade, os impulsos até então vivazes sucumbem à repressão e sucede o *período de latência*, que dura até a puberdade e no qual se instauram as formações reativas que são a moral, a vergonha, o nojo.[4] O desenvolvimento em dois tempos da sexualidade parece ser exclusivo do homem, entre todos os seres vivos; é talvez a condição biológica de sua predisposição à neurose. Com a puberdade são reavivados os impulsos e investimentos objetais do primeiro período, e também as ligações emocionais do complexo de Édipo. Na vida sexual da puberdade há uma luta entre os impulsos dos primeiros anos e as inibições do período de latência. Ainda no auge do desenvolvimen-

4 [Nota acrescentada em 1935:] O período de latência é um fenômeno fisiológico. Mas ele só pode causar uma interrupção completa da vida sexual naquelas formas de organização cultural que incorporaram em seus fundamentos a supressão [*Unterdrückung*] da sexualidade infantil. Esse não é o caso da maioria dos povos primitivos.

to sexual infantil estabeleceu-se uma espécie de organização genital, na qual, porém, apenas o genital masculino desempenhou um papel, enquanto o feminino permaneceu desconhecido (a chamada primazia *fálica*). Nesse tempo o contraste entre os sexos não era ainda *masculino* ou *feminino*, mas sim "de posse de um pênis" ou "castrado". O *complexo da castração*, com isso relacionado, torna-se muito importante para a formação do caráter e da neurose.

Para facilitar a compreensão, nesta sumária exposição de minhas descobertas sobre a vida sexual humana juntei coisas que apareceram em épocas diversas e que foram acrescentadas, a título de complemento ou correção, a diferentes edições sucessivas de meus *Três ensaios de uma teoria da sexualidade* [1905]. Espero que não seja difícil apreender, por este sumário, em que consiste a tão enfatizada e criticada ampliação do conceito de sexualidade. Tal ampliação é dupla. Primeiro, a sexualidade é afastada de seu vínculo por demais estreito com os genitais e caracterizada como uma função somática mais abrangente, que visa o prazer e só secundariamente entra a serviço da procriação. Em segundo lugar, são incluídos entre os impulsos sexuais todos aqueles apenas afetuosos e amigáveis, para os quais a linguagem corrente utiliza a polivalente palavra "amor". Não creio, porém, que tais ampliações sejam inovações, mas sim restaurações; elas denotam a abolição de impróprias limitações do conceito, às quais nos havíamos deixado levar.

Desprender a sexualidade dos genitais tem a vantagem de nos permitir considerar a atividade sexual das crianças e a dos pervertidos sob o mesmo ponto de vista que a dos adultos normais, quando até agora a primeira foi inteiramente negligenciada e a segunda, acolhida com indignação moral mas sem compreensão. Na concepção psicanalítica, também as mais estranhas e mais repulsivas perversões se explicam como manifestações de instintos sexuais parciais, que se subtraíram ao primado genital e perseguem autonomamente o prazer, como nos primeiros tempos do desenvolvimento libidinal. A mais importante delas, a homossexualidade, dificilmente merece o nome de perversão. Ela remonta à bissexualidade constitucional e ao efeito posterior da primazia fálica; mediante psicanálise pode-se demonstrar em cada pessoa um tanto de escolha homossexual de objeto. Ao designar as crianças como "polimorficamente pervertidas",* fizemos apenas uma descrição em termos de uso geral; não pretendemos enunciar uma avaliação moral. Tais julgamentos de valor são alheios à psicanálise.

A outra das supostas ampliações se justifica por referência à investigação psicanalítica, que demonstra que todos os sentimentos afetuosos eram originalmente impulsos** sexuais plenos, que depois foram "inibidos na meta" ou "sublimados". Também se baseia

* Cf. *Três ensaios de uma teoria da sexualidade*, II. A sexualidade infantil, seção "As manifestações sexuais masturbatórias" (1905).

** "Impulso": tradução que geralmente damos a *Strebung*, substantivo em desuso no alemão de hoje (talvez já no tempo de Freud fosse uma peculiaridade sua), relacionado ao verbo *streben*, "esforçar-se, aspirar, ambicionar". Nas versões estrangeiras temos: *tendencias, aspiraciones, impulsi, tendances, impulses*; o segundo desses termos, empregado na edição argentina, não nos parece adequado. Cf. nota à p. 170.

nessa natureza influenciável e desviável dos instintos sexuais o fato de poderem ser utilizados para muitas realizações culturais, às quais dão as mais relevantes contribuições.

As surpreendentes descobertas sobre a sexualidade infantil foram feitas inicialmente através da análise de adultos, mas depois, a partir de 1908 aproximadamente, puderam ser confirmadas pela observação direta de crianças, nos pormenores e na medida em que se quisesse. É realmente tão fácil nos convencermos da atividade sexual regular das crianças que temos de perguntar a nós mesmos, admirados, como as pessoas conseguiram ignorar esses fatos e por tanto tempo manter a lenda* da assexualidade da infância. Isso deve estar ligado à amnésia que a maioria dos adultos tem, no tocante à sua infância.

## IV

As teorias da resistência e da repressão, do inconsciente, da significação etiológica da vida sexual e da importância das vivências infantis são os principais componentes do edifício teórico da psicanálise. Lamento o fato de aqui ter podido apenas apresentar os elementos isolados, sem mostrar também como se compõem e se imbricam. Agora é o momento de nos voltarmos para as

* "Lenda": *Wunschlegende*; cf. nota sobre *Wunschphantasie*, à p. 113; nas versões consultadas: *leyenda*; *leyenda, fruto del deseo*; *leggenda ispirata al desiderio*; *legende-souhait*, *wishful legend*.

mudanças que pouco a pouco se verificaram na técnica do procedimento analítico.

A forma de superação das resistências inicialmente adotada, por pressão e encorajamento, fora indispensável para dar ao médico as primeiras orientações sobre o que podia esperar. Com o tempo, porém, tornava-se muito cansativa para ambas as partes e não parecia imune a certas objeções. Foi então substituída por outro método, que em determinado sentido era o seu oposto. Em vez de instar o paciente a dizer algo sobre certo tema, solicitávamos que ele se entregasse à *livre associação*, ou seja, que dissesse o que lhe vinha à mente quando se abstinha de dar uma direção consciente a suas ideias.* Mas tinha de se obrigar a realmente comunicar tudo o que a autopercepção lhe proporcionava e

* "Quando se abstinha de dar uma direção consciente a suas ideias": *wenn er sich jeder bewußten Zielvorstellung enthielt*; numa tradução mais literal: "quando se abstinha de toda 'ideia intencional' consciente. A questão aqui é como verter o vocábulo freudiano *Zielvorstellung*, composto de *Vorstellung*, "ideia, representação", e *Ziel*, "meta, objetivo". Em outros textos de Freud (como no "Caso Schreber", de 1911, e em "A repressão", de 1915) empregamos "ideia intencional", expressão não muito clara, porém, e que tem o sentido esclarecido na tradução-paráfrase que aqui fizemos. O *Vocabulário da psicanálise*, de Laplanche e Pontalis, oferece "representação-meta", expressão ainda menos clara, enquanto a *Standard* inglesa geralmente recorre a *purposive idea*. Eis o que trazem nesse ponto as versões consultadas: *represión* [sic, evidente erro de impressão] *final*, *representación-meta*, *rappresentazione finalizzata*, *représentation-but*, *to give any conscious direction to his thoughts*. Cf. a tradução que demos a um composto semelhante, *Zielhandlung* (em que *Handlung* = "ação"), em "Os instintos e seus destinos", por exemplo (1915; v. 10 destas *Obras completas*).

não ceder aos reparos críticos que buscavam eliminar certos pensamentos com a justificativa de que não eram importantes o suficiente, estavam fora do lugar ou eram simplesmente absurdos. Não havia necessidade de repetir formalmente a exigência de franqueza na comunicação, pois ela era o pressuposto do tratamento analítico.

Pode parecer surpreendente que esse método de associação livre com observância da *regra psicanalítica fundamental* alcançasse o que dele se esperava, ou seja, levar para a consciência o material reprimido e mantido a distância pelas resistências. Devemos considerar, porém, que a associação livre não é realmente livre. O paciente se acha sob a influência da situação analítica mesmo quando não dirige a atividade do pensamento para um determinado tema. Temos o direito de supor que não lhe ocorrerá o que não estiver relacionado a esta situação. Sua resistência à reprodução do reprimido se manifestará de duas formas. Primeiramente nas objeções críticas, às quais se dirigiu a regra fundamental da psicanálise. Mas se, observando a regra, ele supera esses impedimentos, a resistência se expressa de outra forma. Faz com que jamais ocorra ao analisando o material reprimido mesmo, mas apenas algo que deste se aproxima em forma de alusão, e quanto maior a resistência, tanto mais distante daquela que propriamente se busca é a associação substituta comunicada. O analista, que escuta concentrado, mas sem esforço, e que por sua experiência geral está preparado para o que vem, pode utilizar conforme duas possibilidades o material que o paciente lhe traz: ou consegue, havendo pouca resistência, inferir o material reprimido a partir das alusões, ou, em caso de maior resistência, pode discernir, nas associações que parecem se afastar do tema, o caráter dessa resistência, e comunicá-la então ao paciente. Mas descobrir a resistência é o primeiro passo para a sua superação. Assim se constitui, no âmbito do trabalho analítico, uma *arte de interpretação*, cujo emprego bem-sucedido requer tato e exercício, é verdade, mas que não é difícil de aprender. O método de associação livre tem grandes vantagens em relação ao anterior, não apenas por ser menos trabalhoso. Expõe o analisando ao mínimo grau de coerção, nunca perde o contato com o presente real, garante em boa medida que o analista não deixe de ver nenhum fator da estrutura da neurose e não introduza nela algum tanto de sua própria expectativa. Com ele cabe essencialmente ao paciente determinar o curso da análise e a ordenação do material, razão pela qual se torna impossível trabalhar sistematicamente sintomas e complexos específicos. De modo contrário ao que sucede no procedimento hipnótico ou no exortativo, o que é inter-relacionado aparece em momentos e pontos diversos do tratamento. Para um espectador — o que não pode haver, na realidade — a terapia analítica seria impenetrável, portanto.

Outra vantagem do método é que nunca deve fracassar. Teoricamente sempre há de ser possível ter uma associação, se abandonamos toda exigência relativa à sua espécie. No entanto, há um caso em que regularmente ocorre esse fracasso; mas justamente por seu caráter único ele se torna também interpretável.

Agora chego à descrição de um fator que constitui um traço essencial no quadro da análise e que técnica e teoricamente pode reivindicar a maior importância. Em todo tratamento analítico se produz, sem que o médico faça alguma coisa para isso, uma forte relação emocional do paciente com a pessoa do analista, que não pode ser explicada pelas circunstâncias reais. É de natureza positiva ou negativa, varia do amor-paixão plenamente sensual a extremos de rebeldia, amargura e ódio. Isso que abreviadamente chamamos de *transferência* logo toma no paciente o lugar do desejo de cura e se torna, enquanto permanece afetuosa e moderada, veículo da influência médica e verdadeira mola impulsora do trabalho analítico em conjunto. Mais tarde, se se torna passional ou se converte em hostilidade, vem a ser o principal instrumento da resistência. Então pode também acontecer que paralise a atividade associativa do paciente e ameace o êxito do tratamento. Mas não haveria sentido em buscar evitá-la; uma análise sem transferência é algo impossível. Não se deve crer que a análise cria a transferência e que esta ocorre somente nela. A transferência é apenas desvelada e isolada pela análise. É um fenômeno humano geral, decisivo para o êxito de toda influência médica, e inclusive governa as relações de uma pessoa com seu ambiente humano. Não é difícil reconhecer nela o mesmo fator dinâmico que os hipnotizadores chamaram de sugestionabilidade, que é o veículo do *rapport* hipnótico e cuja imprevisibilidade era razão para queixas também no método catártico. Quando falta ou é inteiramente negativa essa inclinação à transferência de sentimentos, como na *dementia praecox* e na paranoia, deixa de existir também a possibilidade de exercer influência psíquica sobre o doente.

Não há dúvida de que também a psicanálise trabalha por meio da *sugestão*, como outros métodos psicoterapêuticos. A diferença está em que nela não é deixada à sugestão ou à transferência o papel decisivo no sucesso terapêutico. Esta é usada, isto sim, para mover o paciente a realizar um trabalho psíquico — a superação de suas resistências de transferência —, que envolve uma duradoura modificação em sua economia mental. O analista torna o enfermo consciente de sua transferência, esta é dissolvida quando ele o convence de que, em sua conduta transferencial, *revivencia* ligações emocionais que têm origem em seus primeiros investimentos objetais, no período reprimido de sua infância. Dessa maneira, a transferência passa de mais forte arma da resistência a melhor instrumento da terapia analítica. Sua utilização é sempre a parte mais difícil e mais importante da técnica psicanalítica.

Com o auxílio do método de associação livre e da arte de interpretação a ele relacionada, a psicanálise conseguiu algo que aparentemente não tinha significação prática, mas que na realidade levou necessariamente a uma posição e uma consideração inteiramente novas na esfera científica. Tornou-se possível demonstrar que os *sonhos* têm sentido e decifrar tal sentido. Na Antiguidade clássica os sonhos eram altamente apreciados como antevisões do futuro; a ciência moderna não se interessou por eles, abandonou-os à superstição, proclamou serem um ato* puramente "somático", uma espécie de sobressalto da psique que dorme. Parecia inconcebível que alguém que havia realizado trabalho científico sério se apresentasse como "intérprete de sonhos". Mas se o pesquisador não se preocupava com tal condenação dos sonhos, tratava-o como um sintoma neurótico não compreendido, uma ideia delirante ou obsessiva, não considerava seu conteúdo aparente e fazia de suas imagens objetos da associação livre, então chegava a outro resultado. Através dos inúmeros pensamentos espontâneos do sonhador, conhecia um produto do pensamento** que já não podia ser chamado de absurdo ou confuso, que correspondia a uma realização psíquica inteiramente válida, da qual o sonho *manifesto* era apenas uma tradução deformada, abreviada e mal compreendida; em sua maior parte, uma tradução em quadros visuais. Esses *pensamentos oníricos latentes* continham o significado do sonho, o conteúdo onírico manifesto era apenas um logro, uma fachada, a que certamente se podia ligar a associação, mas não a interpretação.

* Cf. nota sobre a expressão "ato psíquico", à p. 109; talvez se pudesse usar "evento" nesse caso.

** "Produto do pensamento": *Gedankengebilde*, em que *Gebilde* pode significar "criação, invenção, formação, obra, produção, estrutura, imagem, configuração, desenho, produto", e *Gedanke* significa "pensamento"; nas versões consultadas: *producto mental*, *producto del pensamiento*, *struttura ideativa*, *formation de pensée*, *thought-structure*.

Surgiu toda uma série de questões a serem respondidas; entre as mais importantes estavam: Havia um motivo para a formação do sonho? Sob que condições ela podia ocorrer? De que maneira os pensamentos oníricos, plenos de sentido, passavam para o sonho, muitas vezes sem sentido? Em meu livro *A interpretação dos sonhos*, publicado em 1900, procurei lidar com todos esses problemas. Apenas um brevíssimo resumo dessa investigação pode caber aqui. Se examinamos os pensamentos oníricos latentes revelados na análise do sonho, encontramos um que se destaca perfeitamente dos outros, razoáveis e familiares ao indivíduo que sonha. Esses outros são restos da vida desperta (resíduos do dia); mas no pensamento isolado reconhecemos um impulso ou desejo frequentemente chocante, que é alheio à vida desperta do sonhador e que este, portanto, rejeita com surpresa ou indignação. Esse impulso é o verdadeiro formador do sonho, fornece a energia para a sua produção e se utiliza dos restos diurnos como material; o sonho que assim nasce representa para ele uma situação satisfatória, é sua *realização de desejo*. Tal processo não seria possível se algo na natureza do sono não o favorecesse. O pressuposto psíquico do sono é a acomodação do Eu ao desejo de dormir e a retirada dos investimentos de todos os interesses da vida; como simultaneamente os acessos à motilidade são bloqueados, o Eu pode também diminuir o dispêndio [de energia] com que mantém as repressões. O impulso inconsciente aproveita esse relaxamento noturno da repressão para com o sonho abrir caminho até a consciência. Mas a resistência repressiva do Eu também não é abolida no sono, apenas diminuída; um resto seu permanece como *censura onírica* e proíbe que o impulso inconsciente se manifeste nas formas que assumiria propriamente. Devido ao rigor da censura onírica, os pensamentos oníricos latentes têm de submeter-se a modificações e atenuações que tornam irreconhecível o significado proibido do sonho. Essa é a explicação para a *deformação onírica*, à qual o sonho manifesto deve suas características mais marcantes. É justificada, então, a tese de que *o sonho é a realização (disfarçada) de um desejo (reprimido)*. Já percebemos agora que o sonho é construído como um sintoma neurótico, é uma formação de compromisso entre as exigências de um impulso instintual reprimido e a resistência de um poder censurador no Eu. Tendo a mesma gênese, é tão incompreensível como o sintoma e igualmente necessitado de interpretação.

Não há dificuldade em descobrir a função geral do sonho. Ele serve para rechaçar, por uma espécie de mitigação, estímulos externos e internos que levariam ao despertar, e assim protege o sono de interrupções. O estímulo externo é rechaçado ao ser reinterpretado e entremeado numa situação inócua; a pessoa que sonha tolera o estímulo interno da exigência instintual e permite sua satisfação através da formação do sonho, desde que os pensamentos oníricos latentes não se subtraiam ao controle da censura. Se houver esse perigo e o sonho for nítido demais, a pessoa o interrompe e acorda assustada (*sonho de angústia*). A mesma falha da função do sonho ocorre quando o estímulo é forte demais para ser rechaçado (*sonho de despertar*). O processo que, com a cooperação da censura onírica, transforma os pensamentos latentes no conteúdo onírico manifesto foi denominado *trabalho do sonho*. Ele consiste num peculiar tratamento do material de pensamento pré-consciente, em que as partes que o compõem são *condensadas*, as ênfases psíquicas são *deslocadas*, o todo é convertido em quadros visuais, *dramatizado*, e complementado por uma enganadora *revisão secundária*. O trabalho do sonho é um ótimo exemplo dos processos que se desenvolvem nas camadas profundas, inconscientes da psique, que diferem consideravelmente dos processos normais de pensamento que nos são conhecidos. Ele também mostra um bom número de traços arcaicos, como o emprego de um *simbolismo* — aqui predominantemente sexual — que tornamos a encontrar em outras esferas de atividade mental.

O impulso instintual inconsciente do sonho se liga a um resto diurno, um interesse não solucionado da vida desperta, e, ao fazê-lo, confere ao sonho por ele formado um duplo valor para o trabalho analítico. O sonho interpretado mostra ser, por um lado, a realização de um desejo reprimido; por outro, pode haver prosseguido a atividade de pensamento pré-consciente do dia anterior e ter se preenchido de qualquer conteúdo, exprimindo uma intenção, uma advertência, uma reflexão ou, novamente, uma realização de desejo. A análise o utiliza nas duas direções, tanto para conhecer os processos conscientes como os inconscientes do analisando. Ela também se aproveita do fato de que o sonho tem acesso ao material esquecido da infância, de modo que a amnésia infantil é geralmente superada com a interpretação de sonhos. Nisso eles realizam parte do que antes cabia ao hipnotismo. Algo que nunca afirmei, embora frequentemente me seja atribuído, é que a interpretação revela que todos os sonhos têm conteúdo sexual ou remontam a forças motrizes* sexuais. É fácil ver que fome, sede e necessidade de expelir podem gerar sonhos de satisfação da mesma forma que qualquer impulso reprimido sexual ou egoísta. Os sonhos de crianças pequenas nos oferecem uma prova simples da exatidão de nossa teoria. Nelas os diferentes sistemas psíquicos não se acham ainda claramente separados e as repressões ainda não se aprofundaram, então frequentemente ouvimos falar de sonhos que nada mais são do que realizações não dissimuladas de impulsos envolvendo desejos,** remanescentes do

* "Forças motrizes": *Triebkräfte*. Adotamos aqui o sentido geral do termo alemão, enquanto alguns outros tradutores enfatizam o significado técnico de *Trieb*: *energías instintivas*, *fuerzas pulsionales*, *forze motrici*, *forces de pulsion*, *motive forces*.

** "Impulsos envolvendo desejos": *Wunschregungen*; ver nota sobre *Wunschphantasien* (p. 113). As traduções consultadas oferecem: *impulsos optativos* (sic; como se pudéssemos optar por não tê-los), *moción de deseo*, *moti di desiderio*, *motions de souhait*, *wishful impulses*. Mais adiante, na p. 154, o termo foi traduzido simplesmente por "desejos"; cf. nota sobre ele em "O uso da interpretação dos sonhos na psicanálise" (1911, v. 10 desta coleção), onde também afirmamos a impropriedade de se traduzir *Regung* por "moção". Parece-nos igualmente imprópria a tentativa, feita por tradutores franceses, de reservar a palavra *désir* para verter *Begierde* e empregar apenas *souhait* para *Wunsch* ("desejo" num sentido mais amplo, aparentado ao termo inglês *wish*). Seria como decretar que nos textos psicanalíticos em língua portuguesa devemos empregar "desejo" apenas no sentido sexual, e "voto" na acepção mais geral de desejo.

dia. Sob a influência de necessidades imperativas, também adultos podem produzir esses sonhos de tipo infantil.[5]

Assim como faz com a interpretação dos sonhos, a análise se serve do estudo dos frequentes atos falhos e ações sintomáticas das pessoas, a que dediquei uma pesquisa que apareceu em forma de livro em 1904, com o título de *Psicopatologia da vida cotidiana*.* O conteúdo dessa obra, que foi bastante lida, é a demonstração de que tais fenômenos nada têm de casual, que transcendem as explicações fisiológicas, são significativos e interpretáveis e, por fim, autorizam a inferência de que remetem a impulsos e intenções contidos ou reprimidos. Mas o valor eminente tanto da interpretação de sonhos como desse estudo não se acha no amparo que dão ao trabalho analítico, e sim numa outra característica. Até então a psicanálise se ocupara apenas da decifração de fenômenos patológicos e muitas vezes tivera que formular, para sua explicação, hipóteses cujo alcance não era proporcional à importância do material tratado. Mas o sonho, que ela abordou naquele momento,

5 [Nota acrescentada em 1935:] Quando se considera o frequente malogro da função do sonho, pode-se caracterizar adequadamente o sonho como uma *tentativa* de realização de desejo. Permanece indiscutível a velha definição de Aristóteles: segundo ele, o sonho é a vida psíquica durante o sono. Não por acaso, o título que dei a meu livro não foi *Os sonhos*, mas sim *Interpretação dos sonhos*.

* Mas foi publicado primeiramente em dois números de uma revista psiquiátrica de Berlim, já em 1901.

não era um sintoma doentio, era um fenômeno da vida psíquica normal, podia ocorrer em qualquer pessoa sadia. Se o sonho é construído como um sintoma, se a sua explicação requer as mesmas hipóteses, as da repressão de impulsos instintuais, da formação substituta e de compromisso, dos diferentes sistemas psíquicos para situar o consciente e o inconsciente, então a psicanálise não é mais uma ciência auxiliar da psicopatologia, é antes o começo de uma nova e aprofundada ciência da mente, que também para a compreensão do normal se tornará indispensável. Seus pressupostos e resultados podem ser transferidos para outros âmbitos do funcionamento psíquico; acha-se aberto o caminho para o mundo, para o interesse universal.

## V

Agora interrompo a exposição sobre o desenvolvimento interno da psicanálise e me volto para as vicissitudes externas. O que até aqui relatei de suas conquistas foi, nas grandes linhas, resultado de meu trabalho, mas também incluí descobertas posteriores na narrativa e não fiz distinção entre as minhas contribuições e as de meus discípulos e seguidores.

Por mais de dez anos após o afastamento de Breuer não tive seguidores. Estava completamente isolado. Era evitado em Viena, e no exterior não se tomava conhecimento de mim. A *Interpretação dos sonhos*, de 1900, quase não teve resenhas nas publicações especializadas. Na

"Contribuição à história do movimento psicanalítico" [1914] mencionei, como exemplo da atitude dos círculos psiquiátricos de Viena, a conversa com um médico assistente que escrevera um livro contra minhas teorias, mas que não lera *A interpretação dos sonhos*. Haviam-lhe dito, na clínica, que não valia a pena. Esse homem, que desde então se tornou catedrático, permitiu-se negar o teor daquele diálogo e pôr em dúvida a correção de minha lembrança. Reafirmo cada palavra daquele relato.

Quando percebi o caráter inevitável das coisas com que deparava, minha suscetibilidade se atenuou bastante. Também meu isolamento foi chegando ao fim. Primeiro formou-se ao meu redor, em Viena, um pequeno círculo de alunos; a partir de 1906, chegava a notícia de que psiquiatras de Zurique, E. Bleuler, seu assistente C. G. Jung e outros, interessavam-se vivamente pela psicanálise. Criaram-se relações pessoais; em 1908 os amigos da jovem ciência se reuniram em Salzburgo, combinaram a repetição regular de tais congressos privados e a publicação de uma revista, intitulada *Jahrbuch für psychoanalytische und psychopathologische Forschungen* [Anuário de Pesquisas Psicanalíticas e Psicopatológicas] e editada por Jung. Os diretores eram Bleuler e eu; ela foi interrompida com o início da Guerra Mundial. Simultaneamente à adesão dos suíços, também na Alemanha despertava o interesse pela psicanálise; esta se tornou objeto de muitas menções na literatura e vivas discussões em congressos científicos. A acolhida jamais era amigável ou de benévola expectativa. Após tomar breve conhecimento da psicanálise, a ciência alemã foi unânime em rejeitá-la.

Naturalmente, não posso saber hoje qual será o julgamento definitivo da posteridade acerca do valor da psicanálise para a psiquiatria, a psicologia e as ciências humanas em geral. Mas creio que, se um dia a fase que vivemos encontrar seu historiador, esse terá de admitir que o comportamento dos representantes da ciência alemã não foi motivo de orgulho para ela. Não estou me referindo ao fato da rejeição ou à firmeza com que se deu; um e outra podiam ser compreendidos, não deixavam de ser esperados e, de toda forma, não chegavam a pôr sombra no caráter dos adversários. Mas para aquele grau de arrogância e desavergonhado desprezo da lógica, para a crueza e o mau gosto dos ataques não pode haver escusa. Talvez se diga que é pueril dar vazão a esses sentimentos após quinze anos; eu não o faria realmente, se não houvesse outra coisa a acrescentar. Anos depois, durante a Guerra Mundial, quando um coro de inimigos lançou à nação alemã a recriminação de barbárie, em que se acha resumido o que acabo de mencionar, foi profundamente doloroso não poder refutá-la devido à minha própria experiência.

Um dos adversários gabava-se de que fazia calar seus pacientes quando estes começavam a falar de coisas sexuais; e, ao que tudo indica, extraiu dessa técnica o direito de avaliar o papel da sexualidade na etiologia das neuroses. Sem contar as resistências afetivas, que se explicavam facilmente pela teoria psicanalítica — de modo que não nos podiam enganar —, o principal empecilho ao entendimento parecia estar em que os adversários viam na psicanálise um produto de minha fantasia especulativa, não querendo acreditar no longo, isento, paciente trabalho que fora necessário para a sua construção. Como eram de opinião que a análise nada tinha de observação e experiência, consideravam inteiramente justificado rejeitá-la sem experiência própria. Outros, não tão seguros nessa convicção, repetiam a clássica manobra de resistência: não olhar no microscópio, para não enxergar o que haviam contestado. É curioso como a maioria das pessoas age incorretamente quando tem de formar seu próprio juízo numa nova questão. Há muitos anos tenho escutado de críticos "benevolentes" que até tal ou tal ponto a psicanálise está certa, mas ali começam os exageros, a generalização injustificada. No entanto, sei que nada é mais difícil do que fazer essa delimitação, e que os próprios críticos desconheciam inteiramente o assunto até semanas ou dias antes.*

O anátema oficial contra a psicanálise teve a consequência de tornar mais unidos os psicanalistas. No segundo congresso, em Nuremberg (1910), organizaram-se, por sugestão de Ferenczi, numa Associação Psicanalítica Internacional, composta de sociedades locais e com um só presidente. Esta associação sobreviveu à Guerra Mundial e ainda existe; compreende as sociedades de Viena, Berlim, Budapeste, Zurique, Londres, Holanda, Nova York, Pan-América, Moscou e Calcutá.** Para primeiro presidente favoreci a

* Esse parágrafo está em corpo menor nos *GW*.

** Essa é a enumeração do original (incluindo *Pan-Amerika*, aqui traduzido literalmente). Mas na *Standard* inglesa se acha, com uma nota esclarecendo que a mudança foi aprovada pelo autor: "Áustria, Alemanha, Hungria, Suíça, Grã-Bretanha, Holanda, Rússia e Índia, assim como duas nos Estados Unidos".

escolha de C. G. Jung, uma medida realmente infeliz, como depois se verificou. A psicanálise ganhou então uma segunda revista, a *Zentralblatt für Psychoanalyse* [Folha Central de Psicanálise], editada por Adler e Stekel, e logo em seguida uma terceira, *Imago*, que os analistas não médicos Hans Sachs e Otto Rank dedicaram às aplicações da psicanálise às ciências humanas. Pouco depois, Bleuler publicou sua defesa da psicanálise ("Die Psychoanalyse Freuds", 1910). Embora fosse animador que a justiça e a honesta lógica enfim se manifestassem na disputa, o trabalho de Bleuler não era capaz de me satisfazer completamente. Esforçava-se demais em manter uma aparência de imparcialidade; não por acaso, devíamos justamente ao seu autor a introdução do valioso conceito de *ambivalência* na psicanálise. Em artigos posteriores, Bleuler assumiu uma atitude tão contrária ao edifício teórico da análise, rejeitou ou pôs em dúvida partes tão essenciais dele, que eu tive de me perguntar, surpreso, o que podia restar para sua aprovação. Contudo, depois ele também se declarou resolutamente a favor da "psicologia das profundezas" e, além disso, baseou nela seu abrangente estudo das esquizofrenias. Mas Bleuler não permaneceu muito tempo na Associação Psicanalítica Internacional; abandonou-a devido a discrepâncias com Jung, e a psicanálise perdeu o Burghölzli.*

* "Burghölzli": denominação informal do hospital psiquiátrico da universidade de Zurique, então dirigido por Eugen Bleuler (1857-1939).

A oposição oficial não pôde evitar a difusão da psicanálise na Alemanha e em outros países. Em outro lugar ("Contribuição à história do movimento psicanalítico" [1914, cap. II]) acompanhei as etapas de seu progresso e citei os nomes dos que se destacaram como seus representantes. Em 1909, Jung e eu fomos convidados à América por G. Stanley Hall, reitor da Universidade Clark, em Worcester, Massachusetts, para os festejos do vigésimo aniversário daquela instituição, a fim de lá proferir palestras (em língua alemã) durante uma semana. Hall era um psicólogo e pedagogo de justo prestígio, que havia anos já incluía a psicanálise em suas aulas; tinha algo de "fazedor de reis", a quem agradava fazer e depor autoridades. Lá também conhecemos James J. Putnam, o neurologista de Harvard, que, não obstante a idade, entusiasmou-se pela psicanálise e defendeu o valor cultural e a pureza de intenções desta, com o peso da sua personalidade que todos respeitavam. Nesse homem excelente, que em reação a uma predisposição neurótico-obsessiva se orientava prevalentemente no sentido ético, incomodava-nos apenas a pretensão de unir a psicanálise a um sistema filosófico determinado e fazê-la servir a objetivos morais. Também o encontro com o filósofo William James deixou-me uma impressão duradoura. Não posso esquecer o episódio em que, durante uma caminhada, ele parou subitamente, confiou-me a pequena bolsa que levava e solicitou que eu fosse adiante, pois me alcançaria tão logo se recuperasse do ataque de *angina pectoris* que sentia chegar. Ele morreu do coração um ano depois. Desde então, sempre desejei para mim uma impavidez semelhante diante do fim.

Naquela época eu tinha apenas 53 anos de idade; senti-me jovem e saudável, a viagem ao Novo Mundo beneficiou meu amor-próprio. Na Europa eu me sentia como que desprezado, mas ali os melhores indivíduos me receberam como um igual. Quando subi à cátedra em Worcester, para dar as "Cinco lições de psicanálise", foi como a realização de um inverossímil devaneio. A psicanálise não era mais um produto do delírio, tornara-se uma parcela valiosa da realidade. Desde nossa visita ela não perdeu terreno na América, tornou-se bastante popular entre os leigos e é reconhecida como importante elemento da instrução médica por muitos psiquiatras. Lá também sofreu muita diluição, infelizmente. Práticas incorretas, que não têm relação com ela, utilizam seu nome, e faltam oportunidades para uma formação adequada na técnica e na teoria. Além disso, na América ela se defronta com o *behaviorism*, que, em sua ingenuidade, vangloria-se de haver descartado o problema da psicologia.

Na Europa, entre os anos de 1911 e 1913 ocorreram dois movimentos de separação da psicanálise, iniciados por pessoas que até então haviam desempenhado papel de relevo na jovem ciência, Alfred Adler e C. G. Jung. Ambos os movimentos pareciam bem perigosos e rapidamente conquistaram larga adesão. Sua força não vinha de seu próprio conteúdo, porém, e sim da tentação de poder livrar-se dos resultados da psicanálise vistos como chocantes, ainda que não mais se negasse o material efetivo desta. Jung buscou reinterpretar os fatos analíticos em chave abstrata, impessoal e a-histórica, assim esperando furtar-se à consideração da sexualidade infantil e do complexo de Édipo e à necessidade de analisar a infância. Adler pareceu distanciar-se mais ainda da psicanálise; rejeitou completamente a importância da sexualidade, relacionou tanto a formação do caráter como das neuroses unicamente ao afã de poder dos seres humanos e à necessidade de compensarem suas inferioridades constitucionais e jogou fora todas as conquistas psicológicas da psicanálise. Mas o que fora por ele rejeitado forçou a volta, com outro nome, ao seu sistema fechado; seu "protesto masculino" não é outra coisa senão a repressão, injustificadamente sexualizada. Os críticos foram muito brandos com os dois heréticos; eu pude obter apenas que tanto um como o outro deixasse de chamar "psicanálise" a suas teorias. Hoje, transcorridos dez anos, pode-se verificar que as duas tentativas passaram pela psicanálise sem causar danos.

Quando uma sociedade se baseia na concordância em alguns pontos cardeais, é natural que a abandonem aqueles que se afastaram desse terreno comum. Mas frequentemente me foi atribuída a culpa da separação de antigos alunos, como sinal de minha intolerância ou expressão de uma fatalidade que sobre mim pesaria. É suficiente lembrar, como resposta, que em contrapartida àqueles que me deixaram, como Jung, Adler, Stekel e uns poucos mais, há um grande número de pessoas, como Abraham, Eitingon, Ferenczi, Rank, Jones, Brill, Sachs, o pastor Pfister, Van Emden, Reik e outros,* que há cerca de quinze anos estão associados a mim em leal colaboração, geralmente também em plácida amizade. Mencionei apenas meus discípulos mais velhos, que já fizeram um nome na literatura da psicanálise; a omissão de outros não significa desmerecimento, entre os jovens e os que chegaram depois se acham talentos em que podemos depositar grandes esperanças. Mas talvez se possa alegar, a meu favor, que um indivíduo intolerante e dominado pela presunção da infalibilidade jamais poderia conservar junto a si tamanho grupo de pessoas intelectualmente significativas, ainda mais quando não dispunha de maiores atrações de natureza prática.

A Guerra Mundial, que liquidou tantas outras organizações, não chegou a prejudicar nossa Associação Internacional. O primeiro encontro após a guerra sucedeu em 1920, em Haia, terreno neutro. Foi tocante ver a hospitalidade com que os holandeses acolheram os famintos e empobrecidos cidadãos da Europa Central, e creio ter sido a primeira ocasião em que, num mundo devastado, ingleses e alemães sentavam-se à mesma mesa, em razão de interesses científicos. Na Alemanha e nos países da Europa Ocidental, a guerra havia estimulado o interesse na psicanálise. Observando os neuróticos de guerra, os médicos haviam finalmente aberto os olhos para a importância da psicogênese nos distúrbios neuróticos, e

* No entanto, alguns outros discípulos se afastaram nos anos seguintes à redação dessa "*Autobiografia*", Sandor Ferenczi e Otto Rank entre eles.

algumas de nossas concepções, tais como "o ganho obtido com a doença", "a fuga para a doença", tornaram-se rapidamente populares. No último congresso antes do colapso [alemão], em Budapeste, em 1918, os governos aliados dos poderes centrais tinham enviado representantes oficiais, que concordaram com a fundação de centros psicanalíticos para o tratamento de neuróticos de guerra. Mas isso não chegou a acontecer. Também os grandes projetos de um de nossos melhores colaboradores, o dr. Anton Von Freund, que pretendia criar uma central de ensino e terapia analítica em Budapeste, malograram em meio às convulsões políticas que logo sobrevieram e com a morte prematura desse homem insubstituível. Uma parte de seus planos foi depois realizada por Max Eitingon, que em 1920 criou uma policlínica psicanalítica em Berlim. Durante a breve existência do governo bolchevique na Hungria, Ferenczi pôde exercer uma bem-sucedida atividade docente na universidade, como representante oficial da psicanálise. Depois da guerra, nossos adversários gostavam de anunciar que os eventos teriam produzido um argumento decisivo contra a validez das afirmações psicanalíticas. As neuroses de guerra teriam fornecido a prova do caráter supérfluo dos fatores sexuais na etiologia das afecções neuróticas. No entanto, esse foi um triunfo leviano e precipitado. Por um lado, ninguém havia podido analisar minuciosamente um caso de neurose de guerra, ou seja, não havia conhecimento seguro de sua motivação e não era possível tirar conclusão nenhuma em tal ignorância. Mas, por outro lado, havia muito a psicanálise adquirira o conceito de narcisismo e neurose narcísica, em que a libido se apega ao próprio Eu, em vez de a um objeto. Portanto, em outras ocasiões fazia-se à psicanálise a objeção de haver ampliado indevidamente o conceito de sexualidade; mas, se isso era conveniente na polêmica, esquecia-se esse delito e recriminava-se a ela novamente a sexualidade no sentido mais restrito.

A meu ver, a história da psicanálise se divide em duas partes, se deixarmos de lado a pré-história em que se utilizou a catarse. Na primeira eu me achava só e tinha de realizar todo o trabalho; assim foi de 1895-6 até 1906 ou 1907. Na segunda parte, dali até o dia de hoje, as contribuições de meus discípulos e colaboradores adquiriram cada vez maior importância, de maneira que agora, advertido do fim próximo por grave enfermidade, posso pensar de ânimo tranquilo na cessação de minhas próprias atividades. Justamente por isso não cabe expor os progressos da psicanálise durante a segunda fase, nesta "Autobiografia", da mesma forma detalhada com que tratei sua gradual edificação na primeira fase, tomada por meu trabalho exclusivamente. Sinto-me autorizado apenas a mencionar as novas conquistas em que tive participação relevante, ou seja, aquelas no âmbito do narcisismo, da teoria dos instintos e da aplicação às psicoses.

Antes devo dizer que em nossa crescente experiência o complexo de Édipo revelou-se cada vez mais claramente o núcleo da neurose. Ele se tornou, ao mesmo tempo, o auge da vida sexual infantil e o ponto nodal de onde partem todos os desenvolvimentos posteriores. Mas com isso desapareceu a expectativa de descobrir, mediante a análise, um fator específico para a neurose. Foi preciso admitir, como Jung soubera tão bem expressar em sua época analítica inicial, que a neurose não tem um conteúdo especial que lhe seja exclusivo, e que os neuróticos fracassam nas mesmas coisas que os normais têm êxito em dominar. Tal percepção estava longe de ser um desapontamento. Ela se harmonizava inteiramente com uma outra, a de que a psicologia das profundezas encontrada pela análise era justamente a psicologia da vida psíquica normal. Conosco havia sucedido o mesmo que aos químicos: as grandes diferenças qualitativas dos produtos derivavam de mudanças quantitativas nas combinações dos mesmos elementos.

No complexo de Édipo a libido se mostrava ligada à representação das figuras parentais. Mas tinha havido uma época sem esses objetos todos. Disso resultava a concepção, fundamental para uma teoria da libido, de um estado em que a libido ocupa o próprio Eu, tomando-o por objeto. Esse estado pôde ser designado por "narcisismo", ou amor a si próprio. Reflexões subsequentes levaram a concluir que ele nunca é inteiramente eliminado; por toda a vida o Eu continua a ser o grande reservatório da libido, do qual são enviados investimentos objetais e ao qual a libido pode novamente retornar dos objetos. Portanto, libido narcísica se transforma continuamente em libido objetal e vice-versa. Um ótimo exemplo da escala que pode atingir essa transformação nos é dado pelo enamoramento, sexual ou sublimado, que chega ao sacrifício de si mesmo. Até aquele momento havíamos cuidado apenas do reprimido no processo de repressão, mas essas ideias possibilitaram atentar também para os elementos repressores. Havíamos dito que a repressão era ativada pelos instintos de autoconservação atuantes no Eu ("instintos do Eu") e efetuada nos instintos libidinais. Agora que reconhecíamos os instintos de autoconservação como sendo também de natureza libidinal, como libido narcísica, o processo de repressão aparecia como um processo no interior da própria libido; libido narcísica se contrapunha a libido objetal, o interesse da conservação se defendia das reivindicações do amor objetal, ou seja, também daquelas da sexualidade no sentido mais estrito.

Não há necessidade mais urgente na psicologia do que uma sólida teoria dos instintos, sobre a qual se possa continuar edificando. Não existindo algo assim, a psicanálise precisa se empenhar em tentativas de fazer tal teoria. Primeiramente ela estabeleceu a oposição entre instintos do Eu (autoconservação, fome) e instintos libidinais (amor), depois a substituiu por aquela entre libido narcísica e libido objetal. Mas essa não podia ser a última palavra na questão; considerações biológicas impediam que nos satisfizéssemos com a suposição de uma única espécie de instintos.

Em meus trabalhos dos últimos anos (*Além do princípio do prazer*, *Psicologia das massas e análise do Eu*, *O Eu e o Id* [1920, 1921, 1923]) dei rédea larga ao pendor à especulação, que havia muito era contido, e ponderei uma nova solução para o problema dos instintos. Juntei autoconservação do indivíduo e conservação da espécie no conceito de *Eros* e a ele contrapus o silencioso *instinto de morte* ou *de destruição*. O instinto é concebido, de forma bastante geral, como uma espécie de elasticidade do ser que vive, como um impulso ao restabelecimento de uma situação que havia existido e foi anulada por um distúrbio externo. Tal natureza essencialmente conservadora dos instintos é exemplificada nos fenômenos da *compulsão à repetição*. As convergências e divergências de Eros e instinto de morte constituem para nós o quadro da vida.

Ainda não sabemos se essa construção se revelará útil. É certo que se originou do empenho em firmar algumas das mais importantes concepções teóricas da psicanálise, mas vai muito além da psicanálise. Não poucas vezes escutei a desdenhosa afirmação de que não se pode levar a sério uma ciência cujos principais conceitos são tão imprecisos como os da libido e do instinto na psicanálise. Mas essa objeção se baseia numa total incompreensão dos fatos. Conceitos fundamentais claros e definições nitidamente demarcadas apenas são possíveis nas ciências humanas quando elas procuram acomodar todo um âmbito de fatos na moldura de um sistema intelectual. Nas ciências da natureza, entre as quais se inclui a psicologia, tal clareza dos conceitos principais é supérflua e mesmo impossível. A zoologia e a botânica não principiaram com definições corretas e suficientes de animal e planta, e ainda hoje a biologia não soube dar um conteúdo preciso ao conceito de ser vivo. A própria física não teria absolutamente se desenvolvido caso tivesse sido obrigada a esperar até que seus conceitos de matéria, força, gravitação e outros alcançassem a clareza e precisão desejável. As ideias fundamentais ou conceitos supremos das disciplinas das ciências naturais são sempre deixadas inicialmente indeterminadas, provisoriamente são explicadas apenas pela referência à área de fenômenos de que procedem, e somente com a progressiva análise do material da observação podem se tornar claras, ricas de conteúdo e livres de contradição. Sempre* vi como grosseira injustiça que não se quisesse tratar a psicanálise como qualquer outra ciência. Essa recusa vinha expressa nas mais tenazes objeções. Recriminava-se a psicanálise por suas imperfeições e por sua incompletude, quando uma ciência baseada na observação não pode fazer outra coisa senão obter um a um seus resultados e solucionar passo a passo seus problemas. Mais ainda, enquanto nos esforçamos em conseguir para a função sexual o reconhecimento que havia tanto tempo lhe era recusado, a teoria psicanalítica foi estigmatizada como "pansexualismo"; enquanto enfatizamos o papel, até então negligenciado, das impressões acidentais dos primeiros anos de vida, tivemos de escutar que a psicanálise nega os fatores constitucionais e

* O restante desse parágrafo foi acrescentado em 1935, por isso não consta na edição dos *Gesammelte Werke* (v. XIV, de 1948). Encontra-se na edição de bolso feita por Grubrich-Simitis e no *Nachtragsband* [Volume suplementar] dos *GW* (Fischer: Frankfurt, 1987, p. 764).

hereditários, algo que nunca nos ocorreu. Tratava-se de oposição a qualquer preço e por todos os meios.

Em fases anteriores de minha produção eu já fizera a tentativa de alcançar pontos de vista mais gerais a partir da observação psicanalítica. Em 1911, no breve ensaio "Formulações sobre os dois princípios do funcionamento psíquico", sublinhei — no que não pretendia ser original — a dominância do princípio do prazer-desprazer na vida psíquica e sua substituição pelo chamado "princípio da realidade". Depois [em 1915] arrisquei a elaboração de uma "metapsicologia". Assim denominei uma forma de abordagem em que cada processo psíquico é considerado segundo três coordenadas, a *dinâmica*, a *topológica* e a *econômica*, e nela enxerguei o objetivo derradeiro que a psicologia pode alcançar. A tentativa permaneceu incompleta, parei após alguns ensaios ("Os instintos e seus destinos", "A repressão", "O inconsciente", "Luto e melancolia" etc.) e certamente fiz bem em parar, pois ainda não era chegado o tempo para tal fixação da teoria. Em meus últimos trabalhos especulativos procurei organizar nosso aparelho psíquico com base numa exploração analítica dos fatos patológicos, e o decompus em um *Eu*, um *Id* e um *Super-eu*. O Super-eu é herdeiro do complexo de Édipo e representante das exigências éticas do ser humano.

Não se deve ter a impressão de que nesse último período eu dei as costas à observação paciente e me entreguei totalmente à especulação.* Sempre permaneci em contato

* Esse parágrafo se acha impresso em corpo menor na edição dos *Gesammelte Werke*.

íntimo com o material analítico e nunca deixei de trabalhar sobre temas específicos de natureza clínica ou técnica. Mesmo quando me afastei da observação evitei cuidadosamente me aproximar da filosofia propriamente dita. Uma incapacidade constitucional me tornou mais fácil esse distanciamento. Sempre fui receptivo às ideias de G. T. Fechner, e apoiei-me nesse pensador em alguns aspectos importantes. As profundas concordâncias entre a psicanálise e a filosofia de Schopenhauer — ele não apenas defendeu a primazia da afetividade e a extraordinária importância da sexualidade, como reconheceu inclusive o mecanismo da repressão — não podem ser atribuídas a meu conhecimento de sua teoria. Li Schopenhauer bastante tarde em minha vida. Nietzsche, o outro filósofo cujas intuições e percepções frequentemente coincidem de modo espantoso com os laboriosos resultados da psicanálise, evitei justamente por isso durante muito tempo; não me importava tanto a prioridade, e sim manter o espírito desprevenido.

As neuroses foram o primeiro e, por muito tempo, o único objeto da psicanálise. Nenhum analista tinha dúvida de que estava equivocada a prática médica que separava essas afecções das psicoses e as unia às doenças nervosas orgânicas. A teoria das neuroses pertence à psiquiatria, é indispensável como introdução a esta. Ora, o estudo analítico das psicoses parece impossibilitado pela ausência de perspectiva terapêutica. Em geral, falta aos doentes psíquicos a capacidade para uma transferência positiva, de modo que o principal recurso da técnica analítica não pode ser aplicado. Mas algumas vias de acesso se apresentam. Muitas vezes a transferência não se acha tão ausente que não permita seguirmos adiante até certo ponto; em depressões cíclicas, leves alterações paranoicas, esquizofrenias parciais foram obtidos sucessos indubitáveis com a análise. Além disso, ao menos para a ciência foi uma vantagem o fato de que em muitos casos o diagnóstico pôde oscilar por longo tempo entre a hipótese de uma psiconeurose e a de uma *dementia praecox*; assim, o esforço terapêutico empregado pôde produzir importantes esclarecimentos antes de ser interrompido. Mas a principal consideração é o fato de que nas psicoses é levada para a superfície, visível para todos, muita coisa que nas neuroses tem de ser laboriosamente extraída da profundeza. Por isso a clínica psiquiátrica oferece os melhores objetos de demonstração para muitas afirmações psicanalíticas. Não podia deixar de acontecer, então, que logo a psicanálise se ocupasse de objetos da observação psiquiátrica. Bem cedo (em 1896) pude constatar, num caso de demência paranoide, os mesmos fatores etiológicos e a presença dos mesmos complexos afetivos que nas neuroses.* Jung esclareceu alguns enigmáticos estereótipos dos dementes ao relacioná-los com as histórias de vida dos pacientes;** Bleuler mostrou, em diferentes psicoses, mecanismos como aqueles que a análise descobriu em neuróticos.*** Desde então não cessaram mais os esforços dos analistas para

* Em "Novas observações sobre as neuropsicoses de defesa", parte III.
** Jung, *Sobre a psicologia da* dementia praecox (1907).
*** Bleuler, "Freudsche Mechanismen in der Symptomatologie von Psychosen", *Psychiatrisch-neurologische Wochenschrift*, 8 (1906).

entender as psicoses. Sobretudo após começarem a empregar o conceito de narcisismo eles tiveram êxito, aqui e ali, em lançar um olhar além do muro. Foi provavelmente Abraham quem mais avançou no esclarecimento das melancolias. É verdade que nem todo saber se converte atualmente em força terapêutica nessa área; mas também o ganho puramente teórico não deve ser pouco apreciado e bem pode esperar sua aplicação prática. A longo prazo, os psiquiatras também não resistirão à força comprobatória de seu material clínico. Sucede agora na psiquiatria alemã uma espécie de *pénétration pacifique* dos pontos de vista da psicanálise. Constantemente assegurando que não querem ser psicanalistas, que não pertencem à escola "ortodoxa" nem concordam com seus exageros, sobretudo não creem na predominância do fator sexual, muitos pesquisadores jovens não deixam de se apropriar dessa ou daquela porção da teoria analítica e de aplicá-la ao material à sua maneira. Tudo indica que continuarão os desenvolvimentos nessa direção.

## VI

Neste momento acompanho à distância as reações sintomáticas à introdução da psicanálise na França, que por tanto tempo foi refratária a ela. Parece a reprodução de algo já vivido, mas também possui características próprias. Objeções de incrível ingenuidade são feitas, como a de que a sensibilidade francesa se ofende com o pedantismo e a crueza da nomenclatura psicanalítica (impossível não recordar o imortal *chevalier* Riccaut de La Marlinière,* de Lessing!). Outro comentário soa mais sério, e mesmo a um professor de psicologia da Sorbonne não pareceu indigno: o de que o *génie latin* [gênio latino] não tolera o modo de pensar da psicanálise. Com isso os aliados anglo-saxões, que contam como seguidores desta, são expressamente deixados de lado. Quem ouve isso deve naturalmente acreditar que o *génie teutonique* abraçou de coração a psicanálise já no nascimento, como seu rebento favorito.

Na França, o interesse na psicanálise partiu dos homens das belas-letras. Para compreender isso, devemos recordar que com a *Interpretação dos sonhos* a psicanálise ultrapassou os limites de um assunto puramente médico. Entre seu aparecimento na Alemanha e sua introdução atual na França se acham diversas aplicações em áreas da literatura e da estética, em história da religião e pré-história, em mitologia, folclore, pedagogia etc.

Nenhuma dessas coisas tem muito a ver com a medicina; ligam-se a ela apenas por intermédio da psicanálise. Por isso não devo abordá-las detidamente aqui. Mas tampouco posso ignorá-las: por um lado, são indispensáveis para que se tenha uma ideia correta do valor e da natureza da psicanálise; por outro lado, comprometi-me com a tarefa de apresentar a obra de minha vida. A maioria dessas aplicações teve seu ponto de partida em

* Personagem cômico da peça *Minna von Barnhelm*, de Lessing (1729-91). Trata-se de um vigarista que, num alemão estropiado, diz estar assombrado quando a protagonista dá o nome correto ao seu hábito de fraudar no jogo de cartas.

meus trabalhos. Aqui e ali eu também prossegui um tanto pelo caminho, para satisfazer tal interesse não médico. Outros, não apenas médicos, mas também especialistas, seguiram minhas pegadas e adentraram os respectivos territórios. Mas desde que, em conformidade com meu plano, limitarei o relato a minhas próprias contribuições à psicanálise aplicada, posso dar ao leitor apenas um quadro insuficiente de sua extensão e importância.

Toda uma série de sugestões se originou para mim do *complexo de Édipo*, cuja ubiquidade vim percebendo pouco a pouco. Se a escolha ou a criação desse tema horrível sempre fora enigmática, assim como o efeito perturbador de sua representação poética e a própria natureza de tais tragédias do destino, tudo se explicava mediante a percepção de que ali fora apreendida uma lei geral do funcionamento psíquico em toda a sua significação afetiva. A fatalidade e o oráculo eram apenas materializações da necessidade interna; o fato de o herói pecar sem o saber e contra a sua intenção era entendido como a expressão correta da natureza *inconsciente* de seus impulsos criminosos. Após compreender essa tragédia do destino bastava um passo para esclarecer a tragédia do caráter que é *Hamlet*, que havia trezentos anos era admirada sem que se chegasse a determinar seu sentido e penetrar os motivos do poeta. É digno de nota que esse neurótico criado pelo poeta fracasse no complexo de Édipo, como seus inúmeros camaradas na vida real, pois Hamlet se vê diante da tarefa de vingar em outra pessoa os dois atos que formam o teor da aspiração de Édipo, e nisso é paralisado por seu obscuro sentimento de culpa. Shakespeare escreveu *Hamlet* pouco depois da morte de seu pai.[6] Minhas indicações para a análise desse drama vieram a ser desenvolvidas de modo aprofundado por Ernest Jones. O mesmo exemplo foi depois tomado por Otto Rank como ponto de partida para seus estudos sobre a escolha do material feita pelos dramaturgos. Em seu grande volume sobre o *Tema do incesto* [1912] ele mostrou como é frequente os escritores adotarem precisamente os temas da situação edípica e acompanhou as mudanças, variações e atenuações sofridas pelo material na literatura universal.

Desse ponto era natural proceder à análise do próprio fazer poético e artístico. Vimos que o reino da fantasia era um "território protegido", criado na dolorosa transição do princípio do prazer para o da realidade, a fim de tornar possível um sucedâneo para a satisfação instintual que teve de ser abandonada na vida real. Como o neurótico, o artista precisou retirar-se da insatisfatória realidade para esse mundo da fantasia, mas, diferentemente do neurótico, soube encontrar o cami-

6 [Nota acrescentada em 1935:] Essa é uma construção [*Konstruktion*] que desejo explicitamente retirar. Não mais acredito que William Shakespeare, o ator de Stratford, seja o autor das obras que há muito tempo lhe são atribuídas. Desde a publicação do livro *"Shakespeare" identified*, de J. T. Looney [1920], estou praticamente convencido de que sob esse pseudônimo se esconde Edward de Vere, conde de Oxford. [Sobre essa extravagante opinião, rejeitada pelos especialistas, ver a nota de James Strachey, em que descreve a reação de Freud quando ele lhe pediu que a reconsiderasse, e as biografias assinadas por Ernest Jones e Peter Gay, ambas editadas em português; acrescentemos que a palavra *looney*, sobrenome daquele autor, significa "maluco"].

nho de volta e novamente fincar os pés na realidade. Suas criações, as obras de arte, eram satisfações fantasiosas de desejos inconscientes, tal como os sonhos, com as quais também tinham em comum a natureza de compromisso, pois também elas precisavam evitar o conflito aberto com as forças da repressão. Mas, à diferença das produções oníricas, associais e narcísicas, eram destinadas a provocar o interesse de outras pessoas, podiam avivar e satisfazer nessas os mesmos desejos inconscientes. Além disso, valiam-se do prazer perceptual na beleza da forma como um "bônus de incentivo".* O que a psicanálise pôde fazer foi tomar as inter-relações das impressões de vida, as vivências casuais e as obras do artista e construir sua constituição [psíquica] e os impulsos instintuais nela atuantes, ou seja, o que nele era universalmente humano. Com esse propósito fiz de Leonardo da Vinci, por exemplo, o objeto de um estudo [1910], que se baseia na única recordação de infância por ele comunicada e que visa essencialmente dar uma explicação do quadro *Sant'Ana,*

* "Bônus de incentivo": *Verlockungsprämie* — nas versões consultadas: *prima de atracción*, *prima de seducción*, *premio di allettamento*, *incentive bonus*; a expressão também surge no artigo "O escritor e a fantasia", de 1908. Na frase seguinte, "construir" é versão literal de *konstruieren*, que em alemão admite mais o sentido figurado do que em português; nós o mantemos a fim de conservar a relação com o substantivo usado por Freud na nota anterior e no título de um de seus últimos ensaios sobre técnica psicanalítica, *Konstruktionen in der Analyse*, de 1937. Quanto aos demais tradutores, com exceção do espanhol, que simplesmente omite o termo, eles também foram literais nesse ponto.

*a Virgem e o Menino*. Desde então meus amigos e discípulos empreenderam inúmeras análises semelhantes de artistas e obras. Não se verificou que a fruição de uma obra de arte tenha sido prejudicada pela compreensão analítica assim obtida. Mas devemos confessar aos leigos, que talvez esperem muito da análise quanto a isso, que ela não lança nenhuma luz sobre as duas questões que provavelmente mais lhes interessam. A psicanálise não pode ajudar no esclarecimento do dom artístico, e tampouco lhe toca desvendar os meios com que o artista trabalha, a técnica artística.

Tomando a *Gradiva*, de Wilhelm Jensen, uma pequena novela não muito valiosa em si mesma, pude demonstrar que sonhos inventados admitem as mesmas interpretações que os sonhos reais, e que, portanto, na produção do autor literário atuam os mecanismos do inconsciente que nos são conhecidos do trabalho do sonho. Meu livro *O chiste e sua relação com o inconsciente* [1905] procede diretamente da *Interpretação dos sonhos*. O único amigo que então se interessava por meu trabalho* havia comentado que minhas interpretações de sonhos lhe pareciam "espirituosas". A fim de esclarecer tal impressão, comecei a estudar os chistes e verifiquei que sua essência reside em seus meios técnicos, mas que esses coincidem com os do "trabalho do sonho", ou seja, condensação, deslocamento, representação pelo contrário, por algo bem pequeno etc. Isso levou à indagação econômica sobre a origem do elevado prazer que obtemos ao ouvir uma piada. A

* Alusão a Wilhelm Fliess.

resposta foi: ele se deve à suspensão temporária do gasto com a repressão, pelo incentivo de um bônus de prazer oferecido (*prazer prévio*).

Eu próprio considero mais valiosas minhas contribuições à psicologia da religião, que tiveram início em 1907, com a constatação de uma surpreendente semelhança entre atos obsessivos e práticas religiosas (ritos). Sem conhecer ainda os nexos mais profundos, caracterizei a neurose obsessiva como uma religião particular distorcida e a religião como uma espécie de neurose obsessiva universal. Mais tarde, em 1912, a enfática referência de Jung às amplas analogias entre as produções mentais dos neuróticos e dos primitivos fez com que eu dirigisse a atenção para esse tema. Nos quatro ensaios reunidos num volume intitulado *Totem e tabu*, argumentei que entre os primitivos o temor do incesto é ainda mais forte que entre os civilizados e gerou medidas de defesa bastante peculiares, investiguei os laços entre as interdições do tabu — a forma em que surgem as primeiras restrições morais — e a ambivalência afetiva, e descobri no primitivo sistema universal do *animismo* o princípio da superestimação da realidade psíquica, a "onipotência dos pensamentos", em que se baseia também a magia. A comparação com a neurose obsessiva foi extensamente desenvolvida, e demonstrei que muitos pressupostos da vida mental primitiva ainda vigoram nesta singular afecção. Mas atraiu-me principalmente o *totemismo*, o primeiro sistema de organização das tribos primitivas, no qual os começos da ordem social se acham unidos a uma religião rudimentar e ao inexorável domínio de uns poucos tabus. Nele o ser "venerado" é sempre um animal originalmente, do qual o clã também afirma descender. Vários indícios me fizeram concluir que todos os povos, também os mais cultivados, passaram um dia pelo estágio do totemismo.

Minhas fontes literárias principais para os trabalhos nesse campo foram as conhecidas obras de J. G. Frazer (*Totemism and exogamy* [1910], *The golden bough* [O ramo dourado, 1900]), que são uma mina de fatos e pontos de vista valiosos.* Mas Frazer não concorria muito para a elucidação dos problemas do totemismo; várias vezes mudou radicalmente sua concepção sobre o tema, e outros etnólogos e especialistas em pré-história pareciam igualmente incertos e desunidos na questão. Meu ponto de partida foi a notável coincidência entre os dois preceitos-tabu do totemismo, não matar o totem e não usar sexualmente nenhuma mulher do mesmo clã, e os dois elementos do complexo de Édipo, liquidar o pai e tomar a mãe como mulher. Assim, vi-me tentado a equiparar o animal totêmico ao pai, tal como faziam expressamente os primitivos, quando veneravam esse animal como o antepassado do clã. Do lado psicanalítico, dois fatos me vieram então em auxílio: uma feliz observação realizada por Ferenczi numa criança, que permitia falar de um *retorno infantil do totemismo*, e a análise das fobias de animais em crianças pequenas, que frequentemente mostrava que o animal era um sucedâneo paterno, para o qual se deslocava o temor

* Esse parágrafo e o seguinte estão impressos em corpo menor na edição dos *Gesammelte Werke*.

do pai, fundamentado no complexo de Édipo. Já não faltava muito para reconhecer no *parricídio* o âmago do totemismo e o ponto de partida na formação da religião.

A parte que faltava me veio ao tomar conhecimento da obra de W. Robertson Smith, *The religion of the semites*. Esse homem genial, físico e estudioso da Bíblia, sustentou que a "refeição totêmica" era uma parte essencial da religião totêmica. Uma vez por ano, o animal totêmico, normalmente visto como sagrado, era morto, devorado e em seguida pranteado, numa solenidade que tinha a participação de todos os membros da tribo. Depois do luto havia uma grande festa. Juntando a isso a hipótese de Darwin, segundo a qual os homens viviam originalmente em hordas, cada qual sob o domínio de um único macho forte, violento e ciumento, formou-se para mim, a partir de todos esses componentes, a conjectura — ou melhor, visão — dos seguintes eventos: O pai da horda, um déspota sem limites, tomou para si todas as mulheres e matou ou afastou os filhos, seus rivais perigosos. Um dia, porém, esses filhos se juntaram, impuseram-se a ele e o mataram e devoraram, a esse pai que era seu inimigo, mas também seu ideal. Após o feito, não puderam assumir a herança, pois cada um estorvava os demais. Sob a influência do malogro e do remorso, aprenderam a se tolerar mutuamente, uniram-se num clã fraterno mediante as regras do totemismo, destinadas a evitar a repetição de um ato semelhante, e renunciaram conjuntamente à posse das mulheres pelas quais haviam assassinado o pai. Então passaram a buscar mulheres de fora; esta é a origem da exogamia, estreitamente ligada ao totemismo. A refeição totêmica era a comemoração daquele ato monstruoso, de que nasceu a consciência de culpa (o pecado original) da humanidade, com que tiveram início a organização social, a religião e a restrição moral, simultaneamente.

Aceitemos ou não como fato histórico essa possibilidade, a formação da religião estava assim colocada no terreno do complexo relativo ao pai e edificada sobre a ambivalência que o domina. Depois de abandonado o animal totêmico como sucedâneo do pai, o próprio temido e odiado, venerado e invejado pai primordial tornou-se o protótipo de Deus. A rebeldia do filho e sua nostalgia do pai lutavam entre si, em sempre novas formações de compromisso mediante as quais o parricídio deveria ser expiado, por um lado, e ter seu benefício afirmado, por outro. Esta visão da religião lança uma viva luz sobre os fundamentos psicológicos do cristianismo, em que, como se sabe, a cerimônia da refeição totêmica sobrevive, pouco deformada, no sacramento da comunhão. Quero registrar que essa identificação* não é minha, já se encontra em Robertson Smith e Frazer.

* "Identificação": *Agnoszierung*, do verbo *agnoszieren* (do latim *agnoscere*), que significa "reconhecer", mas que na Áustria tem o sentido de "identificar, estabelecer a identidade, fazer o reconhecimento" (de um morto, por exemplo); as versões consultadas não se acham de acordo quanto a esse termo: *comparación*, *discernimiento*, *riconoscimento*, *identification*, *observation*. Ele também foi usado no título do último capítulo do ensaio "O inconsciente", de 1915: "A identificação [ou reconhecimento] do inconsciente".

Theodor Reik e o etnólogo Geza Róheim retomaram as ideias de *Totem e tabu* e as desenvolveram, aprofundaram ou corrigiram numa série de trabalhos de valor. Eu próprio retornei a elas algumas vezes, em investigações sobre o "sentimento de culpa inconsciente", de grande importância entre os motivos do sofrimento neurótico, e em esforços para relacionar mais estreitamente a psicologia social à psicologia do indivíduo (*O Eu e o Id* [1923], *Psicologia das massas e análise do Eu* [1921]). Também recorri à herança arcaica do tempo da horda humana primordial para explicar a suscetibilidade à hipnose.*

Tive pouca participação direta em outras aplicações da psicanálise que são dignas do interesse geral. Partindo das fantasias do indivíduo neurótico, um amplo caminho leva às criações fantasiosas de grupos e povos, tais como se apresentam nos mitos, lendas e fábulas. Otto Rank fez da mitologia seu campo de trabalho; a interpretação dos mitos, sua derivação dos conhecidos complexos infantis inconscientes, a substituição de explicações astrais por motivos humanos foram, em muitos casos, resultado de seu empenho analítico. O tema do simbolismo também encontrou vários estudiosos em meu círculo. Esse tema valeu muitas inimizades à psicanálise; pesquisadores demasiado sóbrios nunca puderam lhe perdoar o reconhecimento do simbolismo, que decorre da interpretação de sonhos. Mas a análise não tem culpa na descoberta do simbolismo, há muito

* No capítulo x de *Psicologia das massas e análise do Eu*.

tempo ele é conhecido em outras áreas (folclore, lendas, mitos) e nelas tem papel ainda maior que na "linguagem dos sonhos".

Não contribuí pessoalmente para a aplicação da psicanálise à pedagogia; mas era natural que a indagação psicanalítica sobre a sexualidade e o desenvolvimento psíquico da criança chamasse a atenção dos educadores e os fizesse enxergar sua tarefa sob uma nova luz. Infatigável pioneiro dessa orientação na pedagogia foi o pastor protestante Oskar Pfister, de Zurique, que soube harmonizar o cultivo da análise com o apego à religiosidade — sublimada, por certo. Além dele há a dra. Hug-Hellmuth e o dr. S. Bernfeld, de Viena, e muitos outros.[7] O emprego da análise na educação preventiva das crianças sadias e na correção daquelas ainda não neuróticas, mas desencaminhadas em seu desenvolvimento, teve uma consequência de importância prática. Não é mais possível reservar aos médicos o exercício da psicanálise, dele excluindo os leigos. Na verdade, o médico que não tem uma formação especial é um leigo na análise, apesar do diploma, e o não médico pode, com a preparação correspondente e ocasional apoio de um médico, realizar a tarefa de um tratamento analítico das neuroses.

Por um desses desenvolvimentos contra os quais seria inútil lutar, o próprio termo "psicanálise" ad-

7 [Nota acrescentada em 1935:] Desde então, a psicanálise infantil teve enorme incremento com os trabalhos de Melanie Klein e de minha filha Anna Freud.

quiriu mais de um significado. Originalmente a designação de um método terapêutico, agora tornou-se também o nome de uma ciência, a do psíquico-inconsciente. Raramente esta ciência é capaz de resolver um problema inteiramente por si só; mas parece destinada a contribuir de modo relevante a diversos campos do saber. A área de aplicação da psicanálise tem a mesma extensão que a da psicologia, à qual fornece um complemento de grande envergadura.

Posso então dizer, volvendo o olhar para o trabalho de minha vida até o momento, que iniciei muitas coisas e lancei muitas sugestões, de que algo deve resultar no futuro. Mas eu mesmo não saberia dizer se será muito ou pouco. Posso apenas manifestar a esperança de haver aberto o caminho para um importante progresso em nosso conhecimento.*

## PÓS-ESCRITO (1935)

Pelo que sei, o organizador desta série de "Apresentações autobiográficas" não imaginava que uma delas teria continuação após algum tempo, o que possivelmente sucede agora pela primeira vez. O ensejo para isso foi criado pelo editor americano, que desejou levar este breve trabalho a seu público numa nova edição. Ele apareceu na América em 1927 (publicado por

* A última frase foi acrescentada em 1935.

Brentano[illegible] com[illegible]título de *An autobiographical study*, mas, de fo[illegible]co apropriada, reunido a outro ensaio e ten[illegible]ulo encoberto pelo deste, *The problem of lay* [illegible].

Dois te[illegible]correm este trabalho, as vicissitudes de minha vi[illegible] história da psicanálise. Eles se acham estreitamente ligados. A "Autobiografia" mostra como a psicanálise se tornou o conteúdo de minha vida, e obedece à legítima suposição de que nada do que ocorreu à minha pessoa merece interesse, ao lado de minhas relações com a ciência.

Pouco tempo antes da redação da "Autobiografia", havia a impressão de que a recidiva de uma doença maligna logo poria termo à minha existência; mas a arte do cirurgião me salvou em 1923, e pude seguir vivendo e produzindo, embora não mais estivesse livre de dores. Nos mais de dez anos transcorridos, não cessei o trabalho e as publicações analíticas, como atesta o aparecimento do XII e último volume de meus *Gesammelte Schriften* [Escritos completos] pela Editora Psicanalítica Internacional, de Viena. Mas eu próprio vejo uma significativa diferença. Fios que se haviam entrelaçado em meu desenvolvimento começaram a se afastar, interesses adquiridos num segundo momento retrocederam, e outros, mais antigos e originais, novamente se impuseram. É verdade que nesse último decênio ainda realizei alguns importantes trabalhos analíticos, como a revisão do problema da angústia, no texto "Inibição, sintoma e angústia", de 1926, ou a clara explicação que achei para o "fetichismo" sexual, em 1927, mas é correto dizer que desde a postulação das duas espécies de instintos (Eros e instinto de morte) e a decomposição da personalidade psíquica em Eu, Super-eu e Id (1923) eu não mais dei contribuições decisivas à psicanálise, e o que depois escrevi poderia muito bem não ter surgido, ou logo teria sido proposto por alguém mais. Isto se relacionou com uma mudança ocorrida em mim, com um certo desenvolvimento regressivo, se quisermos chamá-lo assim. Após o *détour* de uma vida inteira pelas ciências naturais, a medicina e a psicoterapia, meu interesse retornou aos problemas culturais que um dia haviam fascinado ao jovem que mal despertara para o pensamento. Já durante o auge de meu trabalho psicanalítico, em 1912, com *Totem e tabu*, eu havia utilizado os novos conhecimentos analíticos para investigar as origens da religião e da moralidade. Dois ensaios posteriores, *O futuro de uma ilusão* [1927] e *O mal-estar na civilização* [1930], deram prosseguimento a essa direção de trabalho. Cada vez mais claramente percebi que os acontecimentos da história da humanidade, as interações entre natureza humana, evolução cultural e aqueles precipitados de experiências primevas (dos quais a religião é o maior representante) são apenas o reflexo dos conflitos dinâmicos entre Eu, Id e Super-eu que a psicanálise estuda no ser humano individual, os mesmos processos, repetidos num cenário mais amplo. No *Futuro de uma ilusão* avaliei a religião de forma essencialmente negativa; depois encontrei uma fórmula que lhe fez mais justiça: seu poder reside efetivamente em seu teor de verdade, mas essa verdade não é material, e sim histórica.*

Esses estudos — que partem da psicanálise, mas vão muito além dela — talvez tenham sido mais bem acolhidos pelo público do que a psicanálise mesma. Podem ter contribuído para que nascesse a breve ilusão de estar entre os autores que uma grande nação, como a Alemanha, está disposta a ouvir. Foi em 1929 que Thomas Mann, um reconhecido porta-voz do povo alemão, assinalou-me um lugar na moderna história do pensamento, em palavras substanciais e benevolentes. Pouco depois, minha filha Anna foi homenageada na prefeitura de Frankfurt am Main, onde comparecia como minha representante, para receber o prêmio Goethe de 1930. Esse foi o apogeu de minha vida como cidadão; não muito depois, as fronteiras de nossa pátria se encolheram e a nação não quis mais saber de nós.

Neste ponto me será permitido encerrar esta comunicação autobiográfica. No que mais disser respeito a minhas questões pessoais, a minhas lutas, decepções e êxitos, o público não tem o direito de saber mais. De toda forma, em alguns de meus escritos — como a *Interpretação dos sonhos*, a *Psicopatologia da vida cotidiana* — fui mais franco e aberto do que costumam ser as pessoas que narram sua vida para os contemporâneos e os pósteros. Não me foi demons-

* Essa "fórmula" veio a ser expressa em *Moisés e o monoteísmo* (1939, redigido em 1934-38), cap. III, parte II, seção *g*.

trada muita gratidão por isso; a experiência me leva a desaconselhar que outros o façam.

Cabem ainda algumas palavras sobre o destino da psicanálise nesta última década. Já não há dúvida de que prosseguirá existindo, ela demonstrou sua capacidade de subsistir e desenvolver-se como ramo do saber e como terapia. O número de seus seguidores, organizados na Associação Psicanalítica Internacional, aumentou consideravelmente; aos grupos locais mais antigos, de Viena, Berlim, Budapeste, Londres, Holanda, Suíça,* juntaram-se outros em Paris, Calcutá, dois no Japão, vários nos Estados Unidos e, por fim, um em Jerusalém e na África do Sul e dois na Escandinávia. Esses grupos locais mantêm por seus próprios meios, ou estão empenhados em criar, institutos em que o ensino da psicanálise é feito segundo um plano uniforme, e ambulatórios em que tanto analistas experientes como aprendizes dão tratamento gratuito aos necessitados. De dois em dois anos, os membros da API realizam um congresso em que se fazem conferências científicas e se decidem questões de organização. O 13º desses congressos, a que já não pude estar presente, aconteceu em 1934, em Lucerna. A partir do que é comum a todos, os trabalhos dos membros se orientam para diversas direções. Alguns dão valor especial à clarificação e ao aprofundamento de nossos conhecimentos psicológicos,

* Na *Standard* inglesa também se acha a Rússia nessa enumeração; segundo Strachey, foi uma inclusão autorizada por Freud, por se tratar de uma omissão involuntária, tendo em vista que ele já havia mencionado o grupo de Moscou (cf. nota à p. 135).

outros se empenham em cultivar os nexos com a medicina interna e a psiquiatria. Quanto às coisas de ordem prática, uma parte dos psicanalistas tem o objetivo de alcançar o reconhecimento da psicanálise pelas universidades e sua inclusão no currículo médico, enquanto outros se contentam em permanecer fora dessas instituições e não querem que a importância pedagógica da psicanálise decresça em relação à importância médica. De quando em quando tem acontecido que um analista se isole, empenhando-se em destacar um só dos achados ou concepções da psicanálise à custa dos demais. No entanto, o conjunto deixa a satisfatória impressão de um trabalho científico sério e de alto nível.

# A ORGANIZAÇÃO GENITAL INFANTIL (1923)

## (UM ACRÉSCIMO À TEORIA DA SEXUALIDADE)

TÍTULO ORIGINAL: "DIE INFANTILE GENITALORGANISATION (EINE EINSCHALTUNG IN DIE SEXUALTHEORIE)". PUBLICADO PRIMEIRAMENTE EM *INTERNATIONALE ZEITSCHRIFT FÜR PSYCHOANALYSE* [REVISTA INTERNACIONAL DE PSICANÁLISE], V. 9, N. 2, PP. 168-71. TRADUZIDO DE *GESAMMELTE WERKE* XIII, PP. 291-8; TAMBÉM SE ACHA EM *STUDIENAUSGABE* V, PP. 235-41. ESTA TRADUÇÃO FOI PUBLICADA ORIGINALMENTE EM *JORNAL DE PSICANÁLISE*, SOCIEDADE BRASILEIRA DE PSICANÁLISE DE SÃO PAULO, V. 33, N. 60/61, PP. 477-81, DEZEMBRO DE 2000. ALGUMAS NOTAS DO TRADUTOR FORAM OMITIDAS E OUTRAS FORAM MODIFICADAS NA PRESENTE EDIÇÃO.

É algo revelador da dificuldade da pesquisa em psicanálise o fato de ser possível, mesmo em décadas de observação contínua, não enxergar traços gerais e relações características, até que finalmente eles nos vêm ao encontro de maneira inconfundível. Com as observações seguintes eu pretendo reparar uma negligência desse tipo, no âmbito do desenvolvimento sexual infantil.

Os leitores de meus *Três ensaios sobre a teoria da sexualidade* (1905) sabem que eu jamais reorganizei esse trabalho nas edições posteriores, que mantive a ordenação original e levei em conta os progressos de nosso conhecimento através de interpolações e mudanças no texto. Nisso pode ter ocorrido que as partes antigas e as mais novas não se tenham fundido adequadamente numa unidade sem contradições. Inicialmente foi dada ênfase à descrição da fundamental diferença entre a vida sexual das crianças e a dos adultos, depois passaram a primeiro plano as *organizações pré-genitais* da libido e o fato da *instauração em dois tempos* do desenvolvimento sexual, fato digno de nota e pleno de consequências. Por fim reivindicou nosso interesse a *pesquisa sexual* da criança, e a partir dela se pôde reconhecer que o *desfecho da sexualidade infantil* (por volta dos cinco anos) *se aproxima amplamente* da forma definitiva no adulto. Foi aí que parei, na última edição da *Teoria da sexualidade* (1922).

Em sua página 65, afirmo que "com frequência ou regularmente, já na infância é realizada uma escolha de objeto semelhante à que vimos como característica da fase de desenvolvimento da puberdade, ou seja, todas as tendências sexuais* se dirigem para uma única pessoa, na qual esperam alcançar seus objetivos. Isso constitui, então, a maior aproximação à forma final da vida sexual depois da puberdade que é possível na infância. A única diferença está em que a reunião dos instintos parciais e sua subordinação à primazia dos genitais não chega a ocorrer na infância, ou ocorre de maneira bastante incompleta. O estabelecimento desse primado, a serviço da reprodução, é a última fase por que passa a organização sexual".**

Agora eu já não me daria por satisfeito com a afirmação de que o primado dos genitais não se realiza, ou o faz muito imperfeitamente, no período da primeira infância. A aproximação da vida sexual infantil àquela dos adultos vai muito adiante, e não se limita ao surgimento da escolha de objeto. Mesmo não chegando a uma autêntica reunião dos instintos parciais sob o primado dos genitais, no auge do desenvolvimento da sexualidade infantil o interesse nos genitais e sua atividade adquirem uma significação

* "Tendências sexuais": *Sexualstrebungen*, no original. *Strebung* deriva do verbo *streben*, "empenhar-se, aspirar, ambicionar". Nas versões estrangeiras consultadas se encontram (omitindo o adjetivo "sexuais", comum a todas): *instintos*, *aspiraciones*, *aspirazioni*, *tendances*, *currents*, *strevingen*. Além das traduções normalmente utilizadas — a espanhola da Biblioteca Nueva, a argentina da Amorrortu, a italiana da Boringhieri e a *Standard* inglesa — recorremos a duas outras neste caso: a francesa dirigida por Jean Laplanche (em *Œuvres complètes*, v. XVI, Paris: PUF, 1991) e a holandesa da Boom (*Klinische Beschouwingen* v. 3, Amsterdã, 1985).

** Freud cita a página da 5ª edição em volume autônomo dos *Três ensaios*; o trecho citado se encontra no segundo ensaio ("A sexualidade infantil"), sexta seção, oitavo parágrafo.

preponderante, que pouco fica a dever àquela da maturidade. A principal característica dessa "organização genital infantil" constitui, ao mesmo tempo, o que a diferencia da definitiva organização genital dos adultos. Consiste no fato de que, para ambos os sexos, apenas *um genital*, o masculino, entra em consideração. Não há, portanto, uma primazia genital, mas uma primazia do *falo*.

Infelizmente só podemos descrever esse estado de coisas no que diz respeito ao menino, falta-nos o conhecimento* dos processos correspondentes na menina. Sem dúvida o garoto pequeno se dá conta de que homens e mulheres são diferentes, mas inicialmente ele não tem motivo para relacionar isso com uma diferença entre os órgãos genitais de ambos. Para ele é natural supor que todos os outros seres vivos, tanto pessoas como animais, possuem um órgão semelhante ao seu, e sabemos até que ele busca igualmente em coisas inanimadas uma formação análoga.[1] Essa parte do corpo

* "Falta-nos o conhecimento": *fehlt uns die Einsicht*. O substantivo alemão, etimologicamente aparentado ao inglês *insight*, admite várias versões, segundo o contexto. Os dicionários bilíngues alemão-português dão as seguintes opções: "inspeção, conhecimento, penetração, exame, inteligência". As versões estrangeiras consultadas apresentam: *nos faltan datos*, *carecemos de una intelección*, *ci manca una piena conoscenza*, *l'intelligence* [...] *nous manque*, *are not known to us*, *hebben wij geen inzicht* ["não temos *inzicht*"; esta sendo a palavra holandesa equivalente a *Einsicht*].

1 É notável, diga-se de passagem, a pouca atenção que a criança dá à outra parte dos genitais masculinos, o pequeno saco e seu conteúdo. Pelo que se ouve nas análises, não se poderia imaginar que os genitais masculinos incluem alguma coisa além do pênis.

que se excita facilmente, que se modifica e é tão rica em sensações, ocupa em alto grau o interesse do menino, e continuamente apresenta novas tarefas ao seu impulso investigador.* Ele gostaria de ver também o das outras pessoas, a fim de compará-lo ao seu, ele age como se suspeitasse que esse membro poderia e deveria ser maior; a força impulsora que esse membro viril desenvolverá depois na puberdade se manifesta, nesse período da vida, essencialmente como esforço de investigação, como curiosidade sexual. Muitas das exibições e agressões cometidas pelas crianças, que numa idade posterior não hesitaríamos em julgar manifestações de concupiscência, revelam-se, na análise, experimentos a serviço da investigação sexual.

No curso dessas pesquisas o menino descobre que o pênis não é um bem comum a todos os seres semelhantes a ele. A visão casual dos genitais de uma irmãzinha ou companheira de brinquedos fornece a oportunidade para essa descoberta. Aqueles mais perspicazes, observando as meninas a urinar, já desconfiaram de alguma coisa diferente, devido à outra postura que elas têm e ao outro ruído que fazem, e então procuraram repe-

* "Impulso investigador": *Forschertrieb* — nas versões consultadas encontramos: *instinto de investigación*, *pulsión de investigación*, *pulsione di ricerca*, *pulsion de chercheur*, *instinct for research*, *speurdrift* [*speuren* significa "procurar, investigar"; *drift* é claramente aparentada a *Trieb*, em alemão, e *drive*, em inglês]; neste contexto preferiu-se "impulso" para verter *Trieb* (cf. *As palavras de Freud*, op. cit., p. 262). Na frase seguinte, "força impulsora" traduz *treibende Kraft*, que nas outras versões aparece como *fuerza impulsora*, *fuerza pulsionante*, *force pulsante*, *driving force*, *drijvende kracht*.

tir essas observações de modo esclarecedor. Sabe-se como reagem às primeiras impressões da ausência de pênis. Eles recusam* essa ausência, acreditam ver um membro, atenuam a contradição entre o que viram e o que esperavam, mediante a evasiva de que ele é ainda pequeno e crescerá, e aos poucos chegam à conclusão emocionalmente significativa de que no mínimo ele estava presente e depois foi retirado. A ausência de pênis é vista como resultado de uma castração, e o menino se acha ante a tarefa de lidar com a castração em relação a ele próprio. Os desenvolvimentos seguintes são muito conhecidos para que seja necessário repeti-los aqui. Apenas me parece que *a significação do complexo da castração só pode ser apreciada corretamente quando se considera também sua origem na fase da primazia do falo.*[2]

Sabe-se igualmente em que grau a depreciação da mulher, o horror da mulher, a disposição à homossexualidade derivam da convicção definitiva de que a mulher não possui pênis. Recentemente Ferenczi ligou, de

* "Recusam": *leugnen* — nas versões consultadas: *niegan*, *desconocen*, *disconoscono*, *dénient*, *disavow*, *loochenen*. Cf. nota de Strachey (na *Standard edition*, v. XIX) sobre o conceito de *Verleugnung*, cujo aparecimento é por ele registrado neste ponto da obra de Freud. Ver também o verbete do *Vocabulário da psicanálise* (São Paulo: Martins Fontes, 11ª ed., revista e adaptada para o Brasil, 1991) e *As palavras de Freud*, op. cit., pp. 224-30.

2 Já foi corretamente assinalado que a criança adquire a ideia de um dano narcísico por perda corporal ao perder o seio materno após mamar, ao depositar cotidianamente as fezes e mesmo ao separar-se do ventre da mãe no nascimento. Mas só devemos falar de um complexo da castração quando tal ideia de perda ficou ligada ao genital.

modo inteiramente correto, o símbolo mitológico do horror, a cabeça da Medusa, à impressão produzida pelo genital feminino sem pênis.[3]

Mas não devemos crer que o menino prontamente generaliza a sua observação de que várias pessoas do sexo feminino não possuem pênis. Já é um obstáculo para isto a sua suposição de que a ausência de pênis na mulher seria uma consequência do castigo da castração. Pelo contrário, o menino acha que apenas mulheres indignas, provavelmente culpadas de impulsos* proibidos como os dele, teriam perdido o genital. Mulheres respeitadas, como sua mãe, conservam o pênis por muito tempo. Ainda não há nexo, para o garoto, entre ser mulher e a ausência de pênis.[4] Somente depois, quando ele aborda os problemas da origem e do nascimento das crianças e descobre que apenas mulheres podem ter filhos, a mãe também perde o pênis, e são construídas às vezes complicadas teorias para explicar a troca do pênis por uma

3 *Internationale Zeitschrift für Psychoanalyse*, IX, 1923, Caderno 1. Gostaria de acrescentar que no mito se trata do genital da mãe. Atenas, que leva a cabeça da Medusa no escudo, torna-se por isso mesmo a mulher inabordável, cuja visão afasta qualquer pensamento de aproximação sexual.

* "Impulsos": *Regungen* — nas versões consultadas: *impulsos*, *mociones*, *impulsi*, *motions*, *impulses*, *impulsen*. Ver nota sobre a tradução de *Regung* em "O uso da interpretação dos sonhos na psicanálise" (volume 10 destas *Obras completas*, p. 127) e em "Recordar, repetir e elaborar" (idem, p. 197).

4 Analisando uma jovem senhora, que não tinha pai e tinha várias tias, soube que ainda no período de latência ela acreditava que a mãe e algumas tias possuíam pênis. Mas uma tia que era débil mental ela pensava ser castrada, tal como percebia a si mesma.

criança. Em tudo isso o genital feminino não parece jamais ser descoberto. Como sabemos, a criança vive no ventre (intestino) da mãe e nasce pela saída do intestino.* Essas últimas teorias nos levam além do período da sexualidade infantil.

É importante ter em vista as mudanças que experimenta, no desenvolvimento sexual infantil, a polaridade sexual que nos é familiar. Uma primeira oposição é introduzida com a escolha do objeto, que naturalmente pressupõe sujeito e objeto. No estágio da organização pré-genital sádico-anal não se pode ainda falar de masculino e feminino, prevalece a oposição de *ativo* e *passivo*.[5] No estágio da organização genital infantil que então se segue há *masculino*, mas não feminino; a oposição é: *genital masculino* ou *castrado*. Apenas ao se completar o desenvolvimento, na época da puberdade, a polaridade sexual coincide com *masculino* e *feminino*. O masculino reúne o sujeito, a atividade e a posse do pênis, o feminino assume o objeto e a passividade. A vagina é então estimada como abrigo do pênis, torna-se herdeira do ventre materno.

* Para o menino, naturalmente. Mas isso não é explicitado na frase original, que diz: *Wie wir wissen, lebt das Kind im Leib* (*Darm*) *der Mutter und wird durch den Darmausgang geboren*. Talvez Freud considerasse claro o sentido que pretendia, em virtude do contexto, ou talvez isso seja simplesmente negligência de expressão. López-Ballesteros intercalou um "*imagina que*" na frase, e Strachey, "*is supposed*". Etcheverry e Laplanche nada acrescentaram.

5 Cf. *Três ensaios sobre a teoria da sexualidade*, 5ª ed., p. 62.

# NEUROSE E PSICOSE (1924)

TÍTULO ORIGINAL: "NEUROSE UND PSYCHOSE". PUBLICADO PRIMEIRAMENTE EM *INTERNATIONALE ZEITSCHRIFT FÜR PSYCHOANALYSE* [REVISTA INTERNACIONAL DE PSICANÁLISE], V. 10, N. 1, PP. 1-5. TRADUZIDO DE *GESAMMELTE WERKE* XIII, PP. 387-91; TAMBÉM SE ACHA EM *STUDIENAUSGABE* III, PP. 331-7.

Num trabalho que publiquei recentemente, *O Eu e o Id*, ofereci uma divisão do aparelho psíquico que nos permite descrever uma série de relações de forma clara e compreensível. Em outros pontos, no que toca ao papel e à origem do Super-eu, por exemplo, restam bastantes coisas obscuras e não resolvidas. É lícito esperar que o que foi ali colocado se revele útil e proveitoso também para outras coisas, ainda que seja apenas para ver de uma nova maneira o já conhecido, classificá-lo diferentemente ou expô-lo de modo mais convincente. Tal aplicação poderia também significar um vantajoso retorno da teoria cinzenta para a verdejante experiência.*

Na obra mencionada caracterizei os múltiplos laços de dependência do Eu, sua posição intermediária entre o mundo exterior e o Id, e o seu empenho em fazer a vontade de todos os seus senhores ao mesmo tempo. Relacionada a um curso de pensamento vindo de outra parte, que dizia respeito à origem e prevenção das psicoses, ocorreu-me uma fórmula simples, que trata da diferença genética mais importante, talvez, que há entre neurose e psicose: *a neurose seria o resultado de um conflito entre o Eu e seu Id, enquanto a psicose seria o análogo desfecho de uma tal perturbação nos laços entre o Eu e o mundo exterior.*

É justificada a advertência de que convém desconfiar de soluções tão simples para um problema. Além disso, nossa expectativa máxima é que tal fórmula se mostre cor-

* Alusão a dois famosos versos do *Fausto*, de Goethe: "Cinzenta é toda teoria, caro amigo/ E verde a áurea árvore da vida" (*Grau, teurer Freund, ist alle Theorie, / Und grün des Lebens goldner Baum*; falados por Mefistófeles, parte I, cena 4).

reta em linhas muito gerais. Mas isso já seria algo. Logo lembramos de toda uma série de percepções e achados que parecem apoiar nossa tese. As neuroses de transferência, conforme todas as nossas análises, surgem pelo fato de o Eu não querer aceitar e promover a efetivação motora de um impulso instintual poderoso no Id, ou de contestar o objeto a que ele visa. O Eu, então, defende-se dele através do mecanismo da repressão; o que é reprimido se revolta contra esse destino, criando, por vias sobre as quais o Eu não tem poder, um substituto que o representa,* que se impõe ao Eu pela via do compromisso, o sintoma; o Eu vê ameaçada e prejudicada por esse intruso a sua unidade, dá prosseguimento à luta contra o sintoma, tal como se defendia originalmente do impulso instintual, e tudo isso resulta no quadro da neurose. Não constitui objeção que o Eu, ao efetuar a repressão, no fundo esteja seguindo as ordens do seu Super-eu, que, por sua vez, originam-se das influên-

* "Substituto que o representa": *Ersatzvertretung* — nas versões estrangeiras consultadas: *satisfacción* [sic] *substitutiva*, *subrogación substitutiva*, *rappresentanza sostitutiva*, *il se fait représenter* [...] *par un substitut*, *substitutive representation*, *substituut* (além daquelas normalmente utilizadas — duas em espanhol, a italiana da Boringhieri e a *Standard* inglesa — consultamos também uma francesa antiga, da PUF, e a holandesa da Boom). Em português, "representar" corresponde a mais de um verbo alemão: os dois principais, *vertreten* e *vorstellen*, significam respectivamente "estar no lugar de, substituir" e "figurar", entre outras coisas. A fim de escapar a uma possível confusão, recorremos aqui a uma paráfrase, pois "representação" é geralmente entendida no sentido de *Vorstellung* (que tendemos a traduzir por "ideia", como faz Strachey). Para um maior esclarecimento dessa questão, ver capítulo "*Vorstellung / idea / représentation*", em Paulo César de Souza, *As palavras de Freud*, op. cit.

cias do mundo externo real que acharam representação no Super-eu. Permanece o fato de que o Eu se pôs ao lado desses poderes, que nele as suas exigências têm mais força do que as reivindicações instintuais do Id, e que o Eu é o poder que coloca em andamento a repressão a essa parte do Id e fortalece a repressão mediante o contrainvestimento da resistência. A serviço do Super-eu e da realidade, o Eu entrou em conflito com o Id, e assim ocorre em todas as neuroses de transferência.

Por outro lado, será igualmente fácil, a partir do que até agora conhecemos sobre o mecanismo das psicoses, dar exemplos que apontam para um distúrbio na relação entre o Eu e o mundo exterior. No que Meynert chama de "amência" — uma confusão alucinatória aguda, talvez a mais extrema e impressionante forma de psicose —, o mundo exterior não é percebido de modo algum ou sua percepção não tem nenhum efeito. Pois normalmente o mundo exterior domina o Eu por duas vias: primeiro, pelas percepções atuais que sempre podem se renovar; depois, pelo acervo mnemônico de percepções anteriores, que, como "mundo interior", constituem patrimônio e elemento do Eu. Na *amência*, não só é excluído o acolhimento de novas percepções, mas também é retirado o significado (investimento)* do mundo interior, que

* "O significado (investimento)": *die Bedeutung* (*Besetzung*). Em alemão, o primeiro substantivo pode significar também "importância"; por isso as versões consultadas diferem: *significación* (*carga*), *valor psíquico* (*investidura*), *significato* (*investimento*), *signification* (*investissement*), *significance* (*cathexis*), *betekenis* (*bezetting*) [estes, equivalentes exatos dos termos alemães].

até então representava o mundo exterior, como sua cópia; autonomamente o Eu cria um novo mundo exterior e interior, e não há dúvida quanto a dois fatos: de que esse novo mundo é edificado conforme os impulsos de desejo* do Id, e de que o motivo dessa ruptura com o mundo exterior é uma difícil, aparentemente intolerável frustração do desejo por parte da realidade. Não podemos ignorar o íntimo parentesco entre essa psicose e o sonho normal. Mas a precondição para o sonho é o estado do sono, caracterizado, entre outras coisas, pelo total afastamento da percepção e do mundo externo.

Quanto a outras formas de psicose, as esquizofrenias, sabe-se que tendem a resultar no embotamento afetivo, isto é, na perda de todo interesse no mundo exterior. Sobre a gênese das formações delirantes, algumas análises nos ensinaram que o delírio é como um remendo colocado onde originalmente surgira uma fissura na relação do Eu com o mundo exterior. Se essa precondição, o conflito com o mundo externo, não é muito mais patente do que agora notamos, a razão para isso está no fato de no quadro clínico da psicose as manifestações do processo patogênico serem frequentemente cobertas por aquelas de uma tentativa de cura ou reconstrução.

* "Impulsos de desejo": *Wunschregungen* — nas versões consultadas: *tendencias optativas*, *mociones de deseo*, *moti di desiderio*, *désirs*, *wishful impulses*, *wensimpulsen*. Em algumas ocasiões traduzimos esse termo composto por "impulsos envolvendo desejos" e até mesmo por "desejos" simplesmente; cf. nota à p. 130 e *As palavras de Freud*, op. cit., apêndice B.

A etiologia comum à irrupção de uma psiconeurose ou psicose é sempre a frustração, a não realização de um daqueles desejos infantis nunca sujeitados, tão profundamente enraizados em nossa organização filogeneticamente determinada. Tal frustração é, no fundo, sempre externa; em casos individuais pode vir daquela instância interior (no Super-eu) que se encarregou de representar as exigências da realidade. O efeito patógeno depende de que o Eu, nessa tensão conflituosa, continue fiel à sua dependência do mundo externo e procure amordaçar o Id, ou se deixe sobrepujar pelo Id e separar da realidade. Esta situação aparentemente simples, porém, é complicada pela existência do Super-eu, que, por um nexo ainda não esclarecido, reúne influências que vêm tanto do Id como do mundo externo, sendo como que um modelo ideal daquilo visado por todo o esforço do Eu, a conciliação de suas múltiplas dependências. O comportamento do Super-eu deve ser levado em consideração, o que não se fez até agora, em todas as formas de doença psíquica. Podemos, no entanto, postular provisoriamente que tem de haver afecções baseadas num conflito entre Eu e Super-eu. A análise nos dá o direito de supor que a melancolia é um exemplo típico desse grupo, e reivindicaríamos para esses distúrbios o nome de "psiconeuroses narcísicas". E não destoa de nossas impressões que encontremos motivos para separar estados como a melancolia das outras psicoses. Percebemos, então, que pudemos completar nossa simples fórmula genética, sem abandoná-la. A neurose de transferência corresponde ao conflito entre Eu e Id, a neurose narcísica ao conflito entre Eu e Super-eu, a psicose àquele entre Eu e mundo exterior.

É certo que não podemos logo dizer se realmente adquirimos novos conhecimentos ou se apenas aumentamos o nosso acervo de fórmulas; mas creio que esta possibilidade de aplicação deve nos animar a manter a sugerida divisão do aparelho psíquico em Eu, Super-eu e Id.

A afirmação de que neuroses e psicoses nascem dos conflitos do Eu com suas diferentes instâncias dominantes, isto é, correspondem a um fracasso da função do Eu, que evidentemente procura conciliar todas as diferentes reivindicações, pede uma outra discussão que a complemente. Gostaríamos de saber em que circunstâncias e por quais meios o Eu consegue sair, sem adoecer, de tais conflitos que sempre se acham presentes. Eis um novo âmbito de pesquisa, no qual certamente os mais diversos fatores se apresentarão para serem examinados. Dois deles podem ser imediatamente ressaltados. O resultado de todas essas situações dependerá, não há dúvida, da constelação* econômica, das grandezas relativas das tendências em luta. E para o Eu será possível evitar a ruptura em qualquer direção, ao deformar a si mesmo, permitir danos à sua unidade, eventualmente até se dividir ou partir. Desse modo as incoerências, excentricidades e loucuras dos homens apareceriam numa

* "Constelação": *Verhältnisse*. Embora não seja "técnico", esse termo ilustra uma característica de vários termos freudianos: a polissemia, a diversidade ou amplitude de sentidos. Os tradutores estrangeiros recorrem a: *circunstancias*, *constelaciones*, *rapporti*, *circonstances*, *considerations*, *verhoudingen* [equivalente ao alemão]. O original é plural, mas pareceu-nos melhor usar o termo escolhido no singular, pois ele designa um conjunto de relações.

luz semelhante à de suas perversões sexuais, cuja aceitação lhes permite poupar a si mesmos repressões.

Por fim, há a questão de qual pode ser o mecanismo, análogo à repressão, mediante o qual o Eu se separa do mundo exterior. Acho que isso não pode ser respondido sem novas investigações, mas ele deve ter por conteúdo, como a repressão, uma retirada do investimento lançado pelo Eu.

# O PROBLEMA ECONÔMICO DO MASOQUISMO (1924)

TÍTULO ORIGINAL: "DAS ÖKONOMISCHE PROBLEM DES MASOCHISMUS". PUBLICADO PRIMEIRAMENTE EM *INTERNATIONALE ZEITSCHRIFT FÜR PSYCHOANALYSE* [REVISTA INTERNACIONAL DE PSICANÁLISE], V. 10, N. 2, PP. 121-33. TRADUZIDO DE *GESAMMELTE WERKE* XIII, PP. 371-83. TAMBÉM SE ACHA EM *STUDIENAUSGABE* III, PP. 339-54. ESTA TRADUÇÃO FOI PUBLICADA ORIGINALMENTE EM *JORNAL DE PSICANÁLISE*, SOCIEDADE BRASILEIRA DE PSICANÁLISE DE SÃO PAULO, V. 34, N. 62/63, PP. 273-83, DEZEMBRO DE 2001. O TEXTO E ALGUMAS NOTAS DO TRADUTOR FORAM MODIFICADOS NA PRESENTE EDIÇÃO.

Do ponto de vista econômico, é justo qualificarmos de enigmática a existência de tendências masoquistas na vida instintual humana. Pois, se o princípio do prazer domina os processos psíquicos de forma tal que o primeiro objetivo destes é evitar o desprazer e conseguir prazer, o masoquismo torna-se algo incompreensível. Se a dor e o desprazer podem já não ser advertências, mas objetivos em si mesmos, o princípio do prazer é paralisado, o guardião de nossa vida psíquica é como que narcotizado.

Assim, o masoquismo nos aparece como um grande perigo, o que absolutamente não é o caso de sua contrapartida, o sadismo. Somos tentados a chamar o princípio do prazer de guardião da nossa vida, não apenas de nossa vida psíquica. Mas então surge a tarefa de investigar a relação do princípio do prazer com as duas espécies de instintos que diferenciamos, os instintos de morte e os instintos de vida eróticos (libidinais), e não podemos continuar a discussão do problema do masoquismo antes de realizar esse trabalho.

Será lembrado que entendemos o princípio que rege todos os processos psíquicos como um caso especial da *tendência à estabilidade* proposta por Fechner, e portanto atribuímos ao aparelho psíquico a intenção de reduzir a nada a quantidade de excitação que lhe chega, ou, ao menos, mantê-la a mais baixa possível.* Barbara

* Não há espaço de uma linha vazia entre esse parágrafo e o anterior na edição alemã utilizada, *Gesammelte Werke*. Mas, conside-

Low sugeriu, para essa suposta tendência, o nome de *princípio do Nirvana*, que nós aceitamos. Mas apressadamente identificamos o princípio de prazer-desprazer com este princípio do Nirvana. Assim, todo desprazer deveria coincidir com uma elevação, e todo prazer com um abaixamento da tensão devida a estímulos que se acham na psique; o princípio do Nirvana (e o do prazer, supostamente idêntico a ele) estaria totalmente a serviço dos instintos de morte, cuja meta é conduzir a vida sempre instável à quietude do estado inorgânico, e teria a função de advertir contra as exigências dos instintos de vida, da libido, que buscam perturbar o pretendido curso da vida. Mas tal concepção não pode ser correta. Ao que parece, sentimos o aumento ou decréscimo dos montantes de estímulos diretamente na série dos sentimentos de tensão, e não há dúvida de que existem tensões prazerosas e distensões desprazerosas. O estado de excitação sexual é o mais claro exemplo de um aumento de estímulos assim prazeroso, mas certamente não é o único. Prazer e desprazer, portanto, não podem ser referidos ao aumento ou diminuição de uma quantidade que chamamos de tensão devida a estímulos, embora claramente tenham muito a ver com isso. Parece que não dependem desse fator quantitativo, mas de uma característica dele que só podemos designar como qualitativa. Estaríamos bem mais adiantados

---

rando que faz sentido um espaço nesse ponto e que ele se acha numa edição alemã mais recente (*Studienausgabe*), resolvemos incorporá-lo, aqui e em alguns outros lugares.

na psicologia, se soubéssemos indicar qual é esse traço qualitativo. Talvez seja o ritmo, o transcurso temporal das mudanças, elevações e quedas da quantidade de estímulos; não o sabemos.

Em todo caso, devemos reparar que o princípio do Nirvana, que pertence ao instinto de morte, experimentou no ser vivo uma modificação que o fez tornar-se princípio do prazer, e de ora em diante evitaremos tomar os dois princípios por um. Não é difícil adivinhar de qual poder se originou essa modificação, se queremos prosseguir com este raciocínio. Pode ser apenas o instinto de vida, a libido, que desse modo conquistou sua parte na regulamentação dos processos vitais, junto ao instinto de morte. Assim chegamos a uma pequena, mas interessante cadeia de relações: o princípio do *Nirvana* exprime a tendência do instinto de morte, o princípio do *prazer* representa a reivindicação da libido, e a modificação dele, o princípio da *realidade*, a influência do mundo externo.

Nenhum desses três princípios é realmente colocado fora de ação por outro. Via de regra eles sabem tolerar um ao outro, embora ocasionalmente deva levar a conflitos o fato de a meta estabelecida ser, de um lado, a diminuição quantitativa da carga de estímulos, do outro, um caráter qualitativo da mesma, e, por fim, um adiamento da descarga e uma aceitação provisória da tensão devida ao desprazer.

O que concluímos dessa discussão é que não se pode recusar a denominação de guardião da vida para o princípio do prazer.

Voltemos ao masoquismo. Ele se oferece à nossa observação em três formas: como uma condição para a excitação sexual, como expressão da natureza feminina e como uma norma de conduta na vida (*behaviour*). Pode-se distinguir, correspondentemente, um masoquismo *erógeno*, um *feminino* e um *moral*. O primeiro, o masoquismo erógeno, o prazer na dor, também está na base das duas outras formas; ele deve ter fundamento biológico e constitucional, e permanece incompreensível se não nos resolvemos a formular suposições acerca de pontos bastante obscuros. A terceira forma do masoquismo, em certo sentido a mais importante, só recentemente foi apreciada pela psicanálise, como sentimento de culpa em geral inconsciente, mas já admite uma completa explicação e inserção no resto de nosso conhecimento. Quanto ao masoquismo feminino, é o mais acessível à nossa observação, o menos enigmático e o que podemos enxergar em todas as suas relações. Com ele pode começar a nossa exposição.

Conhecemos suficientemente esse masoquismo no homem (ao qual me limitarei aqui, em razão do material disponível), pelas fantasias de pessoas masoquistas (com frequência impotentes, por isso), que resultam no ato masturbatório ou representam em si mesmas a satisfação sexual. Os desempenhos reais de pervertidos masoquistas coincidem inteiramente com as fantasias, quer sejam realizados como fim em si, quer sirvam para induzir a potência e levar ao ato sexual. Nos dois casos — os desempenhos são, afinal, apenas a realização das fantasias em forma de jogo — o conteúdo manifesto é: ser amordaçado, amarrado, golpeado, chicoteado de maneira dolorosa, maltratado de algum modo, obrigado à obediência incondicional, sujado, humilhado. Muito mais raramente, e com grandes restrições, veem-se incluídas também mutilações nesse conteúdo. A interpretação imediata, comodamente alcançada, é que o masoquista deseja ser tratado como uma criança pequena, desamparada e dependente, mas especialmente como uma criança malcomportada. É supérfluo citar casos, o material é bastante uniforme e acessível a todo observador, também ao que não é analista. Mas, tendo-se podido estudar casos em que as fantasias masoquistas sofreram elaboração particularmente rica, é fácil perceber que elas põem o indivíduo numa situação caracteristicamente feminina, isto é, significam ser castrado, ser possuído ou dar à luz. Por causa disso chamei de feminina essa forma de masoquismo, como que *a potiori* [pelos traços mais importantes], embora muitos de seus elementos apontem para a vida infantil. Esta superposição em camadas do infantil e do feminino terá, mais adiante, uma explicação simples. A castração ou o enceguecimento — que a representa — deixa frequentemente nas fantasias a sua pista negativa, na condição de que não podem sofrer dano justamente os genitais ou os olhos. (As torturas masoquistas, aliás, raramente causam impressão tão séria como as crueldades — fantasiadas ou executadas — do sadismo.) Um sentimento de culpa também acha expressão no conteúdo manifesto das fantasias masoquistas, pois o indivíduo supõe haver infringido algo (não determinado) que deve ser expiado mediante procedimentos penosos e torturantes. Isto parece uma racionalização superficial dos conteúdos masoquistas, mas por trás existe o nexo com a masturbação infantil. Por outro lado, esse fator da culpa leva à terceira forma do masoquismo, aquela moral.

O masoquismo feminino que descrevemos baseia-se naquele primário, erógeno, o prazer na dor, que não pode ser explicado sem que voltemos muito atrás em nossa discussão.

Nos *Três ensaios de uma teoria da sexualidade*, na passagem sobre as fontes da sexualidade infantil, afirmei que a excitação sexual produz-se como efeito secundário em toda uma gama de processos internos, logo que a intensidade desses processos ultrapassa determinados limites quantitativos. E que talvez nada de importante ocorra no organismo que não forneça componentes para a excitação do instinto sexual. De acordo com isso, a excitação por dor ou desprazer deve ter igual consequência. Esta excitação libidinal que acompanharia a tensão de dor e desprazer seria um mecanismo fisiológico infantil, que mais tarde desaparece. Ela teria, em diferentes constituições sexuais, graus diversos de desenvolvimento; em todo caso, proporcionaria a base fisiológica sobre a qual depois se constrói na psique o masoquismo erógeno.

A insuficiência desta explicação, porém, mostra-se no fato de não lançar luz sobre os nexos íntimos e regulares entre o masoquismo e sua contrapartida na vida instintual, o sadismo. Se retornamos um pouco mais, até a hipótese das duas espécies de instintos que acreditamos atuarem nos seres vivos, chegamos a uma outra derivação [do masoquismo], que não contradiz a anterior. A libido encontra nos seres vivos (multicelulares) o instinto de morte ou destruição que neles vigora, que busca desintegrar este ser e conduzir cada um dos organismos elementares ao estado de inorgânica estabilidade (ainda que esta possa ser apenas relativa). Ela tem a tarefa de fazer inócuo esse instinto destruidor, e a cumpre desviando-o em boa parte — e logo com ajuda de um sistema orgânico particular, a musculatura — para fora, para os objetos do mundo exterior. Então ele se chamaria instinto de destruição, instinto de apoderamento, vontade de poder. Uma parte desse instinto é colocada diretamente a serviço da função sexual, na qual tem um importante papel. É o sadismo propriamente dito. Uma outra parte não realiza essa transposição para fora, permanece no organismo e, com ajuda da mencionada excitação sexual concomitante, torna-se ligada libidinalmente; nela devemos reconhecer o masoquismo original, erógeno.

Não temos nenhuma compreensão fisiológica dos meios e vias pelos quais pode se efetuar esse amansamento* do instinto de morte pela libido. No âmbito de ideias da psicanálise, podemos supor apenas que ocorre entre as duas espécies de instintos uma extensa mescla e amálgama, variável em suas proporções, de maneira que não devemos contar com puros instintos de morte e de vida, mas apenas com misturas deles em graus diversos. À agregação dos instintos corresponde, sob determinadas influências, uma desagregação dos mesmos. Não é possível saber, atualmente, a extensão das partes dos instintos de morte que, pela ligação a acréscimos libidinais, escapam a este amansamento.

Admitindo-se alguma imprecisão, pode-se dizer que o instinto de morte atuante no organismo — o sadismo primordial — é idêntico ao masoquismo. Depois que sua parte principal foi transposta para fora, para os objetos, permanece no interior, como seu resíduo, o masoquismo propriamente erógeno, que, por um lado, tornou-se componente da libido, e, por outro lado, ainda tem seu próprio ser como objeto. Esse masoquismo, então, seria testemunha e sobrevivência daquela fase de formação em que sucedeu o amálgama, tão importante para a vida, de Eros

* "Amansamento": *Bändigung*. O termo original inclui também o sentido de refreamento, de sujeição com o uso de uma correia (*Band*, associada ao verbo *binden*, "ligar, atar"); este sentido se acha em algumas das versões estrangeiras utilizadas: *doma*, *domeñamiento*, *imbrigliamento*, *domptage*, *taming*, *breideling*. James Strachey observa, numa nota, que Freud também recorre a essa palavra na terceira seção de "Análise terminável e interminável" (1937) e que a ideia de "*taming*" [domar] lembranças já aparecera no "Esboço [*Entwurf*, que ele prefere traduzir por *Project*] de uma Psicologia", de 1895 (seção 3, Parte III).

e instinto de morte. Não ficaremos surpresos de ouvir que, em determinadas circunstâncias, o sadismo ou instinto de destruição voltado para fora, projetado, pode ser novamente introjetado, voltado para dentro, desse modo regredindo à sua situação anterior. Então ele resulta no masoquismo secundário, que se junta àquele original.

O masoquismo erógeno partilha todas as fases de desenvolvimento da libido, delas tomando as variadas roupagens psíquicas que assume. O medo de ser devorado pelo animal totêmico (o pai) procede da organização oral primitiva; o desejo de ser surrado pelo pai, da fase sádico-anal que a ela sucede; a castração, embora depois negada,* introduz-se no conteúdo das fantasias masoquistas como um precipitado do estágio fálico de organização;[1] as situações em que o indivíduo é possuído ou dá à luz, caracteristicamente femininas, derivam naturalmente da organização genital final. Também é fácil compreender o papel das nádegas no masoquismo, não considerando sua óbvia base real. As nádegas são a parte do corpo erogenamente privilegiada na fase sádico-anal, tal como o seio na fase oral e o pênis na genital.

* "Negada": *verleugnet* — nas versões estrangeiras consultadas: *excluida*, *desmentida*, *rinnegata*, [*soit*] *l'objet d'un déni*, *disavowed*, *geloochend*. Em outras ocasiões, *verleugnen* foi traduzido por "recusar". Mas parece melhor, no presente contexto, a versão por "negar"; cf. Paulo César de Souza, *As palavras de Freud*, op. cit., capítulo sobre *Verneinung*.

1 Ver "A organização genital infantil" [1923].

A terceira forma de masoquismo, o masoquismo moral, é digna de nota principalmente por haver atenuado sua relação com aquilo que reconhecemos como sexualidade. Em todos os demais sofrimentos masoquistas há a condição de partirem da pessoa amada e serem tolerados por ordem sua; tal restrição é posta de lado no masoquismo moral. O que importa é o sofrimento mesmo; se ele é infligido por uma pessoa amada ou outra qualquer não faz diferença; pode ser causado também por poderes ou circunstâncias impessoais, o verdadeiro masoquista sempre oferece a face quando vê perspectiva de receber uma bofetada. Na explicação desse comportamento, tudo convida a deixar de lado a libido e limitar-se a supor que o instinto de destruição foi novamente voltado para dentro e se enfurece com a própria pessoa,* mas deve haver algum sentido no fato de a linguagem corrente não ter abandonado a relação entre essa forma de comportamento e o erotismo, chamando também aos que prejudicam a si mesmos de masoquistas.

Atendo-nos a um costume técnico, primeiro vamos nos ocupar da forma extrema, sem dúvida patogênica, desse masoquismo. Expus, em outro lugar,[2] que no tratamento analítico deparamos com pacientes a que somos obrigados a atribuir um sentimento de culpa "inconsciente", devido à sua atitude contrária à influência da

* "A própria pessoa": *das eigene Selbst* — literalmente "o próprio si mesmo", como preferiram alguns tradutores: *el propio yo*, *el sí-mismo propio*, *la propria persona*, *le propre soi*, *the self*, *het eigen zelf*.

2 *O Eu e o Id* [1923].

terapia. Indiquei, ali, em que podemos reconhecer tais pessoas (a "reação terapêutica negativa"), e também não escondi que a força de tal impulso constitui uma das mais sérias resistências e o maior perigo para o êxito de nossas intenções médicas ou pedagógicas. A satisfação desse sentimento de culpa inconsciente é talvez o mais poderoso bastião da "vantagem da doença" (vantagem normalmente composta), da soma das forças que lutam contra o restabelecimento e não querem renunciar ao estado doentio; o sofrimento que acompanha a neurose é justamente o fator que a torna valiosa para a tendência masoquista. Também é instrutivo perceber que, contrariamente a toda teoria e expectativa, uma neurose que desafiou todos os esforços terapêuticos pode desaparecer quando a pessoa se envolve na miséria de um casamento infeliz, perde seu patrimônio ou adquire uma temível doença orgânica. Uma forma de sofrimento é então substituída por outra, e vemos que importava apenas poder conservar uma certa medida de sofrimento.

Os pacientes não acreditam facilmente quando lhes falamos de sentimento de culpa inconsciente. Eles bem sabem dos martírios (remorsos) em que se manifesta um sentimento de culpa consciente, uma consciência de culpa, e por isso não podem admitir que devem abrigar em si impulsos análogos, dos quais nada sentem. Creio que em certa medida atenderemos à sua objeção se rejeitarmos a expressão "sentimento de culpa inconsciente" — psicologicamente incorreta, de todo modo — e utilizarmos "necessidade de punição", que cobre de maneira igualmente precisa o estado de coisas observado. Mas não podemos nos abster de julgar e localizar este sentimento de culpa inconsciente conforme o modelo do consciente.

Atribuímos ao Super-eu a função da consciência [moral] e vimos na consciência de culpa a expressão de uma tensão entre Eu e Super-eu. O Eu reage com sentimentos de angústia (angústia da consciência) à percepção de que não ficou à altura das exigências colocadas por seu ideal, o Super-eu. O que desejamos saber é como o Super-eu chegou a ter esse exigente papel, e por que o Eu tem de sentir medo quando há uma divergência com o seu ideal.

Havendo dito que a função do Eu é unir, conciliar as exigências das três instâncias a que serve, podemos acrescentar que ele também tem no Super-eu o modelo a que pode procurar seguir. Pois este Super-eu representa tanto o Id como o mundo exterior. Ele se originou da introjeção, no Eu, dos primeiros objetos dos impulsos libidinais do Id, o casal de genitores, na qual a relação com os dois foi dessexualizada, foi desviada dos objetivos sexuais diretos. Apenas desse modo foi possível a superação do complexo de Édipo. O Super-eu conservou características essenciais das pessoas introjetadas, seu poder, sua severidade, sua inclinação a vigiar e punir. Como foi exposto em outro lugar,[3] é fácil conceber que, graças à desagregação de instintos que ocorre juntamente com essa introdução no Eu, a severidade aumentou. O Super-eu, a consciência nele atuante, pode então ser duro, cruel, inexorável com o Eu que é

3 *O Eu e o Id* [1923].

por ele guardado. O imperativo categórico de Kant é, assim, herdeiro direto do complexo de Édipo.

Porém as mesmas pessoas que continuam a atuar no Super-eu como instância da consciência moral, após haverem deixado de ser objetos dos impulsos libidinais do Id, são parte igualmente do mundo externo real. Dele foram retiradas; seu poder, atrás do qual se escondem todas as influências do passado e da tradição, era uma das mais palpáveis manifestações da realidade. Devido a esta coincidência, o Super-eu, o substituto do complexo de Édipo, torna-se também representante do mundo externo real e, assim, modelo para os esforços do Eu.

Dessa maneira, o complexo de Édipo demonstra ser, como já se conjecturou no plano histórico,[4] a fonte de nossa moralidade individual.* No curso do desenvolvimento infantil, que leva ao progressivo afastamento em

4 *Totem e tabu* [1913].

* "Nossa moralidade individual": *unsere individuelle Sittlichkeit* (*Moral*). Seria redundante reproduzir o termo entre parênteses do original, uma vez que traduzimos *Sittlichkeit* por "moralidade". Também é possível traduzi-la por "eticidade", como fez Rubens Rodrigues Torres Filho em suas versões de trechos selecionados de Friedrich Nietzsche (*Obras incompletas*, coleção Os Pensadores. São Paulo: Abril Cultural, 2ª ed., 1979, p. 159, nota relativa ao § 9 de *Aurora*, intitulado "Conceito da eticidade do costume"). O termo alemão vem de *Sitte*, "costume", assim como "moral" deriva da palavra latina para "costume", *mos*. Da mesma forma, o adjetivo "ético" tem origem no vocábulo grego de igual sentido, *ethos*. Cf. também, de Nietzsche, *Genealogia da moral* (São Paulo: Companhia das Letras, 1999), segunda dissertação, nota 2 à tradução, e *Humano, demasiado humano* (mesma editora, 2000), notas 44 e 137, traduções de autoria deste tradutor.

relação aos genitores, decai a importância pessoal deles para o Super-eu. Às imagos por eles deixadas juntam-se então as influências de professores, autoridades, modelos escolhidos pelo indivíduo e heróis socialmente reconhecidos, cujas pessoas já não precisam ser introjetadas pelo Eu, que se tornou mais resistente. A derradeira figura desta série que principia com os pais é o obscuro poder do destino, que pouquíssimos de nós conseguem apreender de forma impessoal. Quando o escritor holandês Multatuli[5] substitui a *Μοιρα* [Destino] dos gregos pelo par divino *Λόγος και ʻΑνάγκη* [Razão e necessidade],* há pouco a objetar nisso; mas todos aqueles que transferem a condução do mundo para a Providência, para Deus, ou Deus e a Natureza, provocam a suspeita de que ainda veem nessas potências últimas e remotas um casal de genitores — mitologicamente — e se acreditam ligados a elas por laços libidinais. Em *O Eu e o Id* procurei derivar dessa concepção parental do destino também o medo real da morte que têm os seres humanos. Parece muito difícil libertar-se dela.

5 E. Douwes Dekker (1820-87). [Nome verdadeiro do romancista holandês, um dos favoritos de Freud, que usava o pseudônimo de Multatuli.]

* Essas duas palavras gregas têm significados amplos, que não se limitam àqueles dados entre colchetes. Segundo o *Dicionário grego-português*, de Isidro Pereira (Porto: Livraria Apostolado da Imprensa, 5ª ed., 1976), *Logos* pode significar, entre outras coisas, "palavra, máxima, argumento, razão, inteligência, juízo"; e *Ananke* tem os sentidos de "necessidade, destino, miséria, sofrimento, cárcere". Cabe registrar também que a primeira é um substantivo masculino e a segunda, feminino.

Após essas considerações podemos voltar à discussão do masoquismo moral. Dissemos que, por sua conduta no tratamento e na vida, certas pessoas causam a impressão de serem moralmente inibidas de um modo excessivo, de se acharem sob o domínio de uma consciência particularmente sensível, embora não estejam côncias dessa hipermoral.* Num exame mais detido, notamos a diferença que há entre uma tal continuação inconsciente da moral e o masoquismo moral. Na primeira a ênfase recai sobre o intensificado sadismo do Super-eu, ao qual o Eu se submete; no segundo, sobre o próprio masoquismo do Eu, que anseia por castigo, quer do Super-eu, quer dos poderes parentais externos. Nossa confusão inicial pode ser desculpada, pois em ambos os casos trata-se de uma relação entre o Eu e o Super-eu, ou poderes a estes equivalentes; nas duas vezes lidamos com uma necessidade que é satisfeita mediante o castigo e o sofrimento. Não será um detalhe irrelevante que o sadismo do Super-eu se torne gritantemente cruel, em geral, enquanto a tendência masoquista do Eu permaneça quase sempre oculta ao indivíduo e tenha de ser inferida do seu comportamento.

* "Hipermoral": *Übermoral*. Freud juntou ao substantivo "*Moral*" o prefixo *über*, que denota posição acima, abundância ou excesso. É o mesmo prefixo usado em *Über-Ich* (Super-eu) e no célebre *Übermensch* ("super-homem") nietzschiano. Nesse caso os tradutores consultados empregam: *supermoral*, *hipermoral*, *ipermoralità*, *hypermorale*, *ultramorality*, *buitensporig strenge moraal* [moral excessivamente severa].

A inconsciência do masoquismo moral nos leva naturalmente a uma pista. Pudemos traduzir a expressão "sentimento de culpa inconsciente" como necessidade de castigo nas mãos de um poder parental. Ora, sabemos que o desejo de ser surrado pelo pai, tão frequente nas fantasias, é muito próximo àquele outro, de ter uma relação sexual passiva (feminina) com ele, e constitui apenas uma deformação regressiva deste. Inserindo esse esclarecimento no conteúdo no masoquismo moral, seu significado oculto vem a ser claro para nós. Consciência e moralidade surgiram com a superação, a dessexualização do complexo de Édipo; com o masoquismo moral, a moralidade é novamente sexualizada, o complexo de Édipo é revitalizado, abre-se o caminho para regredir da moralidade ao complexo de Édipo. Isto não beneficia nem a moral nem o indivíduo. É verdade que este pode haver conservado, junto ao seu masoquismo, toda a sua moralidade ou um certo grau dela, mas boa parte de sua consciência [moral] também pode ter desaparecido graças ao masoquismo. Por outro lado, o masoquismo gera a tentação de atos "pecadores", que então devem ser expiados mediante os reproches da consciência sádica (como se vê em tantos tipos de caráter russos) ou o disciplinamento imposto pela grande autoridade parental do Destino. A fim de provocar o castigo por este representante dos pais, o masoquista tem de fazer coisas inadequadas, de agir contra seus próprios interesses, arruinando as perspectivas que para ele se abrem no mundo real e, eventualmente, destruindo a sua própria existência real.

A volta do sadismo contra a própria pessoa acontece regularmente na *repressão cultural dos instintos*,* que impede que boa parte dos componentes instintuais destrutivos da pessoa tenham aplicação na vida. Pode-se imaginar que esta porção refreada do instinto de destruição surja no Eu como uma intensificação do masoquismo. Mas os fenômenos da consciência [moral] levam a supor que a destrutividade que retorna do mundo exterior também é acolhida pelo Super-eu sem tal transformação, e eleva o sadismo deste para com o Eu. O sadismo do Super-eu e o masoquismo do Eu complementam um ao outro e se juntam para produzir as mesmas consequências. Apenas assim, creio, pode-se compreender que da repressão instintual resulte — com frequência ou em todos os casos — um sentimento de culpa, e que a consciência venha a ser mais severa e mais sensível quando o indivíduo mais se abstém da agressão a outros. Poderíamos esperar, de uma pessoa que sabe que costuma não fazer agressões culturalmente indesejá-

* "Repressão cultural dos instintos": *kulturelle Triebunterdrückung* — nas traduções consultadas: *sojuzgamiento cultural de los instintos*, *sofocación cultural de las pulsiones*, *repressione delle pulsioni ad opera della civiltà*, *répression culturelle des pulsions*, *cultural suppression of the instincts*, *culturele driftonderdrukking*. No *Vocabulário da psicanálise* (conforme a 11ª ed., São Paulo: Martins Fontes, 1991), Laplanche e Pontalis distinguem entre "recalque ou recalcamento" (*Verdrängung*) e "repressão" (*Unterdrückung*), argumentando que essa distinção é claramente estabelecida pelo próprio Freud. As passagens de Freud por eles invocadas, no entanto, não permitem uma diferenciação tão nítida, como procurei demonstrar em *As palavras de Freud*, op. cit., capítulo sobre *Verdrängung*.

veis, que tenha uma boa consciência e vigie o próprio Eu com menor desconfiança. Em geral a situação é vista como se a exigência moral fosse o elemento primário e a renúncia instintual, a sua consequência. Mas assim continua sem explicação a origem da moralidade. Na realidade parece ocorrer o inverso; a primeira renúncia instintual é forçada por poderes externos, e apenas então ela cria a moralidade, que se expressa na consciência e exige nova renúncia instintual.

Desse modo, o masoquismo moral vem a ser testemunha clássica da existência da mistura de instintos. Seu caráter perigoso se deve ao fato de proceder do instinto de morte, correspondendo à parte deste que escapou de ser voltada para fora como instinto de destruição. Por outro lado, tendo ele a significação de um componente erótico, também a autodestruição do indivíduo não pode ocorrer sem satisfação libidinal.

# A DISSOLUÇÃO DO COMPLEXO DE ÉDIPO (1924)

TÍTULO ORIGINAL: "DER UNTERGANG DES ÖDIPUSKOMPLEXES". PUBLICADO PRIMEIRAMENTE EM *INTERNATIONALE ZEITSCHRIFT FÜR PSYCHOANALYSE* [REVISTA INTERNACIONAL DE PSICANÁLISE], V. 10, N. 3, PP. 245-52. TRADUZIDO DE *GESAMMELTE WERKE* XIII, PP. 393-402; TAMBÉM SE ACHA EM *STUDIENAUSGABE* V, PP. 243-51. ESTA TRADUÇÃO FOI PUBLICADA ORIGINALMENTE EM *JORNAL DE PSICANÁLISE*, SOCIEDADE BRASILEIRA DE PSICANÁLISE DE SÃO PAULO, V. 33, N. 60/61, PP. 483-9, DEZEMBRO DE 2000. ALGUMAS NOTAS DO TRADUTOR FORAM MODIFICADAS NA PRESENTE EDIÇÃO.

Cada vez mais se revela a importância do complexo de Édipo como o fenômeno central do período sexual da primeira infância. Depois ele desaparece, sucumbe à repressão, como dizemos, e vem o período de latência. Mas ainda não é claro o que leva ao seu fim; as análises parecem mostrar que são dolorosas decepções experimentadas. A menina pequena, que pretende ser amada pelo pai acima de tudo, algum dia sofre uma dura punição por parte dele e se vê expulsa do paraíso. O garoto, que vê a mãe como sua propriedade, nota que ela passa a dirigir seu amor e seu cuidado a um recém-chegado. A reflexão aprofunda o valor dessas influências, ao enfatizar que são inevitáveis tais experiências aflitivas, que se opõem ao conteúdo do complexo. Mesmo quando não sucedem eventos especiais, como os mencionados a título de exemplos, a ausência da satisfação esperada, a contínua ausência* do filho desejado, levam a que o pequeno enamorado abandone sua desesperançada afeição. Assim, o complexo de Édipo desapareceria devido ao seu fracasso, em consequência de sua impossibilidade interna.

Uma outra concepção diria que o complexo de Édipo tem de acabar porque chegou o momento de sua desinte-

* "Ausência": *Versagung*, que geralmente traduzimos por "frustração". O *Vocabulário da psicanálise* lembra, corretamente, a "generalidade do uso" desse termo e a dificuldade de achar-lhe uma tradução que não dependa do contexto; cf. apêndice C de *As palavras de Freud*, op. cit. Algumas das versões estrangeiras tendem a lhe atribuir uma acepção técnica, específica, que ele não possui: [omissão na tradução espanhola], *denegación*, *frustrazione*, *refusement*, *denial*, *weigering* [recusa].

gração,* assim como caem os dentes de leite quando surgem os permanentes. Embora o complexo de Édipo seja vivido pela maioria das pessoas individualmente, ele é um fenômeno determinado pela hereditariedade, por ela estabelecido, que programadamente deve passar, quando começa a fase seguinte e predeterminada do desenvolvimento. De modo que é indiferente quais as ocasiões que levam isso a acontecer, ou que não seja possível descobri-las.

Não podemos contestar que as duas concepções se justificam. Mas também são compatíveis entre si; há lugar para a concepção ontogenética ao lado da filogenética, mais abrangente. Pois já no nascimento o indivíduo inteiro é destinado a morrer, e talvez os seus órgãos já contenham a indicação daquilo de que morrerá. Mas sempre interessa acompanhar como esse programa inato é executado, de que maneira danos ocasionais tiram proveito da predisposição.

Recentemente pudemos perceber melhor que o desenvolvimento sexual da criança chega até uma fase em

* "Desintegração": *Auflösung* no original — do verbo *auflösen*, "dissolver, desintegrar". Já o termo usado no título deste ensaio, *Untergang*, pode significar "ruína, naufrágio, ocaso, poente (referindo-se ao sol), destruição". Ele se acha, por exemplo, no título de um livro famoso de Oswald Spengler, *Der Untergang des Abendlandes* [O declínio do Ocidente], e no de um longo poema de Hans Magnus Enzensberger, *Der Untergang des Titanic* [O naufrágio do Titanic]. Dois dos tradutores consultados também preferiram "dissolução" para verter o título: *disolución*, *sepultamiento* [!], *tramonto*, *disparition*, *dissolution*, *ondergang*. Em *O Eu e o Id* (1923, cap. III), Freud já havia mencionado o *Untergang* ou *Zertrümmerung* ("desmoronamento, desintegração") do complexo de Édipo.

que o genital já assumiu o papel condutor. Mas esse genital é apenas o masculino, mais precisamente o pênis; o feminino não foi ainda descoberto. Essa fase fálica, simultânea à do complexo de Édipo, não continua a se desenvolver até a organização genital definitiva, mas submerge e é substituída pelo período de latência. Mas o seu desfecho ocorre de maneira típica, e se apoiando em acontecimentos que voltam regularmente.

Quando a criança (o garoto) dirige seu interesse para o genital, revela isso pela frequente manipulação do mesmo, e então descobre que os adultos não aprovam seu comportamento. De modo mais ou menos claro, com maior ou menor rudeza, surge a ameaça de que lhe roubarão essa parte do corpo que ele tanto estima. Geralmente a ameaça de castração vem de mulheres; com frequência elas buscam reforçar sua autoridade invocando o pai ou o médico, que, segundo afirmam, executará o castigo. Em certo número de casos as próprias mulheres fazem uma atenuação simbólica da ameaça, ao dizer que o genital, propriamente passivo, não será eliminado, mas sim a mão, que pecou ativamente. Com muita frequência o menino não é ameaçado de castração por brincar manualmente com o pênis, mas por molhar a cama todas as noites e não poder ser conservado limpo. As pessoas que dele cuidam agem como se a incontinência noturna fosse consequência e prova de uma excessiva ocupação com o pênis, e provavelmente estão certas. Em todo caso, a persistência em molhar a cama deve ser equiparada à polução do adulto, exprimindo a mesma excitação genital que impeliu o garoto a se masturbar nessa época.

O que afirmo agora é que a organização genital fálica da criança sucumbe devido a essa ameaça de castração. Não de imediato, certamente, e não sem que outras influências contribuam para isso. Pois inicialmente o garoto não acredita nem obedece à ameaça. A psicanálise atribuiu valor, recentemente, a duas experiências que nenhuma criança deixa de ter e que deveriam prepará-la para a perda de valiosas partes de seu corpo: a retirada do peito materno, de início temporária, depois definitiva, e a segregação do conteúdo do intestino, diariamente exigida. Mas não há evidência de que por ocasião da ameaça de castração essas experiências teriam efeito. Apenas depois de uma outra experiência o menino começa a contar com a possibilidade da castração, e mesmo então hesitantemente, a contragosto e não sem buscar diminuir o alcance daquilo que observou.

A observação que finalmente desfaz a incredulidade do garoto é a do genital feminino. Em algum momento, o menino orgulhoso de possuir um pênis vê a região genital de uma menina e tem de se convencer da falta do pênis, num ser tão semelhante a ele. Com isso também a perda do próprio pênis se torna concebível, a ameaça de castração tem efeito a posteriori.*

Não podemos ser míopes como a pessoa que cuida da criança e a ameaça de castração, não devemos ignorar que a vida sexual do garoto não se esgota na masturbação nessa época. Pode-se demonstrar que ele se acha na atitude

* "A posteriori": *nachträglich*. Cf. capítulo sobre esse termo em *As palavras de Freud*, op. cit. As versões consultadas oferecem: *entonces*, *con posterioridad*, *posticipatamente*, *après coup*, idem, *deferred effect*, *alsnog effect* [*alsnog* significa "ainda"].

edípica ante seus pais, a masturbação é apenas a descarga genital da excitação sexual própria do complexo, e em todas as épocas posteriores deverá sua importância a tal relação. O complexo de Édipo ofereceu ao menino duas possibilidades de satisfação, uma ativa e uma passiva. Ele pôde, masculinamente, colocar-se no lugar do pai e tal como este relacionar-se com a mãe, caso em que o pai logo foi visto como empecilho, ou quis substituir a mãe e se fazer amar pelo pai, caso em que a mãe se tornou supérflua. O menino pode ter tido somente ideias vagas do que constitui a relação sexual satisfatória; mas sem dúvida o pênis tinha participação nela, pois as sensações do seu próprio órgão atestavam isso. Ainda não havia por que duvidar da existência de pênis na mulher. Admitir a possibilidade da castração, perceber que a mulher é castrada punha fim às duas possibilidades de obter satisfação do complexo de Édipo. Pois ambas acarretavam a perda do pênis, uma, a masculina, como castigo, a outra, feminina, como pressuposto. Se a satisfação amorosa no terreno do complexo de Édipo deve custar o pênis, tem de haver um conflito entre o interesse narcísico nessa parte do corpo e o investimento libidinal dos objetos parentais. Nesse conflito vence normalmente a primeira dessas forças; o Eu da criança se afasta do complexo de Édipo.

Em outro lugar* eu descrevi de que maneira isto sucede. Os investimentos objetais são abandonados e substituídos pela identificação. A autoridade do pai ou dos pais, introjetada no Eu, forma ali o âmago do Super-

*No terceiro capítulo de *O Eu e o Id* (1923).

-eu,* que toma ao pai a severidade, perpetua a sua proibição do incesto e assim garante o Eu contra o retorno do investimento libidinal de objeto. As tendências libidinais próprias do complexo de Édipo são dessexualizadas e sublimadas em parte, o que provavelmente ocorre em toda transformação em identificação, e em parte inibidas na meta e mudadas em impulsos ternos. Todo o processo, por um lado, salvou o genital, afastou dele o perigo da perda, e, por outro lado, paralisou-o, suspendeu sua função. Com ele tem início o período de latência, que interrompe o desenvolvimento sexual da criança.

Não vejo razão para recusar** o nome de "repressão" ao afastamento do Eu do complexo de Édipo, embora as repressões posteriores se originem mais frequentemente com a participação do Super-eu, que aqui ainda está sendo formado. Mas o processo descrito é mais que uma repressão, ele equivale, quando realizado de maneira ideal, a uma destruição e abolição do complexo. Cabe supor que deparamos, aqui, com a linha divisória entre o

* "Super-eu": *Über-ich*. A versão brasileira do *Vocabulário de psicanálise* apresenta *supereu* como alternativa para *superego*. A forma com hífen (e com maiúscula) me parece melhor, porque mantém em destaque o "Eu", como no original. Quanto à alternativa *super-eu/superego*, há argumentos a favor de ambas as formas. *Super-eu* tem a vantagem da relação com Eu (que nos parece preferível a *ego*), mas talvez ainda soe estranha, ao passo que *superego* está difundido, tem o peso da "tradição" criada pela edição *Standard* brasileira, que o tomou da *Standard* inglesa; cf. nota em *O Eu e o Id*, neste volume.
** "Recusar": *versagen*. Outro exemplo em que *versagen* não tem um sentido técnico. Nas traduções consultadas: *no considerar* [...] *como*, *denegar*, *rifiutare*, *refuser*, *denying*, *onthouden* [privar, negar].

normal e o patológico, que jamais é inteiramente nítida. Se o Eu realmente não alcançou muito mais que uma repressão do complexo, este persiste de modo inconsciente no Id,* e manifestará depois a sua ação patogênica.

A observação analítica permite reconhecer ou adivinhar esses nexos entre organização fálica, complexo de Édipo, ameaça de castração, formação do Super-eu e período de latência. Eles justificam a afirmação de que o complexo de Édipo sucumbe** à ameaça de castração. Mas com isso não liquidamos o problema; continua a haver es-

* "Id": *Es*. Embora também apareça como alternativa para Id, na mencionada edição do *Vocabulário de psicanálise*, e embora tenha sido usada na versão brasileira da obra de Georg Groddeck, *O Livro dIsso* (Ed. Perspectiva, 1987), a forma "Isso" talvez não soe menos estranha do que "Super-eu". Os italianos adotaram *io*, *super-io* e *es*, ou seja, conservaram o termo alemão apenas para uma das três instâncias; de modo que haveria um precedente para se usar Eu, Super-eu e Id, em português. Ou talvez, como achava a psicanalista e tradutora Marilene Carone, o trio *ego*, *superego* e *id* já tenha se institucionalizado na psicanálise brasileira, a ponto de tornar ociosa qualquer discussão a respeito (ela também achava artificial a alternativa). Sobre a adoção dos termos latinos pelos ingleses — e, portanto, no Brasil — ver o capítulo "*Ich/ ego/ moi*, *Es/ id/ ça*", em *As palavras de Freud*, op. cit.; ver também a longa nota sobre a versão desses termos na 31ª das *Novas conferências introdutórias*, v. 18 destas *Obras completas*, p. 213.
** "Sucumbe à ameaça de castração": *an der Kastrationsdrohung zugrunde geht*. No verbo alemão, que significa "arruinar-se, perecer, ir a pique", há um nexo com o sentido "náutico" do substantivo empregado no título. Nas demais traduções: *sucumbe a la amenaza*, *va al fundamentto a raíz de la amenaza*, *tramonta in forza della minaccia*, *sombre du fait de la menace*, *périt de la menace*, [*the destruction of the Oedipus complex*] [...] *is brought about by the threat*, *te gronde gaat* [mesmo verbo em alemão].

paço para uma especulação teórica capaz de subverter ou de pôr em nova luz o resultado alcançado. Mas antes de encetar esse caminho temos de abordar uma questão que surgiu durante esta nossa discussão e que até o momento foi posta de lado. O processo descrito se refere, como foi explicitado, à criança do sexo masculino. Como o desenvolvimento correspondente se realiza na garota pequena?

Neste ponto o nosso material se torna — incompreensivelmente — muito mais obscuro e insuficiente. Também o sexo feminino desenvolve um complexo de Édipo, um Super-eu e um período de latência. Pode-se atribuir a ele igualmente uma organização fálica e um complexo de castração? A resposta é afirmativa, mas as coisas não se passam como no garoto. Aqui a exigência feminista de igualdade de direito entre os sexos não vai longe, a diferença morfológica tem de manifestar-se em diferenças no desenvolvimento psíquico. Anatomia é destino, podemos dizer, parodiando uma frase de Napoleão.* O clitóris da menina se comporta primeiramente como um pênis, mas, na comparação com um camarada de brinquedo do sexo masculino, ela nota que "saiu perdendo",** e sente esse

* Segundo informa a nova edição francesa, a frase de Napoleão foi: "*Le destin, c'est la politique*".

** "Saiu perdendo": "*zu kurz gekommen*" *ist* (aspas no original) — a expressão alemã significa também, literalmente, "saiu curto demais". Das outras versões, apenas a inglesa e a francesa esclarecem esse duplo sentido: *encuentra pequeño el suyo*, "*demasiado corto*", "*è troppo piccolo*", "*réduite à la portion congrue*" [uma nota acrescenta: *être mal loti, ne pas avoir sa part*, e explica que a tradução literal seria *venir trop court*], *come off badly* [uma nota traz o sentido literal: *come off too short*], "*te kort gekomen*" *is*.

fato como desvantagem e razão para inferioridade. Durante algum tempo ela se consola com a expectativa de mais tarde, quando crescer, vir a ter um apêndice grande como o de um menino. Aqui se separa o complexo de masculinidade da mulher. A menina não entende sua falta de pênis como uma característica sexual, explica-a pela hipótese de que já possuiu um membro do mesmo tamanho e depois o perdeu com a castração. Não parece estender essa conclusão a outras, a mulheres adultas, mas atribuir-lhes um genital grande e completo, masculino, exatamente no sentido da fase fálica. Disso resulta a diferença essencial de que a menina aceita a castração como fato consumado, enquanto o menino teme a possibilidade da consumação.

Excluído o medo da castração, também deixa de haver um forte motivo para a construção do Super-eu e a demolição da organização genital infantil. Bem mais que no menino, essas mudanças parecem consequência da educação, da intimidação externa, que ameaça com a ausência de amor. O complexo de Édipo da menina é muito mais inequívoco do que o do pequeno portador de pênis; segundo minha experiência, raramente vai além da substituição da mãe e da postura feminina diante do pai. A renúncia ao pênis não é tolerada sem uma tentativa de compensação. A garota passa — ao longo de uma equação simbólica, poderíamos dizer — do pênis ao bebê, seu complexo de Édipo culmina no desejo, longamente mantido, de receber do pai um filho como presente, de lhe gerar um filho. Temos a impressão de que o complexo de Édipo vai sendo aos poucos abandonado porque tal desejo não se realiza. Os dois desejos, de ter um pênis e um filho, permanecem fortemente investidos no inconsciente, e ajudam a preparar o ser feminino para o seu futuro papel sexual. A intensidade menor da contribuição sádica ao instinto sexual, que bem podemos relacionar ao definhamento do pênis, facilita a transformação das tendências diretamente sexuais em afetuosas, inibidas na meta. Mas no conjunto é preciso admitir que nossa compreensão desses processos de desenvolvimento da menina é insatisfatória, plena de lacunas e pontos obscuros.

Não duvido que sejam típicas as relações temporais e causais entre complexo de Édipo, intimidação sexual (ameaça de castração), formação do Super-eu e começo do período de latência, que aqui foram descritas. Mas não desejo afirmar que esse tipo seja o único possível. Variações na sequência temporal e no encadeamento dos processos haverão de ser muito significativas para o desenvolvimento do indivíduo.

Desde que foi publicado o interessante estudo de Otto Rank sobre o *Trauma do nascimento*, também o resultado desta pequena investigação, o de que o complexo de Édipo do menino sucumbe ao medo da castração, não pode ser acolhido sem maior discussão. No entanto, parece-me prematuro entrar nessa discussão agora, e talvez também inadequado iniciar aqui uma crítica ou apreciação do ponto de vista de Rank.

# A PERDA DA REALIDADE NA NEUROSE E NA PSICOSE (1924)

TÍTULO ORIGINAL: "DER REALITÄTSVERLUST BEI NEUROSE UND PSYCHOSE". PUBLICADO PRIMEIRAMENTE EM *INTERNATIONALE ZEITSCHRIFT FÜR PSYCHOANALYSE* [REVISTA INTERNACIONAL DE PSICANÁLISE], V. 11, N. 4, PP. 401-10. TRADUZIDO DE *GESAMMELTE WERKE* XIII, PP. 363-8; TAMBÉM SE ACHA EM *STUDIENAUSGABE* III, PP. 355-61.

Recentemente[1] apontei, como um dos traços que distinguem a neurose da psicose, que na primeira o Eu, em sua dependência da realidade, reprime uma parte do Id (da vida instintual), enquanto na psicose o mesmo Eu, a serviço do Id, retira-se de uma parte da realidade. Para a neurose, então, o fator decisivo seria a influência preponderante da realidade, para a psicose, a influência do Id. A perda da realidade já estaria na psicose desde o início; na neurose, parece, ela seria evitada.

Mas isso não condiz em absoluto com o que todos nós podemos saber por experiência: que toda neurose perturba de algum modo a relação do doente com a realidade, que é um meio para ele retirar-se desta, e, em suas formas graves, significa diretamente uma fuga da vida real. Essa contradição dá o que pensar, mas não é difícil eliminá-la, e seu esclarecimento ajudará em nossa compreensão da neurose.

A contradição existe apenas enquanto temos em vista a situação do início da neurose, na qual o Eu, a serviço da realidade, efetua a repressão de um impulso instintual. Mas isto não é ainda a neurose mesma. Ela consiste antes nos processos que trazem compensação para a parte prejudicada do Id, ou seja, na reação à repressão e no malogro desta. O afrouxamento da relação com a realidade é consequência deste segundo estágio na formação da neurose, e não nos surpreenderia se um exame detalhado mostrasse que a perda da realidade

1 "Neurose e psicose", *Internationale Zeitschrift für Psychoanalyse* x (1924), Caderno 1.

afeta justamente a porção da realidade por cujas exigências produziu-se a repressão instintual.

A caracterização da neurose como resultado de uma repressão malograda não é coisa nova. Sempre afirmamos isso, e apenas devido ao novo contexto foi necessário repeti-lo.

A mesma objeção, aliás, torna a se apresentar marcantemente no caso de uma neurose da qual sabemos o fator ocasionador ("a cena traumática") e em que podemos ver como a pessoa se afasta de tal experiência e a abandona à amnésia. Retomo, à guisa de exemplo, um caso por mim analisado há muito tempo,[2] no qual uma garota apaixonada pelo cunhado, estando junto ao leito de morte da irmã, é abalada pela seguinte ideia: "Agora ele está livre, pode se casar comigo". Esta cena é imediatamente esquecida e tem início o processo de regressão* que conduz às dores histéricas. É justamente instrutivo, nessa história, ver por qual caminho a neurose busca resolver o conflito. Ela tira valor à mudança real, ao reprimir a exigência instintual em questão, ou seja, o amor ao cunhado. A reação psicótica seria recusar** o fato da morte da irmã.

2 *Estudos sobre a histeria*, 1895.
* *Regression*, no original. Na *Standard* inglesa, uma nota de James Strachey assegura que esse é o termo encontrado em todas as edições alemãs que ele consultou, e não *Verdrängung* ("repressão"); e é também o que se acha na *Studienausgabe*, posterior à *Standard*.
** "Recusar": *verleugnen* — nas traduções estrangeiras: *negar*, *desmentir*, *rinnegare*, *dénier*, *a disavowal*, *loochenen* [equivalente ao alemão *leugnen*, "negar"].

Poderíamos esperar que no surgimento da psicose ocorresse alguma coisa análoga ao processo que se verifica na neurose, naturalmente entre outras instâncias. Ou seja, que também na psicose fossem visíveis dois estágios, dos quais o primeiro arrancaria o Eu da realidade, dessa vez, enquanto o segundo tenderia a corrigir o dano e restabeleceria a relação com a realidade à custa do Eu. Realmente, algo análogo pode ser observado na psicose; também nela há dois estágios, dos quais o segundo comporta o caráter de reparação, mas logo a analogia dá lugar a uma convergência bem maior dos dois processos. O segundo estágio da psicose visa também compensar a perda da realidade, mas não à custa de uma restrição do Id — como, na neurose, à custa da relação com o real —, e sim por uma via mais autônoma, pela criação de uma nova realidade, que não desperte a mesma objeção que aquela abandonada. Logo, tanto na neurose como na psicose o segundo estágio é conduzido pelas mesmas tendências, nos dois casos ele serve às aspirações de poder do Id, que não se deixa coagir pela realidade. Tanto a neurose como a psicose são expressão da rebeldia do Id contra o mundo externo, de seu desprazer ou, se quiserem, de sua incapacidade de adequar-se à necessidade real, à *’Ανάγκη* [necessidade]. Neurose e psicose diferenciam-se muito mais na primeira reação, que as introduz, do que na tentativa de reparação que lhe segue.

A diferença inicial se exprime então no resultado final: na neurose uma porção da realidade é evitada mediante a fuga, enquanto na psicose é remodelada. Ou podemos dizer que na psicose a fuga inicial é seguida de uma ativa fase de remodelação, e na neurose a obediência inicial é seguida de uma posterior tentativa de fuga. Ou, de outra maneira ainda: a neurose não nega a realidade, apenas não quer saber dela; a psicose a nega e busca substituí-la. Chamamos de normal ou "sadio" o comportamento que une certos traços de ambas as reações, que nega a realidade tão pouco como a neurose, mas se empenha em alterá-la como a psicose. Essa conduta adequada aos fins, normal, leva naturalmente a um trabalho efetuado no mundo exterior, e não se limita, como na psicose, a mudanças internas; já não é *autoplástica*, mas *aloplástica*.

Na psicose, a remodelação da realidade acontece nos precipitados psíquicos das relações até então mantidas com ela, ou seja, nos traços mnemônicos, ideias e juízos que dela foram adquiridos até então, e pelos quais ela era representada na vida psíquica. Mas essa nunca foi uma relação fechada, sempre foi continuamente enriquecida e transformada por novas percepções. Assim, também a psicose depara com a tarefa de obter percepções tais que correspondam à nova realidade; o que é feito, do modo mais radical, pela via da alucinação. Quando, em muitas formas e casos de psicose, os lapsos de memória, delírios e alucinações mostram caráter bastante grave e se ligam ao desenvolvimento de angústia, isto é sinal de que todo o processo de transformação se realiza contra violentas forças opositoras. Podemos construir o processo com base no exemplo da neurose, por nós conhecido. Nele vemos que se reage com angústia a cada vez que o instinto reprimido faz um avanço, e que o resultado do conflito é apenas um compromisso, imperfeito como satisfação. Na psicose, provavelmente a porção rechaçada da realidade volta sempre a importunar a psique, como faz na neurose o instinto reprimido, e por isso as consequências são as mesmas em ambos os casos. Uma tarefa ainda não acometida pela psiquiatria especializada é o exame dos diferentes mecanismos que, nas psicoses, devem produzir o distanciamento da realidade e sua reconstrução, assim como o grau de êxito que podem alcançar.*

Uma outra analogia entre neurose e psicose, portanto, consiste em que nas duas a tarefa realizada no segundo estágio malogra parcialmente, na medida em que o instinto reprimido não consegue arranjar um substituto integral (neurose) e aquilo que representa a realidade** não pode ser vertido em formas satisfatórias (não, pelo menos, em todas as formas de doença psíquica). Mas a ênfase não é a mesma nos dois casos. Na psicose ela cai totalmente no primeiro estágio, que é em si patológico e

* "Assim como o grau de êxito que podem alcançar": no original, *sowie des Ausmaßes von Erfolg, das sie erzielen können*. Esse trecho é omitido na versão de López-Ballesteros e na *Standard* inglesa. Na primeira isso não causa espécie, pois a antiga tradução espanhola está eivada de erros e omissões; na segunda é surpreendente, pois um "cochilo" é algo raro na edição de Strachey.

** "Aquilo que representa a realidade": *die Realitätsvertretung*. As versões consultadas dizem: *la representación de la realidad*, *la subrogación de la realidad*, *il rimpiazzamento della realtà*, *ce qui représente la réalité*, *the representation of reality*, *de vervanging* [substituição] *van de realiteit*. Ver nota a "Neurose e psicose", neste volume, p. 178.

pode levar apenas à doença; na neurose cai no segundo, no fracasso da repressão, enquanto o primeiro pode ser bem-sucedido e muitas vezes o é no âmbito da saúde, embora não sem pagar um preço e deixar traços do dispêndio psíquico exigido. Essas diferenças, e talvez muitas outras, resultam da distinção topográfica na situação inicial do conflito patogênico — se o Eu, nela, cedeu à sua fidelidade ao mundo real ou à sua dependência do Id.

Por via de regra, a neurose se contenta em evitar a porção da realidade em questão e proteger-se do encontro com ela. A diferença aguda entre neurose e psicose, no entanto, é diminuída pelo fato de também na neurose haver tentativas de substituir a realidade indesejada por outra mais conforme aos desejos. Isto é possibilitado pela existência de um *mundo da fantasia*, de um âmbito que foi separado do mundo externo real quando da introdução do princípio da realidade, desde então é conservado livre das exigências da vida, à maneira de uma "reserva", e, embora não seja inacessível ao Eu, é ligado frouxamente a este. Desse mundo da fantasia a neurose retira o material para suas novas construções de desejo,* achando-o geralmente pelo caminho da regressão a um passado real mais satisfatório.

* "Novas construções de desejo": *Wunschneubildungen*. O termo alemão é composto de três palavras: *Bildungen*, "formações"; *neu*, "novo"; e *Wunsch*, "desejo" (no sentido de voto ou anelo, não de desejo sexual; equivalente ao inglês *wish*). As versões consultadas apresentam: *nuevos productos optativos*, *neoformaciones de deseo*, *neoformazioni di desiderio*, *nouvelles formations de désir*, *new wishful constructions*, *nieuwe wensvormingen*.

Dificilmente se duvidará que na psicose o mundo da fantasia tem o mesmo papel, que também nela constitui o armazém do qual é extraído o material ou o modelo para construir a nova realidade. Mas o novo mundo exterior fantástico da psicose pretende se pôr no lugar da realidade externa, enquanto o da neurose, tal como o jogo das crianças, apoia-se de bom grado numa porção da realidade — uma diferente daquela de que foi preciso defender-se —, dá-lhe uma importância especial e um sentido oculto, que, de maneira nem sempre correta, chamamos de *simbólico*. Assim, tanto para a neurose como para a psicose há a considerar não apenas a questão da *perda da realidade*, mas também de uma *substituição da realidade*.

# RESUMO DA PSICANÁLISE (1924)

TÍTULO ORIGINAL: "KURZER ABRIß DER PSYCHOANALYSE". PUBLICADO PRIMEIRAMENTE EM VERSÃO INGLESA, NO VOLUME *THESE EVENTFUL YEARS: THE 20TH CENTURY IN THE MAKING, AS TOLD BY MANY OF ITS MAKERS* (NOVA YORK: ENCYCLOPAEDIA BRITANNICA CO., 1924). PRIMEIRA EDIÇÃO ALEMÃ: *GESAMMELTE SCHRIFTEN* XI, PP. 183-200 (1928). TRADUZIDO DE *GESAMMELTE WERKE* XIII, PP. 403-27.

A psicanálise nasceu com o século XX, por assim dizer. A publicação com que se apresentou ao mundo como algo novo, minha *Interpretação dos sonhos*, tem a data de 1900. Mas, naturalmente, não brotou das rochas nem caiu do céu. Liga-se a coisas anteriores, a que dá prosseguimento; resulta de estímulos que veio a elaborar. Então sua história tem de começar com a exposição das influências que foram decisivas em sua gênese, e não pode esquecer o tempo e as circunstâncias anteriores à sua criação.

A psicanálise cresceu num terreno bem delimitado. Seu objetivo, originalmente, era apenas conhecer algo sobre a natureza das doenças nervosas denominadas "funcionais", a fim de superar a impotência médica no tratamento de tais doenças. Os neurologistas de então haviam sido educados no alto respeito aos fatos químico-físicos e anatômico-patológicos; estavam, por fim, sob a influência dos achados de Von Hitzig e Fritsch, Ferrier, Goltz e outros, que parecem demonstrar uma ligação íntima, talvez exclusiva, entre certas funções e determinadas partes do cérebro. Sobre o fator psíquico não viam o que dizer, não podiam apreendê-lo, deixavam-no para os filósofos, místicos e... charlatães, e também consideravam pouco científico lidar com ele. Em consequência, não achavam acesso aos segredos das neuroses, sobretudo da misteriosa "histeria", que constituía o modelo de todo o gênero. Ainda em 1885, quando frequentei aulas na Salpêtrière,* soube que, em relação às paralisias his-

* Famoso hospital parisiense, onde Freud fez estágio com o neuropatologista Charcot.

téricas, os especialistas contentavam-se com a fórmula de que elas se deviam a leves transtornos funcionais das mesmas partes do cérebro que, em caso de lesão grave, gerariam a paralisia orgânica correspondente.

Naturalmente, a terapia desses estados patológicos também era afetada pela ausência de compreensão. Ela consistia em medidas geralmente "tonificantes", na prescrição de remédios e em tentativas de exercer influência psíquica, na maioria das vezes inadequadas e executadas de forma rude, como intimidações, zombarias, exortações a valer-se da própria vontade, "controlar-se". Especificamente para os estados nervosos recomendava-se o tratamento elétrico, mas quem buscasse aplicá-lo conforme as instruções detalhadas de W. Erb tinha de surpreender-se com o espaço que mesmo numa ciência supostamente exata a imaginação podia ocupar. A mudança decisiva ocorreu quando, na década de 1880, os fenômenos do hipnotismo novamente requereram admissão na ciência médica — com êxito maior do que em muitas ocasiões anteriores, graças ao trabalho de Liébault, Bernheim, Heidenhain e Forel. A questão era, antes de tudo, que a autenticidade desses fenômenos fosse reconhecida. Uma vez admitido isso, duas lições fundamentais e inolvidáveis eram inevitavelmente extraídas do hipnotismo. Primeiro, chegou-se à convicção de que evidentes mudanças físicas eram apenas o resultado de influências psíquicas que o hipnotizador mesmo havia provocado; segundo, adquiriu-se a mais clara impressão, sobretudo a partir do comportamento das pessoas após a hipnose, da existência dos processos psíquicos que só podiam ser denominados "inconscientes". É certo que havia muito o inconsciente era discutido pelos filósofos como um conceito teórico, mas nos fenômenos do hipnotismo ele se tornou pela primeira vez concreto, palpável e objeto de experimento. Além disso, tais fenômenos mostravam inconfundível semelhança com as manifestações de algumas neuroses.

Dificilmente se pode exagerar a importância do hipnotismo no surgimento da psicanálise. Seja no aspecto teórico, seja no terapêutico, a psicanálise administra um legado que herdou do hipnotismo.

A hipnose também demonstrou ser de grande auxílio no estudo das neuroses — principalmente da histeria. Produziram enorme impressão os experimentos de Charcot. Ele supôs que certas paralisias, que surgiam após um trauma (um acidente), eram de natureza histérica, e pôde provocar artificialmente, pela sugestão de um trauma durante a hipnose, paralisias com as mesmas características. Disso resultou a expectativa de que as experiências traumáticas possam, de maneira geral, participar da gênese dos sintomas histéricos. Charcot mesmo não se empenhou numa compreensão psicológica da neurose histérica, mas seu discípulo Pierre Janet retomou esses estudos e, com o auxílio da hipnose, pôde mostrar que os sintomas da histeria se acham em estreita ligação com determinados pensamentos inconscientes (*idées fixes*). Para Janet, a histeria se caracterizava por uma incapacidade constitucional de manter unidos os processos psíquicos, da qual resultaria uma dissociação* da vida psíquica.

No entanto, a psicanálise não partiu absolutamente dessas pesquisas de Janet. Para ela foi determinante a experiência de um médico de Viena, o dr. Josef Breuer. Em 1881, de forma independente, ele pôde estudar e curar, com ajuda da hipnose, uma moça altamente dotada que sofria de histeria. Apenas quinze anos mais tarde as conclusões de Breuer foram publicadas, após ele tomar o presente autor (Freud) como colaborador. O caso por ele tratado conserva até hoje uma importância única para a nossa compreensão das neuroses, de maneira que é imprescindível examiná-lo com mais vagar. É necessário apreender claramente a peculiaridade desse caso. A garota adoeceu enquanto cuidava do pai que muito amava. Breuer pôde demonstrar que todos os sintomas se ligavam à assistência ao pai e nela encontravam explicação. Pela primeira vez, um enigmático caso de neurose foi inteiramente penetrado e todas as suas manifestações patológicas revelaram-se dotadas de sentido. Além do mais, era característica geral

* No original se acha *Zerfall* (*Dissoziation*). Freud utilizou a palavra germânica equivalente ao termo latino e este em seguida, entre parênteses; por isso não consideramos necessário encontrar outro sinônimo para verter *Zerfall* e manter "dissociação" entre parênteses. Com exceção da espanhola, as versões consultadas preferiram fazer assim, recorrendo a *fragmentación* (a argentina da Amorrortu), *disgregazione* (a italiana da Boringhieri) e *disintegration* (a *Standard* inglesa) para traduzir *Zerfall*. Nos dicionários de estrangeirismos — de publicação costumeira nos países de língua alemã — esse termo é geralmente dado como sinônimo de "dissociação".

dos sintomas que eles haviam surgido em situações envolvendo um impulso* para uma ação que não fora levado a efeito, mas suprimido por causa de outros motivos. No lugar dessas ações omitidas apareceram justamente os sintomas. Assim, quanto à etiologia dos sintomas histéricos éramos remetidos à vida emocional (afetividade) e ao jogo das forças psíquicas (dinamismo), e desde então esses dois aspectos nunca foram abandonados.

Breuer equiparou os ensejos para o surgimento dos sintomas aos traumas de Charcot. Era notável que esses ensejos traumáticos e todos os impulsos psíquicos a eles ligados estivessem perdidos para a memória da paciente, como se jamais tivessem ocorrido, enquanto seus efeitos, os sintomas, permaneciam inalterados, como se para eles não houvesse desgaste pelo tempo. Portanto, encontrou-se aí uma nova prova da existência de processos psíquicos inconscientes, mas por isso mesmo particularmente poderosos, tais como havíamos encontrado primeiramente nas sugestões pós-hipnóticas. O procedimento terapêutico de Breuer consistia em induzir a enferma, sob hipnose, a recordar os traumas esquecidos e reagir a eles com intensas exteriorizações de afeto. Com isso desaparecia o sintoma que até então estava no lugar dessas exteriorizações emocionais. Portanto, o mesmo procedimento servia simultaneamente à pesquisa e à eliminação da enfermidade, e também essa inusual combinação foi depois mantida na psicanálise.

* "Impulso": *Impuls*, no original — ou seja, Freud emprega aqui o mesmo termo latino.

Após o presente autor confirmar os resultados de Breuer em bom número de pacientes, nos primeiros anos da década de 1890, os dois, Breuer e Freud, decidiram fazer uma publicação que contivesse suas experiências e a tentativa de uma teoria nelas baseada (*Estudos sobre a histeria*, 1895). Essa teoria afirmava que o sintoma histérico surge quando o afeto de um processo psíquico bastante investido afetivamente é afastado* da elaboração consciente normal e, assim, encaminhado por uma via errada. Então ele se converte, no caso da histeria, em inusual inervação somática (conversão), mas, com a reanimação da vivência durante a hipnose, pode ser guiado para outra direção e "despachado" (ab-reação). Os autores chamaram seu procedimento de "catarse" (purificação, liberação do afeto sufocado).

O método catártico é o precursor direto da psicanálise e nela permanece como núcleo, apesar de todos os acréscimos na experiência e todas as modificações na teoria. Mas ele não era senão uma nova maneira de influir clinicamente sobre determinadas doenças nervosas, e nada indicava que pudesse vir a ser objeto do interesse geral e da mais veemente oposição.

* "Afastado": o verbo original é *abdrängen*, formado de *drängen*, que significa "pressionar, empurrar, impelir", e do prefixo *ab*, que indica afastamento, e que um dicionário alemão-português (o *Michaelis*, Nova York: Ungar, s.d.) traduz por "afastar empurrando"; nota-se que é aparentado ao verbo *verdrängen*, normalmente traduzido por "reprimir" ou "recalcar" nos textos de Freud em português. As versões estrangeiras consultadas recorrem, nesse ponto, a: *desviado*, *esforzado afuera*, *deviato*, *prevented from*.

## II

Pouco depois da publicação dos *Estudos sobre a histeria* teve fim a colaboração de Breuer e Freud. O primeiro, que se ocupava propriamente da medicina interna, abandonou o tratamento de doenças nervosas. O segundo empenhou-se em continuar aperfeiçoando o instrumento que lhe deixara o colega mais velho; as inovações técnicas que introduziu e as descobertas que fez transformaram o método catártico em psicanálise. O passo mais prenhe de consequências foi sua decisão de renunciar ao auxílio técnico da hipnose. Fez isso por dois motivos: primeiro, porque não eram muitos os pacientes que conseguia pôr em hipnose, embora tivesse feito um curso com Bernheim em Nancy; segundo, porque estava insatisfeito com os resultados terapêuticos da catarse baseada na hipnose. Esses resultados eram patentes e surgiam após um breve período de tratamento, mas revelavam-se pouco duradouros e muito dependentes da relação pessoal do paciente com o médico. O abandono da hipnose significou uma ruptura com o método até então desenvolvido e um novo começo.

Mas a hipnose realizava o serviço de conduzir à lembrança consciente o que fora esquecido pelo doente. Era necessário substituí-la por outra técnica. Então ocorreu a Freud a ideia de trocá-la pelo método da associação livre; isto é, requereu que os doentes abandonassem toda reflexão consciente e em tranquila concentração se entregassem ao curso de seus pensamentos espontâneos ou involuntários ("a tatear a superfície de sua consciência"). Deviam comunicar ao médico tais pensamentos, ainda quando tivessem objeções a eles; como, por exemplo, de que o pensamento era muito desagradável, absurdo ou impertinente. A escolha da livre associação como meio para pesquisar o material inconsciente esquecido parece tão estranha que não será inútil despender algumas palavras em sua justificação. Freud tinha a expectativa de que a "livre associação" se revelaria não livre, na realidade, uma vez que, após a supressão de toda intenção de pensar conscientemente, ficaria claro que os pensamentos eram determinados pelo material inconsciente. Essa expectativa foi justificada pela experiência. Seguindo a livre associação, obedecendo à mencionada "regra psicanalítica fundamental", obtínhamos um rico material de coisas que vinham à mente do paciente, que podiam nos levar à pista do que ele havia esquecido. Embora esse material não trouxesse o que fora esquecido mesmo, continha claras e numerosas alusões a ele, de forma que o médico podia adivinhar (reconstruir) o esquecido com determinadas complementações e interpretações. Associação livre e arte interpretativa realizavam o mesmo que a hipnotização anteriormente.

Aparentemente havíamos dificultado e complicado o trabalho para nós mesmos; mas o ganho inestimável era obtermos compreensão de um jogo de forças que no estado hipnótico se ocultava ao observador. Percebemos que o trabalho de descobrir o patogenicamente esquecido precisava lutar contra uma resistência constante e muito intensa. Já eram manifestações dessa resistência as objeções críticas com que o paciente procurava excluir da comunicação os pensamentos que lhe ocorriam, e contra as quais era dirigida a regra psicanalítica fundamental. Foi a partir da consideração dos fenômenos da resistência que nasceu um dos pilares da doutrina psicanalítica das neuroses, a teoria da repressão. Era plausível imaginar que as mesmas forças que então se opunham a que o material patogênico se tornasse consciente haviam se empenhado antes da mesma forma, com sucesso. Preenchia-se então uma lacuna na etiologia dos sintomas neuróticos. As impressões e os impulsos psíquicos, para os quais os sintomas estavam servindo de substitutos, não foram esquecidos sem qualquer fundamento ou devido a uma incapacidade constitucional para a síntese, como pensava Janet. Ocorreu, isto sim, que, por influência de outras forças psíquicas, experimentaram uma repressão cujo êxito e indício era justamente o fato de serem mantidos fora da consciência e excluídos da lembrança. Apenas devido a essa repressão tornaram-se patogênicos, isto é, por caminhos inusuais adquiriram expressão como sintomas.

Era preciso ver o conflito entre dois grupos de tendências psíquicas como o motivo da repressão e, assim, como causa de todo adoecimento neurótico. E então a experiência mostrava um novo e surpreendente fato sobre a natureza das forças em conflito. Via de regra, a repressão partia da personalidade consciente (do Eu) do paciente, invocando motivos éticos e estéticos; eram atingidos por ela impulsos de egoísmo e crueldade geralmente considerados maus, mas sobretudo desejos sexuais, com frequência da espécie mais crua e mais proibida. Os sintomas patológicos eram, portanto, um substituto para satisfações proibidas, e a doença parecia corresponder a uma imperfeita subjugação do que há de imoral no ser humano.

O progresso no conhecimento tornou cada vez mais claro o papel imenso que os desejos sexuais têm na vida psíquica e ensejou um estudo mais detido sobre a natureza e o desenvolvimento do instinto sexual (Freud, *Três ensaios de uma teoria da sexualidade*, 1905). Mas também chegamos a outro resultado, puramente empírico, ao descobrir que as vivências e os conflitos dos primeiros anos infantis têm insuspeitada importância no desenvolvimento do indivíduo e deixam predisposições indeléveis para a idade adulta. Assim viemos a desvendar algo que a ciência até então ignorara, a sexualidade infantil, que desde a mais tenra idade se manifesta em reações físicas e em atitudes psíquicas. Para conciliar essa sexualidade infantil com o que se chama sexualidade normal dos adultos e vida sexual anormal dos pervertidos, foi preciso que o conceito de sexual mesmo experimentasse uma retificação e ampliação, que pôde ser justificada pela história do desenvolvimento do instinto sexual.

Depois que a hipnose foi substituída pela técnica da associação livre, o procedimento catártico de Breuer transformou-se em psicanálise, que por mais de uma década foi desenvolvida apenas por este autor (Freud). Durante esse tempo, a psicanálise gradualmente chegou à posse de uma teoria que parecia dar explicação suficiente sobre a gênese, o sentido e o propósito dos sintomas neuróticos e fornecia um fundamento racional aos esforços médicos para eliminar a doença. Vou mais uma vez relacionar os fatores que formam o conteúdo dessa teoria. Eles são: a ênfase na vida instintual (afetividade), na dinâmica psíquica, no fato de mesmo os fenômenos psíquicos aparentemente mais obscuros e arbitrários sempre serem determinados e dotados de sentido, a teoria do conflito psíquico e da natureza patogênica da repressão, a concepção dos sintomas patológicos como satisfações substitutivas, o reconhecimento da importância etiológica da vida sexual, em especial dos começos da sexualidade infantil. No aspecto filosófico, essa teoria tinha que adotar a concepção de que o psíquico não coincide com o consciente, de que os processos psíquicos são inconscientes em si e apenas mediante o funcionamento de órgãos especiais (instâncias, sistemas) são tornados conscientes. Acrescentarei, completando essa enumeração, que entre as atitudes afetivas da infância destacou-se a complicada relação emocional com os pais, o chamado "complexo de Édipo", no qual reconhecemos cada vez mais claramente o núcleo de todo caso de neurose, e que na conduta do analisando perante o médico chamaram a atenção determinados fenômenos de transferência emocional, que adquiriram enorme significado tanto na teoria como na técnica.

Já nessa configuração a teoria psicanalítica das neuroses continha vários elementos que contrariavam as opiniões e inclinações vigentes e podiam suscitar estranheza, aversão e descrença nos observadores. Por exemplo, a posição ante o problema do inconsciente, o reconhecimento de uma sexualidade infantil e a ênfase dada ao fator sexual na vida psíquica em geral; mas outros se juntariam a esses.

## III

Para mais ou menos compreender como, numa garota histérica, um desejo sexual proibido pode se transformar num sintoma doloroso, fora necessário fazer intrincadas e abrangentes suposições relativas à estrutura e à função do aparelho psíquico. Era evidente a desproporção entre o dispêndio e o resultado. Se realmente existiam as condições postuladas pela psicanálise, elas eram de natureza fundamental e tinham de poder se manifestar igualmente em outros fenômenos que não os histéricos. Mas, sendo correta essa conclusão, a psicanálise deixaria de interessar apenas aos neurologistas; podia requerer a atenção de todos os que atribuíam importância à pesquisa psicológica. Seus resultados não diziam respeito apenas ao âmbito da vida psíquica patológica; eles tampouco podiam ser negligenciados para a compreensão do funcionamento normal.

A prova de sua utilidade no esclarecimento da atividade psíquica não patológica chegou bem cedo para a psicanálise, em relação com dois tipos de fenômeno: nos frequentes atos falhos cotidianos, como esquecimento, lapso, mudança involuntária do local de um objeto etc.; e nos sonhos de pessoas sadias e psiquicamente normais. Os pequenos atos falhos, como o temporário esquecimento de nomes próprios que sabemos, os lapsos de fala, de escrita e coisas afins, não eram vistos como merecedores de explicação ou eram atribuídos ao cansaço, à desatenção etc. O presente autor demonstrou com numerosos exemplos, em seu livro *Psicopatologia da vida cotidiana* (1901), que tais ocorrências são dotadas de sentido e surgem devido à perturbação de uma intenção consciente por outra intenção, suprimida, muitas vezes inconsciente. Geralmente basta uma breve reflexão ou uma rápida análise para se encontrar a influência perturbadora. Dada a frequência desses atos falhos, dos lapsos de fala, sobretudo, é fácil para qualquer um convencer-se por experiência própria da existência de processos psíquicos não conscientes, mas que são atuantes e acham expressão pelo menos como inibições e modificações de outros atos, esses intencionais.

Conduziu-nos mais adiante a análise dos sonhos, que o presente autor apresentou ao público já em 1900, na *Interpretação dos sonhos*. Nela se constatou que o sonho não é construído diferentemente de um sintoma neurótico. Ele pode, como este, parecer estranho e sem sentido; mas, se o investigamos mediante uma técnica que pouco se diferencia da livre associação usada na psicanálise, chegamos, partindo de seu conteúdo manifesto, ao sentido oculto, aos pensamentos latentes do sonho. Tal sentido latente é sempre um desejo que é mostrado como realizado no presente. No entanto, exceto no caso de crianças pequenas ou sob a pressão de necessidades físicas imperiosas, esse desejo secreto não pode jamais ser expresso de forma reconhecível. Ele tem que submeter-se antes a uma deformação, obra de forças restritivas, censuradoras, que se acham no Eu do sonhador. Desse modo surge o sonho manifesto como é recordado na vida desperta, deformado, até ficar irreconhecível, pelas concessões feitas à censura onírica; mas podendo ser revelado pela análise como expressão de um estado de satisfação ou cumprimento de um desejo, um compromisso entre dois grupos de tendências psíquicas que lutam entre si, exatamente como vimos no sintoma histérico. A fórmula de que o sonho é a realização (disfarçada) de um desejo (reprimido) é a que melhor corresponde à natureza do sonho. O estudo do processo que transforma o desejo onírico latente no conteúdo onírico manifesto (o trabalho do sonho) nos proporcionou o que melhor sabemos da vida psíquica inconsciente.

Ora, o sonho não é um sintoma mórbido, mas uma produção da vida psíquica normal. Os desejos que ele apresenta como realizados são os mesmos que na neurose sucumbem à repressão. Ele deve a possibilidade de seu surgimento à circunstância favorável de que durante o estado do sono, que paralisa a motilidade do ser humano, a repressão é atenuada, tornando-se censura onírica. Mas, quando a formação do sonho vai além de certos limites, o sonhador lhe põe um fim e acorda assustado. Está provado, assim, que tanto na vida psíquica normal como na patológica existem as mesmas forças e os mesmos processos se desenvolvem entre elas. A partir da *Interpretação dos sonhos* a psicanálise teve um duplo significado, era não apenas uma nova terapia, mas também uma nova psicologia; pretendia ser levada em conta não apenas por especialistas em doenças nervosas, mas por todos os que lidam com alguma das ciências humanas.*

Mas a recepção que ela teve no mundo científico não foi cordial. Por cerca de uma década ninguém se ocupou dos trabalhos de Freud. Por volta de 1907 um grupo de psiquiatras suíços (Bleuler e Jung, em Zurique) chamou a atenção para a psicanálise, e então irrompeu — na Alemanha, sobretudo — uma tempestade de indignação que não foi realmente seletiva nos seus métodos e argumentos. Nisso a psicanálise partilhou o destino de muitas novidades, que após certo lapso de tempo tiveram reconhecimento geral. Entretanto, estava em sua natureza que despertasse uma oposição particularmente violenta. Ela feria os preconceitos da humanidade civilizada em alguns pontos bastante sensíveis, como que submetia todos os homens à reação analítica, ao desvelar o que por acordo geral fora reprimido no inconsciente, e desse modo forçou os contemporâneos a se comportarem como os doentes que, no tratamento analítico, evidenciam sobretudo suas resistências. É preciso também admitir que não era fácil convencer-se da correção das teorias psicanalíticas ou obter treinamento no exercício da psicanálise.

* *Geisteswissenschaften*, literalmente "ciências do espírito" — que é como os tradutores consultados vertem a palavra, no singular ou no plural, com exceção do inglês Strachey, que prefere *mental science*; cf. mais adiante, na seção v, "ciência literária" e "ciência da religião".

A hostilidade geral não pôde impedir, no entanto, que no curso da década seguinte a psicanálise se expandisse ininterruptamente em dois sentidos: no mapa geográfico, pois o interesse por ela surgia em número cada vez maior de países; e no campo das ciências humanas, pois encontrava aplicação em número sempre maior de disciplinas. Em 1909, G. Stanley Hall, presidente da Universidade Clark, em Worcester, Massachussetts, convidou Freud e Jung para ministrarem uma série de conferências sobre a psicanálise, que também foram amistosamente recebidas. Desde então a psicanálise se tornou popular na América, embora justamente nesse país muita superficialidade e algum abuso se tenham ligado ao seu nome. Já em 1911, Havelock Ellis pôde constatar que a análise era exercida e cultivada não apenas na Áustria e na Suíça, mas igualmente nos Estados Unidos, Inglaterra, Índia, Canadá e também Austrália.

Nesse período de luta e florescimento inicial surgiram também as publicações dedicadas exclusivamente à psicanálise. Foram o *Jahrbuch für psychoanalytische und psychopathologische Forschungen* [Anuário de Pesquisas Psicanalíticas e Psicopatológicas], dirigido por Bleuler e Freud e editado por Jung (1909-14), que foi suspenso com a irrupção da Grande Guerra, a *Zentralblatt für Psychoanalyse* [Folha Central de Psicanálise] (1911), dirigida por Adler e Stekel, que logo foi substituída pela *Internationale Zeitschrift für Psychoanalyse* [Revista Internacional de Psicanálise] (1913, atualmente em seu décimo volume); e também, desde 1912, a *Imago*, revista fundada por Rank e Sachs, voltada para a aplicação da psicanálise às ciências humanas. O grande interesse dos médicos anglo-americanos evidenciou-se em 1913, com a fundação da *Psychoanalytic Review* por White e Jelliffe, revista ainda hoje existente. Mais tarde, em 1920, nasceu o *International Journal of Psycho-Analysis* [Revista Internacional de Psicanálise], destinada especialmente à Inglaterra e dirigida por Ernest Jones. A Internationaler Psychoanalytischer Verlag [Editora Psicanalítica Internacional] e sua correspondente inglesa (International Psycho-Analytical Press) apresentam, sob o nome de Biblioteca Psicanalítica Internacional, uma série contínua de publicações psicanalíticas. Naturalmente, a literatura da psicanálise não se acha apenas nessas edições periódicas, que são, em sua maioria, patrocinadas pelas associações psicanalíticas. Ela se encontra disseminada em inúmeros locais, tanto em publicações científicas como em literárias. Entre as revistas do mundo latino que dão especial atenção à psicanálise, cumpre destacar a *Revista de Psiquiatría*, dirigida por H. Delgado, em Lima (Peru).

Uma diferença essencial entre a segunda década da psicanálise e a primeira foi que o presente autor já não era mais o seu único defensor. Um círculo crescente de alunos e seguidores se juntara em torno dele, e o trabalho desses discípulos consistiu primeiramente na difusão das teorias da psicanálise, para depois lhes dar prosseguimento, completá-las e aprofundá-las. No decorrer dos anos, vários deles — como era inevitável — se afastaram, seguiram seus próprios caminhos ou se tornaram uma oposição que parecia ameaçar a continuidade do desenvolvimento da psicanálise. Entre 1911 e 1913 foram C. G. Jung, em Zurique, e Alfred Adler, em Viena, que, com suas tentativas de reinterpretação dos fatos psicanalíticos e seus empenhos em desviar-se dos pontos de vista da psicanálise, geraram alguma comoção; mas logo se verificou que estas secessões não produziam dano duradouro. O sucesso temporário que lhes veio se explicava facilmente pelo fato de grande número de pessoas estar disposto a livrar-se da pressão das exigências psicanalíticas, não importando o caminho que assim lhes fosse aberto. A grande maioria dos colaboradores permaneceu firme e deu prosseguimento ao trabalho conforme as linhas indicadas. Vamos encontrar seus nomes repetidamente na exposição seguinte, bastante breve, dos resultados da psicanálise em seus vários campos de aplicação.

## IV

A ruidosa rejeição da psicanálise pelos médicos em geral não pôde impedir que seus seguidores a desenvolvessem conforme a intenção original, ou seja, como uma patologia e terapia especial das neuroses, uma tarefa que mesmo hoje em dia não foi totalmente realizada. Os inegáveis sucessos terapêuticos, que foram além de tudo o que até então se alcançara, incitavam constantemente a novos esforços, e as dificuldades que apareciam com o aprofundamento na matéria ocasionaram grandes mudanças na técnica analítica e significativas correções nas hipóteses e premissas da teoria.

No curso desse desenvolvimento, a técnica da psicanálise se tornou tão definida e delicada como a de qualquer outra especialidade médica. Muitas falhas são cometidas ao não se compreender esse fato, sobretudo na Inglaterra e na América, pois pessoas que adquiriram apenas um conhecimento literário da psicanálise acreditam-se capacitadas a empreender tratamentos analíticos, sem haver recebido treinamento especial. As consequências de tal conduta são nefastas, tanto para a ciência como para os doentes, e contribuíram bastante para o descrédito da psicanálise. Por isso a fundação da primeira policlínica psicanalítica (por M. Eitingon, em Berlim, 1920) foi um passo de enorme importância prática. Essa instituição se empenha, por um lado, em tornar a terapia analítica acessível a amplas camadas da população, e por outro lado se encarrega de preparar médicos para a profissão de analista, num curso que envolve a condição de o aluno se submeter a uma análise.

Entre os conceitos auxiliares que possibilitam ao médico o domínio do material analítico, há que se mencionar o de "libido" em primeiro lugar. Libido significa primeiramente, na psicanálise, a força (imaginada como quantitativamente variável e mensurável) dos instintos sexuais (no sentido ampliado pela teoria psicanalítica) dirigidos para o objeto. Com o estudo subsequente houve a necessidade de justapor a essa "libido objetal" uma "libido do Eu ou narcísica", dirigida para o próprio Eu, e a interação dessas duas forças permitiu dar conta de um grande número de processos normais e patológicos da vida psíquica. Logo se fez a grande distinção entre as chamadas "neuroses de transferência" e as afecções narcísicas, as primeiras (histeria e neurose obsessiva) sendo propriamente os objetos da terapia analítica, enquanto as outras, as neuroses narcísicas, permitem investigação com o auxílio da análise, mas apresentam dificuldades fundamentais à influência terapêutica. É certo que a teoria psicanalítica da libido não se acha absolutamente concluída e que sua relação com uma teoria geral dos instintos não está esclarecida; a psicanálise é uma ciência jovem, em tudo incompleta, em acelerado desenvolvimento, mas neste ponto cabe assinalar como é equivocada a objeção de pansexualismo que frequentemente se faz a ela. Conforme essa objeção, a teoria psicanalítica não conhece outras forças psíquicas instintuais* senão as puramente sexuais, e assim fazendo explora preconceitos populares, ao utilizar "sexual" não no sentido analítico, e sim vulgar.

A concepção psicanalítica teria de contar entre as afecções narcísicas também os transtornos que na psiquiatria são denominados "psicoses funcionais". Estava fora de dúvida que neuroses e psicoses não eram separadas por uma fronteira nítida, da mesma forma que saúde e neurose, e era natural recorrer, para explicar os enigmáticos fenômenos psicóticos, aos conhecimentos obtidos no estudo das neuroses, até então igualmente impenetráveis. O presente autor, em seu período de iso-

* "Forças psíquicas instintuais": *seelische Triebkräfte* — também pode ser traduzido por "forças motrizes da psique", como em algumas das versões consultadas: *energias instintivas psíquicas*, *fuerzas pulsionales*, *forze motrici psichiche*, *mental motive forces*.

lamento, já havia tornado parcialmente compreensível um caso de paranoia mediante a investigação psicanalítica, e evidenciado nessa inequívoca psicose os mesmos conteúdos (complexos) e um jogo de forças semelhante ao das simples neuroses.* Em bom número de psicoses E. Bleuler acompanhou os indícios do que chamava "mecanismos freudianos", e C. G. Jung conquistou enorme prestígio como analista quando, em 1907, explicou os mais estranhos sintomas dos estágios finais da *dementia praecox* a partir das histórias individuais dos pacientes. O abrangente estudo de Bleuler sobre a esquizofrenia (de 1911) demonstrou, provavelmente de forma definitiva, a legitimidade dos pontos de vista psicanalíticos para a compreensão das psicoses.

Desse modo a psiquiatria se tornou o campo imediato de aplicação da psicanálise, e assim permaneceu desde então. Os pesquisadores que mais contribuíram para um aprofundado conhecimento analítico das neuroses, como K. Abraham, em Berlim, e S. Ferenczi, em Budapeste (para mencionar apenas os mais notáveis), destacaram-se também na elucidação analítica das psicoses. Insinua-se cada vez mais, não obstante a oposição dos psiquiatras, a convicção da unidade e íntima relação de todos os transtornos que se apresentam como fenômenos neuróticos e psicóticos. Começa-se a compreender — principalmente na América, talvez — que o estudo psicanalítico das neuroses pode ser a única preparação

* Cf. "Novas observações sobre as neuropsicoses de defesa", parte III (1896).

para o entendimento das psicoses, que a psicanálise deve possibilitar uma psiquiatria científica no futuro, que não mais se contente em descrever estranhos casos clínicos, evoluções incompreensíveis, e acompanhar a influência de grosseiros traumas anatômicos e tóxicos sobre um aparelho psíquico inacessível a nosso conhecimento.

## V

Mas com sua importância para a psiquiatria a psicanálise não teria chamado a atenção do mundo intelectual ou conquistado um lugar na *History of our times*.* Tal efeito vem da relação da psicanálise com a vida psíquica normal, não com a patológica. Originalmente a pesquisa analítica não tinha outro objetivo senão investigar as condições de surgimento (a gênese) de alguns estados psíquicos doentios, mas nesse esforço veio a descobrir relações de importância fundamental, a francamente criar uma nova psicologia, de modo que foi inevitável reconhecer que a validez de tais descobertas não podia se limitar ao âmbito da patologia. Já sabemos quando foi obtida a prova decisiva da exatidão dessa conclusão. Foi quando se chegou à interpretação dos sonhos mediante a técnica analítica; dos sonhos, que são parte da vida psíquica das pessoas normais e que, na verdade, correspondem a produções patológicas que podem regularmente aparecer em condições de saúde.

* Alusão ao título do volume para o qual foi escrito este trabalho.

Atendo-se às percepções* psicológicas adquiridas pelo estudo dos sonhos, não restava senão um passo para poder proclamar a psicanálise a teoria dos processos psíquicos mais profundos, não diretamente acessíveis à consciência, "psicologia das profundezas", e para poder aplicá-la a quase todas as ciências humanas. Este passo consistiu na transição da atividade psíquica do indivíduo para as funções psíquicas dos povos e comunidades humanas, ou seja, da psicologia individual para a das massas, e muitas analogias surpreendentes levaram a ele. Havia-se descoberto, por exemplo, que nas camadas profundas da atividade mental inconsciente os opostos não são diferenciados um do outro, mas sim expressos pelo mesmo elemento. Já em 1884 o filólogo K. Abel havia sustentado (em "Sobre o sentido antitético das palavras primitivas") que os mais antigos idiomas conhecidos tratavam os opostos de igual maneira. O antigo egípcio, por exemplo, possuía primeiramente uma só palavra para "forte" e "fraco", e apenas depois os dois lados da antítese foram diferenciados mediante ligeiras modificações. Ainda nos mais recentes idiomas se acham claros vestígios desse sentido antitético, como na palavra alemã *Boden* ["sótão" ou "chão"], que designa tanto a parte mais alta como a baixa da casa — de modo semelhante a *altus* — "alto" e "fundo" — em latim. Assim, a equivalência de opostos no sonho é um traço arcaico universal do pensamento humano.

* "Percepções": *Einsichten* — nas versões estrangeiras consultadas: *atisbos*, *intelecciones*, *prospettive*, *discoveries*.

Para fornecer um exemplo de outro âmbito: é impossível escapar à impressão de total concordância entre os atos obsessivos de certos doentes obsessivos e as práticas religiosas de crentes do mundo inteiro. Alguns casos de neurose obsessiva se apresentam mesmo como uma caricatura de religião privada, de modo que é tentador equiparar as religiões oficiais a uma neurose obsessiva atenuada por sua natureza geral. Tal comparação, certamente revoltante para os crentes, mostrou-se psicologicamente fecunda, no entanto. Pois a psicanálise logo tomou conhecimento das forças que lutam entre si na neurose obsessiva, até seus conflitos acharem singular expressão no cerimonial das ações obsessivas. Não se suspeitava de nada semelhante no caso do cerimonial religioso, até que foi possível, ao referir ou fazer remontar o sentimento religioso à relação com o pai, sua raiz mais profunda, evidenciar também ali uma situação dinâmica análoga. Esse exemplo, aliás, mostra ao leitor que também aplicada em áreas não médicas a psicanálise não pode deixar de ferir preconceitos bastante apreciados, de tocar em suscetibilidades profundamente enraizadas e, assim, despertar hostilidades de base essencialmente afetiva.

Se é lícito supor que as condições mais gerais da vida psíquica inconsciente (os conflitos entre impulsos instintuais, as repressões e satisfações substitutivas) se acham em toda parte, e se existe uma psicologia das profundezas que leva ao conhecimento dessas condições, então podemos razoavelmente esperar que a aplicação da psicanálise aos mais diversos âmbitos da atividade espiritual humana produzirá resultados importantes e até agora inalcançáveis. Num estudo substancial,* Otto Rank e Hanns Sachs se empenharam em resumir o que o trabalho dos psicanalistas pôde fazer nesse sentido até 1913. A limitação de espaço me impede de completar aqui a sua lista. Posso apenas destacar as conclusões mais relevantes e acrescentar alguns pormenores.

Deixando de lado impulsos internos pouco conhecidos, pode-se dizer que o principal motor da evolução cultural do ser humano foi a privação externa real, que lhe negou a cômoda satisfação de suas naturais necessidades e o expôs a perigos imensos. Essa frustração externa o obrigou à luta com a realidade, luta que resultou em parte na adaptação a ela, em parte no domínio dela, mas também levou ao trabalho em comum e à convivência com os semelhantes, o que já implicava uma renúncia a vários impulsos instintuais que não podiam ser satisfeitos socialmente. Com os subsequentes progressos na civilização cresceram também as exigências da repressão. Afinal, a civilização se baseia na renúncia instintual, e cada indivíduo, em seu caminho da infância à maturidade, repete em sua própria pessoa esse desenvolvimento da humanidade rumo a uma sensata resignação. A psicanálise mostrou que são sobretudo, embora não exclusivamente, impulsos instintuais

* O. Rank e H. Sachs, *Die Bedeutung der Psychoanalyse für die Geisteswissenschaften* [A importância da psicanálise para as ciências humanas], Wiesbaden, 1913.

sexuais que sucumbem a essa repressão* cultural. Uma parte deles exibe a valiosa característica de se deixar desviar dos objetivos imediatos, e assim põe sua energia, como tendências "sublimadas", à disposição do desenvolvimento cultural. Mas outra parte permanece no inconsciente como desejos insatisfeitos e urge por uma satisfação qualquer, mesmo que deformada.

Vimos que uma porção da atividade mental humana se empenha em lidar com o mundo externo real. A psicanálise nos diz também que outra parte da produção psíquica, particularmente estimada, serve à realização de desejos, à satisfação substitutiva dos desejos reprimidos que, desde a infância, habitam insatisfeitos a alma de cada pessoa. Entre essas criações — cujo nexo com um inapreensível inconsciente sempre foi suspeitado — estão os mitos, a literatura e a arte; e, de fato, o trabalho dos psicanalistas lançou bastante luz sobre os campos da mitologia, dos estudos literários e da psicologia do artista. Basta mencionar a obra de O. Rank como exemplo. Demonstrou-se que os mitos e fábulas admitem interpretação tal como os sonhos, acompanharam-se os emaranhados cami-

* "Repressão": *Unterdrückung* — nas versões consultadas: *represión*, *sofocación*, *repressione*, *suppression*. Normalmente traduzimos esse termo alemão por "supressão" e deixamos "repressão" para *Verdrängung* — caso se queira fazer distinção clara entre um e outro conceito, o que é discutível —, mas nota-se que aí são claramente sinônimos, pois o segundo foi usado poucas linhas acima nesse mesmo sentido. Cf. capítulo sobre *Verdrängung* em Paulo César de Souza, *As palavras de Freud*, op. cit.

nhos que vão do impulso do desejo inconsciente até a realização na obra de arte, chegou-se a compreender o efeito emocional da obra de arte sobre o sujeito receptor e a esclarecer, no artista propriamente, tanto sua íntima afinidade como sua diferença em relação ao neurótico, e mostrou-se o nexo entre sua disposição inata, suas vivências ocasionais e sua obra. A apreciação estética da obra de arte e a elucidação do talento artístico não podem ser consideradas tarefas da psicanálise. Parece, no entanto, que ela está em condições de dar a palavra decisiva em todas as questões atinentes à vida da fantasia no ser humano.

Em terceiro lugar, a psicanálise nos fez compreender, para nosso contínuo assombro, o papel extremamente importante que o chamado "complexo de Édipo", ou seja, a relação afetiva da criança com os dois genitores, tem na vida psíquica do ser humano. Tal assombro é atenuado ao se perceber que o complexo de Édipo é o correlato psíquico de dois fatos biológicos fundamentais: a longa dependência infantil do ser humano e o modo singular como sua vida sexual atinge um primeiro ápice dos três aos cinco anos e, após um período de inibição, recomeça na puberdade. Então vimos que um terceiro, seriíssimo aspecto da atividade intelectual humana, que criou as grandes instituições da religião, do direito, da ética e todas as formas de organização social, objetiva, no fundo, possibilitar ao indivíduo a superação de seu complexo de Édipo e guiar sua libido desde as vinculações infantis àquelas sociais, definitivamente desejadas. As aplicações da psicanálise ao estudo da religião* e à sociologia (pelo presente autor, Th. Reik e O. Pfister), que levaram a esse resultado, ainda são novas e insuficientemente avaliadas, mas não há dúvida de que estudos subsequentes aumentarão o grau de certeza dessas importantes explicações.

Devo acrescentar, como que em apêndice, que também a pedagogia não pode deixar de aproveitar as sugestões que lhe são oferecidas pela investigação psicanalítica da vida psíquica das crianças; e que entre os terapeutas há algumas vozes (Groddeck, Jelliffe) que também consideram promissor o tratamento psicanalítico de graves doenças orgânicas, pois em muitas delas colabora também um fator psíquico, sobre o qual é possível ter influência.

É lícito formular a expectativa de que a psicanálise — da qual expusemos aqui o desenvolvimento e as realizações até agora, de maneira concisa e insatisfatória — será um importante fermento na evolução cultural das próximas décadas e ajudará a aprofundar nossa compreensão do mundo e rechaçar algumas coisas percebidas como prejudiciais na vida. Não se deve esquecer, porém, que a psicanálise sozinha não pode fornecer uma visão do mundo completa. Aceitando-se a distinção que propus, em que o aparelho psíquico é decomposto num Eu voltado para o mundo externo e

* "Estudo da religião": *Religionswissenschaft*, literalmente "ciência da religião" — lembrando-nos, mais uma vez, que em alemão o termo *Wissenschaft* é empregado em sentido mais amplo do que em português; cf. "estudos literários" (*Literaturwissenschaft*), no parágrafo anterior.

provido de consciência e num Id inconsciente, dominado por suas necessidades instintuais, então a psicanálise deve ser designada como uma psicologia do Id (e dos influxos deste sobre o Eu). Logo, em cada campo do saber ela pode apenas fazer contribuições que devem ser completadas a partir da psicologia do Eu. Se tais contribuições muitas vezes contêm o essencial dos fatos, isso apenas corresponde à importância que o inconsciente psíquico, por muito tempo ignorado, pode reivindicar em nossa vida.

# AS RESISTÊNCIAS À PSICANÁLISE (1925)

TÍTULO ORIGINAL: "DIE WIDERSTÄNDE GEGEN DIE PSYCHOANALYSE". PUBLICADO PRIMEIRAMENTE EM TRADUÇÃO FRANCESA NA *REVUE JUIVE* (GENEBRA), MARÇO DE 1925, E LOGO DEPOIS EM *IMAGO*, V. 11, N. 3, PP. 222-33. TRADUZIDO DE *GESAMMELTE WERKE* XIV, PP. 99-110.

Um bebê que, nos braços da babá, desvia o rosto chorando, ao ver uma pessoa desconhecida; um religioso que inicia a nova estação com uma prece, e também saúda os primeiros frutos do ano com uma bênção; um camponês que se recusa a comprar uma foice que não tenha a marca familiar a seus pais — a diversidade dessas situações é evidente, e parece justificada a tentativa de relacionar cada uma a um motivo diferente.

Mas seria um erro ignorar o que têm em comum. Em todos os casos há o mesmo desprazer, que na criança tem expressão elementar, no religioso é mitigado com um artifício, no camponês se torna o motivo para uma decisão. A fonte desse desprazer é a exigência que o *novo* faz à psique, o dispêndio psíquico que requer, a incerteza, exacerbada em angustiosa expectativa, que traz consigo. Seria muito interessante tomar a reação psíquica ao novo como objeto de estudo, pois em condições determinadas, não mais primárias, também se observa o comportamento oposto, uma autêntica sede de estímulos, que se lança a tudo que é novo simplesmente por ser novo.

No trabalho científico não deveria haver lugar para o temor ao novo. Eternamente incompleta e insuficiente, a ciência é obrigada a esperar sua salvação de novas descobertas e novas concepções. Para não ser enganada muito facilmente, ela deve se armar de ceticismo e nada acolher de novo que não tenha passado por severo exame. No entanto, ocasionalmente esse ceticismo revela duas características insuspeitadas. Volta-se nitidamente contra o que chega de novo, enquanto poupa o que já é conhecido e acreditado, satisfazendo-se em rejeitar as coisas antes de investigá-las. Mostra-se, então, como o prosseguimento daquela reação primitiva ao novo, como uma coberta para a sua preservação. É sabido que frequentemente, na história da investigação científica, as novidades foram recebidas com intensa e obstinada resistência, e o curso posterior dos eventos demonstrou que ela era injusta, que a inovação era importante e valiosa. Em geral eram certos elementos do conteúdo do novo que despertavam a resistência, enquanto, por outro lado, vários elementos tiveram de atuar em conjunto para possibilitar que irrompesse a reação primitiva.

Uma acolhida particularmente ruim teve a psicanálise, que o presente autor começou a desenvolver há quase trinta anos, a partir das descobertas de Josef Breuer (de Viena) sobre a gênese dos sintomas neuróticos. É indiscutível seu caráter de novidade, embora, excetuando esses achados, ela tenha elaborado um abundante material que era conhecido de outras fontes, resultados dos ensinamentos do grande neuropatologista Charcot e impressões do mundo dos fenômenos hipnóticos. Originalmente o significado da psicanálise foi apenas terapêutico, ela buscou criar um tratamento novo e eficaz para as enfermidades neuróticas. No entanto, conexões que na época não podíamos imaginar fizeram-na ir bastante além do seu objetivo inicial. Por fim, ela pretendeu haver estabelecido sobre uma nova base toda a nossa concepção da vida psíquica, desse modo adquirindo importância para todas as áreas do saber fundamentadas na psicologia. Após ser completamente ignorada por uma década, de repente a psicanálise tornou-se objeto do interesse geral — e desencadeou uma tempestade de rejeições indignadas.

Deixemos de lado as formas como se expressou a resistência à psicanálise. Seja suficiente observar que a luta por essa inovação ainda não chegou absolutamente ao fim. Mas já podemos perceber que direção ela tomará. Os adversários não tiveram êxito em suprimir o movimento. Vinte anos atrás eu era o único representante da psicanálise, mas desde então ela encontrou muitos seguidores relevantes e laboriosos, tanto médicos como não médicos, que a utilizam no tratamento de doentes nervosos, como método de pesquisa psicológica e como instrumento auxiliar do trabalho científico, nos mais diversos âmbitos da vida intelectual.* Nosso interesse, aqui, vai se dirigir apenas às motivações da resistência à psicanálise, atentando sobretudo para a natureza composta dessa resistência e os diferentes pesos de seus componentes.

Do ponto de vista clínico, as neuroses devem ser colocadas junto às intoxicações ou a doenças como a de Basedow. São estados que se produzem por um excesso ou relativa carência de determinadas substân-

* "Da vida intelectual": *des geistigen Leben*. O adjetivo *geistig* (aí declinado) corresponde ao substantivo *Geist*, que em geral se traduz por "espírito", mas também pode significar "intelecto"; por isso encontramos os dois termos nas versões estrangeiras consultadas: *del espíritu*, *de la vida espiritual*, *della vita spirituale*, *of intellectual life*. Na mesma frase ocorre o adjetivo *wissenschaftlich* ("científico"), que em alemão diz respeito não apenas às *Naturwissenschaften* ("ciências da natureza"), mas também às *Geisteswissenschaften* ("ciências do espírito", em português denominadas "humanas").

cias muito ativas, formadas no próprio corpo ou introduzidas de fora; ou seja, são propriamente distúrbios na química do corpo, toxicoses. Se alguém conseguisse isolar a hipotética substância (ou substâncias) envolvida nas neuroses, não precisaria temer qualquer objeção por parte dos médicos. Mas atualmente não há caminho que conduza a isso. O que podemos fazer é partir do quadro sintomático da neurose, que no caso da histeria, por exemplo, compõe-se de distúrbios físicos e psíquicos. Ora, tanto os experimentos de Charcot como as observações clínicas de Breuer ensinaram que também os sintomas físicos da histeria são *psicogênicos*, isto é, são precipitados de processos psíquicos transcorridos. Ao se colocar o paciente em estado hipnótico, era possível criar artificialmente os sintomas somáticos da histeria.

A psicanálise recorreu a esse novo conhecimento e se pôs a questão de qual seria a natureza daqueles processos psíquicos, de consequências tão inusitadas. Mas tal orientação de pesquisa não correspondia aos interesses daquela geração de médicos. Eles haviam sido educados na apreciação exclusiva de fatores anatômicos, físicos e químicos. Não estavam preparados para levar em conta o âmbito psíquico, de modo que o viram com indiferença e aversão. Evidentemente duvidavam que coisas psíquicas permitissem uma abordagem científica exata. Em excessiva reação a uma fase ultrapassada, em que a medicina fora dominada pelas concepções da assim chamada "filosofia da natureza", pareceram-lhe nebulosas, fantásticas, místicas, as abstrações com que a psicologia tem de trabalhar, e simplesmente se recusaram a crer em fenômenos notáveis que poderiam ser o ponto de partida para a pesquisa. Os sintomas da neurose histérica foram tidos como imposturas, as manifestações da hipnose, como fraudes. Nem mesmo os psiquiatras, a cuja observação se impunham os mais insólitos e surpreendentes fenômenos psíquicos, mostraram inclinação a atentar para seus detalhes e investigar seus nexos. Satisfizeram-se em classificar a variada gama de fenômenos patológicos e, sempre que possível, relacioná-los etiologicamente a distúrbios somáticos, anatômicos ou químicos. Nesse período materialista, ou melhor, mecanicista, a medicina fez enormes progressos, mas também ignorou, de maneira míope, o mais nobre e mais difícil dos problemas da vida.

É compreensível que os médicos, com essa atitude ante o psíquico, não tenham gostado da psicanálise nem procurado atender sua exortação a reorientar-se em vários aspectos e olhar muitas coisas de outra forma. Em contrapartida, era de supor que a nova teoria receberia o aplauso dos filósofos. Afinal, eles estavam acostumados a pôr conceitos abstratos — ou palavras vagas, no dizer das más línguas — à frente de suas explicações do mundo, e dificilmente se oporiam à ampliação do âmbito da psicologia que a psicanálise propunha. Mas aí se verificou um outro obstáculo: o psíquico dos filósofos não era o da psicanálise. Em sua grande maioria, eles consideram psíquico apenas o que é um fenômeno da consciência. Para eles, o mundo do que é consciente coincide com a esfera do psíquico. O que de resto possa ocorrer na "alma",* esse algo tão difícil de apreender, eles atribuem a precondições orgânicas da psique ou a processos paralelos aos psíquicos. Dito de maneira mais severa, a alma não tem outro conteúdo senão os fenômenos da consciência, e a ciência da alma, a psicologia, tampouco tem outro objeto. Também o leigo não pensa de outra forma.

Que pode então o filósofo dizer de uma teoria que afirma, como a psicanálise, que o psíquico é antes *inconsciente* em si, que estar consciente é apenas uma qualidade que pode ou não juntar-se ao ato psíquico particular e nele nada mais altera, caso fique ausente? Ele diz, naturalmente, que algo psíquico inconsciente é absurdo, uma *contradictio in adjecto* [contradição em termos], e não nota que com esse julgamento está apenas repetindo sua definição — talvez demasiado estreita — do que é psíquico. Esta certeza lhe é facilitada por não conhecer o material cujo estudo levou o psicanalista a crer em atos psíquicos inconscientes. Os filósofos não atentaram para a hipnose, não se ocuparam da interpretação de sonhos — consideram os sonhos, tal como os médicos, produtos sem sentido da atividade intelectual diminuída durante o sono —, mal desconfiam que existam coisas como ideias obsessivas e delírios, e se veriam em grande apuro se alguém lhes pedisse para explicá-los com base nas premissas psicológicas que mantêm. Também o psi-

* "Alma": "*Seele*", também entre aspas no original. Em alemão o termo equivale igualmente a "psique", como explicamos em *As palavras de Freud*, op. cit., pp. 152-6.

canalista se recusa a dizer o que é o inconsciente, mas pode indicar a esfera de fenômenos cuja observação lhe impôs a hipótese do inconsciente. Os filósofos, que não conhecem outra espécie de observação que não a auto-observação, não podem acompanhá-lo nisso.

Portanto, a psicanálise tira apenas desvantagens de sua posição intermediária entre medicina e filosofia. Os médicos a veem como um sistema especulativo, não querem acreditar que, como qualquer outra ciência natural, ela se baseia na paciente e trabalhosa elaboração de fatos do mundo das percepções; os filósofos, que a medem pelo padrão de seus próprios sistemas artificialmente edificados, acham que ela parte de premissas impossíveis e lhe reprovam o fato de seus conceitos principais — que ainda se acham em desenvolvimento — carecerem de precisão e clareza.

Esse estado de coisas é suficiente para explicar a acolhida irritada e relutante que a psicanálise teve nos círculos científicos. Mas não permite compreender como se pôde chegar, na polêmica, àquelas explosões de indignação, de escárnio e desdém, ao abandono de todos os preceitos da lógica e do bom gosto. Tal reação faz supor que outras resistências além das puramente intelectuais foram ativadas, que poderosas forças emocionais foram despertadas, e, de fato, na teoria psicanalítica há muita coisa a que podemos atribuir tal efeito sobre as paixões das pessoas em geral, não apenas dos cientistas.

Há, sobretudo, a grande importância que a psicanálise concede aos chamados *instintos sexuais* na psique humana. Segundo a doutrina psicanalítica, os sintomas neuróticos são satisfações substitutas deformadas de forças instintuais sexuais, cuja satisfação direta foi frustrada por resistências internas. Depois, quando a psicanálise foi além do seu campo de trabalho original e se aplicou à vida psíquica normal, procurou mostrar que os mesmos componentes sexuais, que são desviados de seus objetivos imediatos e voltados para outros, contribuem do modo mais importante para as realizações culturais do indivíduo e da sociedade. Tais afirmações não eram completamente novas. O filósofo Schopenhauer já havia enfatizado a incomparável relevância da vida sexual em palavras inesquecíveis;* e, além disso, o que a psicanálise chamou de sexualidade não coincidia absolutamente com o impulso à união dos sexos ou à produção de sensações prazerosas nos genitais, mas sobretudo com o todo-conservador e oniabrangente Eros do *Simpósio* de Platão.

Mas os adversários não se lembraram desses augustos predecessores; caíram sobre a psicanálise como se ela atentasse contra a dignidade do gênero humano.

* Freud se refere, muito provavelmente, a algumas páginas do segundo volume de *O mundo como vontade e representação*, que contém os complementos ao primeiro volume. São páginas do capítulo 42, intitulado "Vida da espécie"; juntamente com o cap. 44, "Metafísica do amor sexual", ele foi traduzido para o português, num volume intitulado *O instinto sexual* (São Paulo: Livraria Correa Editora, 1951, trad. Hans Koranyi, intr. Anatol Rosenfeld). Em alguns outros textos Freud alude igualmente a essa obra de Schopenhauer, sem precisar a referência; eles são: "Uma dificuldade da psicanálise" (1917), o prefácio à quarta edição dos *Três ensaios sobre a teoria da sexualidade* (1905), escrito em 1920, e "Autobiografia" (1925, cap. v).

Recriminaram-lhe o "pansexualismo", embora a teoria psicanalítica dos instintos sempre fosse rigorosamente dualista e em nenhum instante tivesse deixado de reconhecer, ao lado dos sexuais, outros instintos, aos quais atribuiu o poder de reprimir* aqueles. Inicialmente o par de opostos se chamava instintos sexuais e do Eu, com uma mudança posterior na teoria passou a ser Eros e instintos de morte ou destruição. Fazer arte, religião, organização social remontarem parcialmente ao concurso de forças instintuais sexuais foi visto como uma degradação dos mais elevados bens culturais, e foi declarado enfaticamente que o ser humano tem outros interesses além dos sexuais. Ignorou-se, com tamanho zelo, que também os animais têm outros interesses — de fato, estão sujeitos à sexualidade apenas em acessos, em determinados períodos, e não permanentemente, como os humanos —, que esses outros interesses jamais foram contestados no ser humano e que em nada altera o valor de uma conquista cultural a demonstração de sua procedência de elementares fontes instintuais animais.

Tanta falta de justiça e de lógica requer explicação. Não é difícil encontrar sua origem. A civilização humana repousa sobre dois pilares: um é o domínio das forças da natureza; o outro, a restrição de nossos instintos. Escravos acorrentados carregam o trono da rainha. Entre os componentes instintuais assim aproveitados,

* "Reprimir": *unterdrücken* — nas versões consultadas: *rechazar*, *sofocar*, *reprimere*, *suppress*; cf. notas às pp. 201 e 248 e também no v. 10 destas *Obras completas*, p. 88.

os instintos sexuais — no sentido mais estrito — sobressaem pela força e selvageria. Ai se fossem libertados! O trono seria derrubado e a soberana, pisoteada. A sociedade bem o sabe — e não quer que se fale disso.

Mas por que não? Que mal poderia fazer a discussão? A psicanálise jamais se pronunciou a favor da liberação dos instintos socialmente perniciosos; pelo contrário, advertiu e recomendou melhoras. Mas a sociedade não deseja que essa questão seja ventilada, pois em vários aspectos tem má consciência. Primeiro, estabeleceu um alto ideal de moralidade — moralidade é restrição dos instintos — e exige que todos os seus membros o realizem, mas não se preocupa do quanto pode ser difícil, para o indivíduo, tal obediência. E tampouco é tão rica ou tão bem organizada que possa compensar o indivíduo por seu grau de renúncia instintual. Portanto, deixa-se que o indivíduo descubra de que forma pode obter compensação suficiente para o sacrifício que lhe foi imposto, a fim de preservar seu equilíbrio psíquico. No conjunto, porém, ele é obrigado a viver psicologicamente acima de seus meios, enquanto suas reivindicações instintuais insatisfeitas o fazem sentir como permanente pressão as exigências da civilização.* Assim a sociedade mantém um estado de *hipocrisia cultural*, forçosamente acompanhado de um sentimento de insegurança e uma necessidade de proteger essa inegável instabilidade mediante a proibi-

* "Exigências da civilização": *Kulturanforderungen*; na frase seguinte, "hipocrisia cultural" é tradução de *Kulturheuchelei*; cf. nota sobre a versão dos termos *Kultur* e *Zivilisation* em *O Mal-estar na civilização*, v. 18 destas *Obras completas*, p. 48.

ção da crítica e do debate. Essa consideração vale para todos os impulsos instintuais, também para os egoístas, portanto. Não investigaremos aqui se ela pode ser aplicada a todas as culturas possíveis, e não apenas às que até hoje se desenvolveram. Acresce que os instintos sexuais no sentido mais estrito são domados de forma insuficiente e psicologicamente incorreta na maioria das pessoas, de modo que são os mais inclinados a se desprender.

A psicanálise desvela as fraquezas desse sistema e recomenda sua alteração. Ela propõe que se reduza a severidade da repressão instintual e que se dê mais ênfase à veracidade. A sociedade foi muito longe na supressão de determinados impulsos instintuais; a eles deve ser concedido um maior grau de satisfação, e no caso de outros o inadequado método de suprimi-los pela via da repressão deve ser substituído por um procedimento melhor e mais seguro. Por causa dessa crítica a psicanálise foi considerada "hostil à civilização" e estigmatizada como "socialmente perigosa". Tal resistência não durará eternamente. A longo prazo, nenhuma instituição humana pode escapar à influência da visão crítica fundamentada, mas até agora a atitude das pessoas ante a psicanálise é dominada por esse medo, que desata as paixões e reduz a exigência de argumentar logicamente.

Com a teoria dos instintos a psicanálise ofendeu o indivíduo enquanto membro da comunidade social; outra parte de sua teoria foi capaz de feri-lo no ponto mais sensível de seu próprio desenvolvimento psíquico. A psicanálise pôs termo à fábula da assexualidade da infância, provou que desde o começo da vida há interesses e atividades sexuais nas crianças pequenas, mostrou as transformações que eles experimentam, como aproximadamente no quinto ano sucumbem à inibição e depois, na puberdade, entram a serviço da função reprodutiva. Percebeu que a vida sexual da primeira infância culmina no chamado *complexo de Édipo*, na ligação afetiva ao genitor do outro sexo e concomitante rivalidade ante o do mesmo sexo, uma tendência que nesse período da vida prossegue desinibidamente como desejo sexual direto. Isso é de tão fácil confirmação, que realmente só com grande esforço pôde ser ignorado. De fato, todo indivíduo passou por essa fase, mas depois reprimiu de forma enérgica seu conteúdo e o relegou ao esquecimento. Dessa pré-história individual restaram a aversão ao incesto e uma forte consciência de culpa. Talvez tenha ocorrido de modo semelhante na pré-história da espécie humana, e os começos da moralidade, da religião e da organização social estivessem intimamente vinculados à superação dessa época primordial. Os adultos não podiam ser lembrados de sua pré-história, que veio a lhes parecer tão inglória; enfureceram-se quando a psicanálise quis levantar o véu de amnésia da sua infância. Houve apenas uma saída: o que a psicanálise afirmava tinha de ser falso, e essa suposta nova ciência devia ser uma urdidura de fantasias e distorções.

As poderosas resistências à psicanálise não eram de natureza intelectual, portanto, e se originavam de fontes afetivas. Isso explicava tanto sua passionalidade como sua indigência lógica. A situação obedecia a uma fórmula simples: as pessoas se comportavam diante da psicanálise, enquanto grupo, exatamente como o neurótico individual que se achava em tratamento por causa de seus transtornos, mas a quem podíamos demonstrar, em trabalho paciente, que tudo sucedera como dizíamos. Afinal, não havíamos inventado, e sim descoberto essas coisas a partir do estudo de outros neuróticos, através do esforço de algumas décadas.

A situação tinha, ao mesmo tempo, algo de alarmante e de consolador; o primeiro porque não era coisa trivial ter toda a espécie humana como paciente, o segundo porque tudo se desenrolou em conformidade com as premissas da psicanálise.

Se novamente lançamos o olhar sobre as resistências à psicanálise aqui descritas, vemos que apenas umas poucas são do tipo que se ergue contra a maioria das inovações científicas de alguma monta. Em geral as resistências derivam do fato de que poderosos sentimentos humanos viram-se feridos pelo conteúdo da teoria. O mesmo sucedeu com a teoria darwiniana da evolução, que pôs abaixo o muro que dividia homens e animais, levantado pela soberba humana. Apontei para essa analogia num breve ensaio anterior ("Uma dificuldade da psicanálise", *Imago*, 1917). Enfatizei ali que a concepção psicanalítica da relação entre o Eu consciente e o superpoderoso inconsciente representa uma séria ofensa ao amor-próprio humano, que denominei *psicológica* e equiparei à ofensa *biológica*, causada pela teoria da evolução, e à *cosmológica*, suscitada anteriormente pela descoberta de Copérnico.

Dificuldades puramente externas também contribuíram para fortalecer a resistência à psicanálise. Não é fácil adquirir um juízo independente em questões de análise sem tê-la experimentado em si mesmo ou praticado em outra pessoa. Essa última coisa não é possível fazer sem ter aprendido uma técnica bastante delicada, e até há pouco não existia maneira facilmente acessível de aprender a psicanálise e sua técnica. Isso mudou com a fundação da Policlínica Psicanalítica de Berlim e seu instituto de ensino, em 1920. Pouco depois, em 1922, uma instituição igual foi criada em Viena.

Finalizando, podemos perguntar, com toda a discrição, se a própria personalidade do autor, de judeu que jamais ocultou sua condição, não teria colaborado para a antipatia do meio ambiente em relação à psicanálise. É raro que um argumento desse tipo seja expresso em voz alta, mas infelizmente nos tornamos tão desconfiados que não podemos deixar de supor que esse dado teve algum efeito. E talvez não tenha sido puro acaso que o primeiro defensor da psicanálise fosse um judeu. Para abraçá-la era preciso estar disposto a aceitar o destino do isolamento na oposição, destino esse mais familiar ao judeu que a qualquer outro.

# NOTA SOBRE O "BLOCO MÁGICO" (1925)

TÍTULO ORIGINAL: "NOTIZ ÜBER DEN 'WUNDERBLOCK'". PUBLICADO PRIMEIRAMENTENTE EM *INTERNATIONALE ZEITSCHRIFT FÜR PSYCHOANALYSE* [REVISTA INTERNACIONAL DE PSICANÁLISE], V. 11, N. 1, PP. 1-5. TRADUZIDO DE *GESAMMELTE WERKE* XIV, PP. 3-8.

Quando desconfio de minha memória — sabe-se que o neurótico faz isso consideravelmente, mas também a pessoa normal tem todo motivo para fazê-lo —, posso completar e garantir sua função tomando notas. A superfície que conserva a anotação, a caderneta ou folha de papel, torna-se como que uma porção materializada do aparelho mnemônico que carrego em mim, ordinariamente invisível. Se tenho presente o lugar em que foi acomodada a "recordação" assim fixada, posso "reproduzi-la" à vontade, a qualquer momento, e estou seguro de que ela permaneceu inalterada, ou seja, de que escapou às deformações que talvez sofresse em minha memória.

Se eu quiser utilizar amplamente essa técnica para melhorar minha função mnemônica, notarei que disponho de dois procedimentos diversos. Primeiro, posso escolher uma superfície que preserve intacta por tempo indefinido a nota que lhe é confiada, ou seja, uma folha de papel em que escrevo com tinta. Obtenho, assim, um "traço mnemônico duradouro". A desvantagem desse procedimento é que a capacidade da superfície receptora logo se exaure. A folha fica inteiramente escrita, já não tem espaço para novas anotações, e sou obrigado a servir-me de outra ainda em branco. Além disso, a vantagem desse procedimento, o fato de permitir um "traço duradouro", pode perder seu valor quando meu interesse na anotação se acabar após algum tempo e eu não quiser mais "conservá-la na memória". O outro procedimento não exibe esses dois defeitos. Quando escrevo com giz numa lousa, tenho uma superfície que mantém a capacidade receptora por tempo ilimitado e cujas anotações posso apagar no momento em que deixam me interessar, sem ter de jogar fora a superfície mesma em que escrevi. A desvantagem, nesse caso, é que não posso ter um traço duradouro. Querendo acrescentar anotações ao quadro, tenho de eliminar aquelas que já o cobrem. Portanto, irrestrita capacidade receptora e conservação de traços duradouros parecem excluir-se mutuamente nos dispositivos que substituem nossa memória; ou a superfície de recepção tem de ser renovada ou as anotações têm de ser eliminadas.

Os aparelhos auxiliares que inventamos para a melhoria ou reforço das funções de nossos sentidos são todos construídos como o órgão do sentido mesmo ou como partes dele (óculos, câmera fotográfica, corneta acústica etc.). Comparados a eles, os dispositivos que auxiliam nossa memória parecem deficientes, pois nosso aparelho psíquico realiza justamente o que não podem fazer: tem ilimitada capacidade de receber novas percepções e cria duradouros — mas não imutáveis — traços mnemônicos delas. Já na *Interpretação dos sonhos*, de 1900, fiz a suposição de que essa incomum capacidade seria obra de dois diferentes sistemas (órgãos do aparelho psíquico). Nós possuiríamos um sistema *Pcp-Cs*, que acolhe as percepções mas não conserva traço duradouro delas, podendo se comportar como uma folha em branco diante de cada nova percepção. Os traços duradouros das excitações recebidas se produziriam em "sistemas mnemônicos" situados por trás dele. Depois (em *Além do princípio do prazer* [1920]) acrescentei a observação de que o inexplicável fenômeno da consciência surgiria no sistema perceptivo *no lugar* dos traços duradouros.

Há algum tempo é oferecido no comércio, com o nome de Bloco Mágico, um pequeno dispositivo que promete fazer mais do que a lousa e a folha de papel. Pretende ser nada mais que uma tabuinha de escrever em que as anotações podem ser apagadas com um simples movimento da mão. Mas se o investigarmos mais detidamente, veremos que sua construção coincide de maneira notável com essa minha hipotética estrutura de nosso aparelho perceptivo, e nos convencemos de que o Bloco Mágico pode realmente fornecer as duas coisas, uma superfície receptora sempre disponível e traços duradouros das anotações feitas.

O Bloco Mágico é uma tabuinha feita de cera ou resina marrom-escura, com margens de papelão, sobre a qual há uma folha fina e translúcida, presa à tabuinha de cera na parte superior e livre na parte inferior. Essa folha é a parte mais interessante do pequeno aparelho. Consiste ela mesma de duas camadas, que podem ser separadas uma da outra nas bordas laterais. A camada de cima é uma película de celuloide transparente, a de baixo é um papel encerado, ou seja, translúcido. Quando o aparelho não é utilizado, a superfície de baixo do papel encerado cola-se levemente à superfície de cima da tabuinha de cera.

Ao utilizar esse Bloco Mágico, escrevemos na película de celuloide da folha que cobre a tabuinha de cera. Para isso não é necessário lápis ou giz, pois a escrita não consiste em depositar certo material na superfície receptora. É um retorno ao modo como os antigos escreviam, em tabuinhas de argila e de cera. Um estilete pontiagudo arranha a superfície, e os sulcos assim deixados vêm a constituir a "escrita". No Bloco Mágico o estilete não age diretamente na cera, mas sim através da folha que a cobre; ele pressiona o verso do papel encerado contra a tabuinha de cera, nos locais em que toca, e as ranhuras tornam-se visíveis como caracteres escuros, na lisa superfície acinzentada do celuloide. Querendo-se apagar o que foi escrito, basta levantar brevemente a dupla folha de cobertura, a partir da borda inferior que não é presa. Assim o íntimo contato do papel encerado com a tabuinha de cera nos lugares pressionados (mediante o qual se produz a escrita) é desfeito e não volta a ocorrer quando os dois se tocam novamente. Então o Bloco Mágico fica novamente vazio, pronto para receber outras anotações.

As pequenas imperfeições do dispositivo naturalmente não são de nosso interesse, pois apenas procuramos ver sua semelhança com a estrutura do aparelho psíquico perceptual.

Se, após escrever no Bloco Mágico, separamos cuidadosamente a película de celuloide do papel encerado, enxergamos nitidamente as palavras na superfície deste também, e podemos nos perguntar se é mesmo necessário o celuloide na folha de cobertura. Mas uma simples tentativa mostra que o fino papel ficaria enrugado ou se rasgaria, caso escrevêssemos diretamente sobre ele com o estilete. A película de celuloide é, portanto, um revestimento protetor para o papel encerado, destinado a deter os influxos nocivos que vêm de fora. O celuloide é um "protetor contra estímulos"; a camada propriamente receptora de estímulos é o papel. Cabe lembrar, neste ponto, que em *Além do princípio do prazer* afirmei que nosso aparelho psíquico perceptual consiste em duas camadas, uma proteção externa contra estímulos, destinada a diminuir a magnitude das excitações que chegam, e a superfície receptora de estímulos por trás dela, o sistema *Pcp-Cs*.

A analogia não teria muito valor se não pudesse ser levada adiante. Se levantamos da tabuinha de cera a folha de cobertura inteira — celuloide e papel encerado —, a escrita desaparece e não volta a aparecer, como foi dito. A superfície do Bloco Mágico se acha vazia e novamente pronta para receber anotações. Mas facilmente se constata que o traço duradouro do que foi escrito permanece na tabuinha de cera e pode ser lido com uma iluminação adequada. Portanto, o Bloco fornece não apenas uma superfície receptora que sempre pode ser usada novamente, como uma lousa, mas também traços duradouros da escrita, como um bloco de papel normal. Ele resolve o problema de juntar as duas operações ao *distribuí-las por dois componentes — sistemas — separados, mas inter-relacionados*. É exatamente dessa maneira que, segundo a hipótese há pouco lembrada, nosso aparelho psíquico realiza sua função perceptiva. A camada que recebe os estímulos — o sistema *Pcp-Cs* — não forma traços duradouros, as bases da lembrança produzem-se em outros sistemas, adjacentes a ela.

Não deve nos incomodar que os traços duradouros das anotações recebidas não sejam aproveitados no Bloco Mágico; basta que estejam presentes. Em algum ponto haveria de cessar a analogia entre um aparelho auxiliar desse tipo e o órgão que lhe serve de modelo. Também é verdade que o Bloco Mágico não pode "reproduzir" a partir de dentro a escrita apagada; seria realmente um bloco mágico se, como nossa memória, pudesse fazê-lo. No entanto, não me parece ousado demais comparar a folha de cobertura feita de celuloide e papel encerado com o sistema *Pcp-Cs* e sua proteção contra estímulos, a tabuinha de cera com o inconsciente por trás deles, e o aparecimento e desaparecimento da escrita com o cintilar e esvanecer da consciência na percepção. Mas confesso que estou inclinado a levar ainda mais longe a comparação.

No Bloco Mágico a escrita desaparece a cada vez que se interrompe o íntimo contato entre o papel que recebe o estímulo e a tabuinha de cera que conserva a impressão. Isso concorda com uma noção que há muito tempo formei sobre o funcionamento do aparelho psíquico perceptivo, mas até agora conservei para mim.* Fiz a suposição de que inervações de investimento são enviadas e novamente recolhidas, em breves empuxos periódicos,

* Foi formada trinta anos antes, pois surge de forma embrionária no manuscrito "Esboço de uma psicologia" (*Entwurf einer Psychologie*, 1895; mais conhecido pelo título que recebeu em inglês, "Projeto de uma psicologia para neurólogos"), parte I, final da seção 19. Freud voltou a mencioná-la em *Além do princípio do prazer* (1920), cap. IV, e no artigo sobre "A negação" (1925, neste volume).

do interior para o totalmente permeável sistema *Pcp-Cs*. Enquanto o sistema se acha investido dessa forma, recebe as percepções acompanhadas de consciência e transmite a excitação para os sistemas mnemônicos inconscientes; assim que o investimento é recolhido, apaga-se a consciência e cessa a operação do sistema. É como se o inconsciente, através do sistema *Pcp-Cs*, estendesse para o mundo exterior antenas que fossem rapidamente recolhidas, após lhe haverem experimentado as excitações. Assim, as interrupções que no Bloco Mágico acontecem a partir de fora se dariam pela descontinuidade da corrente de inervação, e no lugar de uma verdadeira suspensão do contato haveria, em minha hipótese, a periódica não excitabilidade do sistema perceptivo. Também conjecturei que esse funcionamento descontínuo do sistema *Pcp-Cs* estaria na origem da ideia de tempo.

Se pensarmos que, enquanto uma mão escreve na superfície no Bloco Mágico, a outra levanta da tabuinha de cera periodicamente a folha de cobertura, temos uma representação concreta do modo como procurei imaginar a função de nosso aparelho psíquico perceptivo.

# A NEGAÇÃO (1925)

TÍTULO ORIGINAL: "DIE VERNEINUNG".
PUBLICADO PRIMEIRAMENTE EM *IMAGO*,
V. 11, N. 3, PP. 217-21. TRADUZIDO DE
*GESAMMELTE WERKE* XIV, PP. 11-5; TAMBÉM
SE ACHA EM *STUDIENAUSGABE* III, PP. 371-7.

O modo como nossos pacientes apresentam suas ideias espontâneas, no trabalho psicanalítico, nos fornece a oportunidade para algumas observações interessantes. "Você agora vai pensar que eu quero dizer algo ofensivo, mas não tenho de fato essa intenção." Compreendemos que é a rejeição, através da projeção, de um pensamento que acabou de surgir. Ou: "Você pergunta quem pode ser esta pessoa no sonho. Minha mãe não é". Corrigimos: então é a mãe. Tomamos a liberdade, na interpretação, de ignorar a negação e apenas extrair o conteúdo da ideia. É como se o paciente houvesse dito: "É certo que me ocorreu minha mãe, em relação a esta pessoa, mas não quero admitir esse pensamento".

Às vezes é possível obter de forma cômoda o esclarecimento que buscamos acerca do material reprimido inconsciente. Perguntamos o seguinte: "O que você considera o mais improvável naquela situação? O que acha que estava mais distante de sua mente então?". Se o paciente cai na armadilha e fala aquilo em que menos pode acreditar, quase sempre está confessando a coisa certa. Uma bela contrapartida a esse experimento se dá muitas vezes com o neurótico obsessivo que já foi iniciado na compreensão de seus sintomas. "Tive uma nova ideia obsessiva,* e logo me ocorreu que ela poderia significar

* "Ideia obsessiva": *Zwangsvorstellung*, no original. O substantivo *Zwang* significa "coação, coerção"; nesse termo composto, em que tem uso atributivo — qualificando *Vorstellung*, que traduzimos por "ideia" ou "representação" —, costuma ser vertido por "obsessiva". Assim o encontramos nas versões consultadas: uma em português, por Marilene Carone (em *Discurso*, revista do Departamento

tal coisa. Mas não, não pode ser isso; se fosse, não teria me ocorrido." O que ele está rejeitando, com essa fundamentação que ouviu no tratamento, é, naturalmente, o significado correto da nova ideia obsessiva.

Portanto, o conteúdo reprimido de uma ideia ou imagem pode abrir caminho até a consciência, sob a condição de ser *negado*. A negação é uma forma de tomar conhecimento do que foi reprimido, já é mesmo um levantamento da repressão, mas não, certamente, uma aceitação do reprimido. Nisso vemos como a função intelectual se separa do processo afetivo. Com ajuda da negação é anulada apenas uma consequência do processo de repressão, o fato de seu conteúdo ideativo não chegar à consciência. Daí resulta uma espécie de aceitação intelectual do reprimido, enquanto se mantém o essencial da repressão.[1] No curso do trabalho psicanalítico, frequentemente produzimos uma variante muito importante e algo estranha dessa mesma situação. Conseguimos vencer também a negação e alcançar a plena aceitação intelectual do reprimido — mas o processo de repressão em si não é cancelado por isso.

---

de Filosofia da USP, n. 15, 1983, pp. 125-32), duas em espanhol (a antiga, por López-Ballesteros, e a mais nova, por J. L. Etcheverry), uma italiana (nas *Opere*, da editora Boringhieri) e uma inglesa (de James Strachey, na *Standard edition*, v. XIX); todas usam "ideia" ou "representação" obsessiva.

1 O mesmo processo está na origem do conhecido fato do "chamamento". "Que bom que há muito tempo eu não tenho enxaqueca!" Mas esse é o primeiro anúncio de um ataque, cuja aproximação o indivíduo já sente, mas em que não quer acreditar.

Como é tarefa da função intelectual do juízo confirmar ou negar os conteúdos dos pensamentos, as observações precedentes nos levam à origem psicológica dessa função. Negar algo num juízo é dizer, no fundo: "Isso é algo que eu gostaria de reprimir". O juízo negativo é o substituto intelectual da repressão,* seu "Não" é um sinal distintivo, seu certificado de origem, como "*Made in Germany*", digamos. Através do símbolo da negação, o pensamento se livra das limitações da repressão e se enriquece de conteúdos de que não pode prescindir para o seu funcionamento.

A função do juízo tem essencialmente duas decisões a tomar. Deve adjudicar ou recusar a uma coisa uma característica e deve admitir ou contestar a uma representação a existência na realidade. A característica sobre a qual deve decidir pode haver sido originalmente boa ou má, útil ou nociva. Na linguagem dos mais antigos impulsos instintuais — os orais — teríamos: "Quero comer" ou "quero cuspir isso"; e, numa versão mais geral: "Quero pôr isso dentro de mim" e "retirar de mim". Ou seja: "Isso deve estar dentro" ou "fora de mim". O Eu-de-prazer original quer introjetar tudo que é bom e excluir tudo que é mau, como afirmei em outro lugar. Para o Eu, o que é mau e o que é forasteiro, que se acha de fora, são idênticos inicialmente.[2]

* Segundo Strachey, a primeira manifestação dessa ideia estaria no cap. VI de *O chiste e sua relação com o inconsciente* (1905); ela surge novamente em "Formulações sobre os dois princípios do funcionamento psíquico" (1911) e na parte V de "O inconsciente" (1915).

2 Cf., quanto a isso, as afirmações em "Os instintos e seus destinos" [1915, na parte final do ensaio].

A outra decisão da função do juízo, aquela sobre a existência real de uma coisa representada,* é do interesse do Eu-realidade definitivo, que se desenvolve a partir do inicial Eu-de-prazer (exame da realidade). A questão já não é se algo percebido (uma coisa) deve ou não ser acolhido no Eu, mas se algo que se acha no Eu como representação pode ser reencontrado também na percepção (realidade). É novamente, como se vê, uma questão de *exterior e interior.* O não real, apenas representado, subjetivo, está apenas dentro; o outro, o real, também se acha *fora*. Nesse desenvolvimento, a consideração pelo princípio do prazer foi posta de lado. A experiência ensinou que é importante não apenas que uma coisa (objeto de satisfação) possua a característica "boa", isto é, mereça o acolhimento no Eu, mas que também se ache no mundo exterior, de modo que seja possível apossar-se dela em caso de necessidade. Para compreender esse passo adiante, devemos lembrar que todas as representações vêm de percepções, são repetições das mesmas. Assim, originalmente a existência da representação já é uma garantia da realidade do representado. A oposição entre subjetivo e objetivo não existe desde o começo. Ela se instaura apenas pelo fato de o pensamento possuir a capacidade de mais uma vez tornar presente algo percebido, reproduzindo-o

* "Representada": *vorgestellt*. Também seria possível a versão por "imaginada", acompanhando o uso coloquial do verbo *sich vorstellen*, composto do prefixo *vor* ("diante de") e de *stellen* ("pôr, colocar"), que significa "colocar algo diante de si", ou seja, "imaginar, fazer ideia de algo".

na imaginação, sem que o objeto necessite mais existir no exterior. A meta inicial e imediata do exame de realidade não é, portanto, encontrar na percepção real um objeto correspondente ao imaginado, mas sim *reencontrá-lo*, convencer-se de que ainda existe. Uma outra capacidade da faculdade de pensamento também fornece uma contribuição para o divórcio entre subjetivo e objetivo. Ao ser reproduzida como representação, nem sempre a percepção é repetida fielmente; ela pode ser modificada por omissões, alterada por fusões de elementos diversos. O exame da realidade tem de checar até que ponto vão essas deformações. Mas reconhecemos, como precondição para que se instaure o exame da realidade, a perda de objetos que um dia proporcionaram real satisfação.

Julgar é a ação intelectual que decide a escolha da ação motora, põe fim à protelação devida ao pensamento e conduz do pensar ao agir. Também já discuti em outro lugar essa protelação devida ao pensamento.* Deve ser vista como uma ação experimental, um tatear motor com dispêndios mínimos de descarga. Lembremo-nos: onde o Eu exercitou antes um tatear assim, em que lugar aprendeu a técnica que agora utiliza nos processos de pensamento? Isso ocorreu na extremidade sensorial do aparelho psíquico, nas percepções dos sentidos. De acordo com nossa hi-

* Na parte final de *O Eu e o Id* (1923, neste volume); mas sabe-se que Freud abordou essa questão várias vezes, a começar pelo *Esboço de uma psicologia*, de 1895 (mais conhecido pelo título de sua versão inglesa, "Projeto de uma psicologia para neurólogos"; seção 16 da parte 1).

pótese, a percepção não é um processo puramente passivo; o Eu envia periodicamente pequenas quantidades de investimento ao sistema perceptivo, mediante as quais prova os estímulos externos, retraindo-se novamente após cada um desses avanços tateantes.

O estudo do juízo nos permite, quiçá pela primeira vez, vislumbrar a gênese de uma função intelectual a partir do jogo dos impulsos instintuais primários. Julgar é uma continuação coerente da inclusão no Eu ou expulsão do Eu, que originalmente se dava conforme o princípio do prazer. Sua polaridade parece corresponder à oposição dos dois grupos de instintos que supomos. A afirmação — como substituto da união — pertence ao Eros, a negação — sucessora da expulsão — ao instinto de destruição. O gosto em negar, o negativismo de alguns psicóticos, deve provavelmente ser entendido como sinal de disjunção de instintos,* com a subtração dos componentes libidinais. Mas o desempenho da função do juízo é possibilitado apenas pelo fato de a criação do símbolo da negação permitir ao pensamento um primeiro grau de independência dos resultados da repressão e, assim, da coação do princípio do prazer.

Harmoniza-se muito bem com essa concepção da negação o fato de que na análise não encontramos nenhum "não" vindo do inconsciente e de que o reconhecimento

* "Disjunção de instintos": *Triebentmischung*, em que *Entmischung* é o contrário de "mistura" (*Mischung*); as versões consultadas recorrem a: "defusão pulsional" (com nota em que admite também "desintrincamento"), *defusión de los instintos*, *desmezcla pulsional*, *disimpasto pulsionale*, *defusion of instincts*.

do inconsciente por parte do Eu se exprime numa fórmula negativa. Não há prova mais forte de que conseguimos desvelar o inconsciente do que o analisando reagir dizendo: "*Não pensei isso*" ou "*Nisso eu não* (*nunca*) *pensei*".

# ALGUMAS CONSEQUÊNCIAS PSÍQUICAS DA DIFERENÇA ANATÔMICA ENTRE OS SEXOS (1925)

TÍTULO ORIGINAL: "EINIGE PSYCHISCHE FOLGEN DES ANATOMISCHEN GESCHLECHTSUNTERSCHIEDS". PUBLICADO PRIMEIRAMENTE EM *INTERNATIONALE ZEITSCHRIFT FÜR PSYCHOANALYSE* [REVISTA INTERNACIONAL DE PSICANÁLISE], V. 11, N. 4, PP. 401-10. TRADUZIDO DE *GESAMMELTE WERKE* XIV, PP. 17-30; TAMBÉM SE ACHA EM *STUDIENAUSGABE* V, PP. 253-66. ESTA TRADUÇÃO FOI PUBLICADA ORIGINALMENTE EM *JORNAL DE PSICANÁLISE*, SOCIEDADE BRASILEIRA DE PSICANÁLISE DE SÃO PAULO, V. 33, N. 60/61, PP. 491-500, DEZEMBRO DE 2000. ALGUMAS NOTAS DO TRADUTOR FORAM OMITIDAS E OUTRAS FORAM MODIFICADAS NA PRESENTE EDIÇÃO.

Em meus trabalhos e nos de meus discípulos defendemos cada vez mais firmemente a necessidade de que a análise dos neuróticos penetre também o mais distante período da infância, a época do primeiro florescimento da vida sexual. Apenas ao pesquisar as primeiras manifestações da constituição instintual inata e os efeitos das mais distantes experiências de vida pode-se conhecer* corretamente as forças instintuais da neurose posterior e estar precavido contra os erros a que nos induziriam as transformações e sobreposições da idade adulta. Esta necessidade não é apenas teoricamente significativa, mas também de importância prática, pois distingue os nossos esforços do trabalho daqueles médicos que, tendo orientação apenas terapêutica, utilizam métodos analíticos até certo ponto. Tal análise da primeira infância é demorada, laboriosa, e faz, tanto ao médico como ao paciente, exigências que a prática nem sempre satisfaz. Além disso, conduz a áreas obscuras, em que nos faltam sinais indicadores. Sim, creio que podemos assegurar aos analistas que não há o perigo, nas próximas décadas, de o seu trabalho científico tornar-se mecânico e desinteressante.

Nas páginas que seguem comunico alguns resultados da pesquisa psicanalítica, resultados muito importantes, se demonstrarem ser universalmente válidos.

* "Conhecer": *erkennen*, no original; as traduções consultadas recorreram, no caso, a *apreciar*, *discernir*, *riconoscere*, *reconnaître*, *to gauge* e *onderscheiden* [distinguir]. Cf. outras notas relativas à versão desse termo no volume 10 destas *Obras completas* (1911-1913), pp. 146, 150 e 156.

Por que não adio a sua publicação até que uma experiência mais ampla me traga essa prova, caso se possa obtê-la? Porque em minhas condições de trabalho houve uma mudança cujas consequências não posso negar. Anteriormente eu não me incluía entre aqueles incapazes de guardar por algum tempo o que parece ser uma nova descoberta, até que ela seja confirmada ou corrigida. A *Interpretação dos sonhos* e o *Fragmento da análise de um caso de histeria* (o caso Dora) foram por mim retidos, se não durante os nove anos recomendados por Horácio, ao menos durante quatro ou cinco, antes de encaminhá-los à publicação. Mas então o tempo se estendia a perder de vista à minha frente — *oceans of time*, como diz um estimado poeta — e o material me vinha em tal abundância que eu não podia escapar aos novos conhecimentos.* Além disso, eu era o único a trabalhar num novo campo, minha reserva não ocasionava perigo para mim nem prejuízo para os outros.

Agora tudo mudou. O tempo que ainda tenho é limitado, e já não é tomado inteiramente pelo trabalho; de modo que as oportunidades de novos conhecimentos não se apresentam muito fartas. Quando acredito observar algo novo, não estou seguro de poder esperar por sua

* "Conhecimentos": *Erfahrungen*, que geralmente é traduzida por "experiências", como fizeram os demais tradutores, mas que significa também (no singular) "o conhecimento adquirido mediante a experiência". O "estimado poeta" que Freud cita seria Shelley, de acordo com a nova edição francesa (citação do poema "Time", de 1821). Quanto a Horácio, a referência é à *Ars Poetica*, versos 386-8.

confirmação. Também já foi esgotado o que se achava na superfície; o restante tem de ser tirado da profundeza, lenta e laboriosamente. Por fim, não estou mais só; uma hoste de ávidos colaboradores se acha disposta a fazer uso também do que está incompleto, incertamente conhecido, e posso lhes deixar o quinhão de trabalho que eu mesmo teria feito. De modo que me sinto justificado em desta vez participar algo que requer urgentemente verificação, para que se reconheça se tem valor ou não.

Ao examinar as primeiras configurações psíquicas da vida sexual na criança, nosso objeto foi normalmente a criança do sexo masculino, o garoto pequeno. Achamos que na garota pequena as coisas deviam se passar de modo semelhante, mas com alguma diferença. Em que ponto do desenvolvimento estaria essa diferença é algo que não se deixava esclarecer.

A situação do complexo de Édipo é a primeira etapa que reconhecemos com segurança no menino. Ela é facilmente compreensível para nós, pois a criança se atém ao mesmo objeto que, no precedente período de amamentação, já tinha investido com sua libido ainda não genital. Também o fato de perceber o pai como um rival importuno, do qual gostaria de se livrar e assumir o lugar, é claramente deduzido das circunstâncias objetivas. Expus, em outro artigo,[1] que a postura edipiana do menino pertence à fase fálica e sucumbe ao medo de castração, isto é, ao

1 "A dissolução do complexo de Édipo" (1924).

interesse narcísico pelo genital. O entendimento é dificultado pela complicação de que mesmo no garoto o complexo de Édipo tem duplo sentido, ativo e passivo, correspondendo à disposição bissexual. O garoto quer também assumir o lugar da mãe como objeto amoroso do pai, o que designamos como postura feminina.

Quanto à pré-história do complexo de Édipo no menino, estamos longe de alcançar plena clareza. Sabemos que ali há uma identificação de natureza terna com o pai, a qual ainda está livre do senso de rivalidade em torno da mãe. Um outro elemento desse período, elemento que me parece nunca faltar, é a atividade masturbatória com o genital, o onanismo da primeira infância, cuja supressão mais ou menos violenta, por parte dos que cuidam da criança, ativa o complexo de castração. Supomos que esse onanismo está ligado ao complexo de Édipo e constitui a descarga de sua excitação sexual. Não sabemos se ele tem esta ligação desde o princípio ou se aparece espontaneamente como atividade com um órgão, só depois vinculando-se ao complexo de Édipo; esta última possibilidade é a mais provável. Também discutível é o papel do hábito de urinar na cama e do combate a ele mediante a educação. Nós nos inclinamos à síntese singela de que urinar continuamente na cama é consequência da masturbação, a sua supressão é vista pelo garoto como uma inibição da atividade genital, ou seja, significando uma ameaça de castração, mas permanece em aberto se temos razão em cada um desses pontos. Por fim, a análise nos permite reconhecer vagamente que presenciar o coito dos pais, numa época muito tenra da infância, pode trazer a primeira excitação sexual e tornar-se, devido a seus efeitos posteriores, o ponto de partida para todo o desenvolvimento sexual. A masturbação, assim como as duas posturas do complexo de Édipo, liga-se mais tarde a esta impressão, subsequentemente interpretada. Mas não podemos supor que tais observações do coito sucedam regularmente, e deparamos com o problema das "fantasias primordiais".* Portanto, na pré-história do complexo de Édipo do garoto há tudo isso também a ser esclarecido, a aguardar exame para decidirmos se há que supor sempre o mesmo desenrolar ou se estágios preliminares bem diferentes convergem para a mesma situação final.

O complexo de Édipo da garota pequena traz em si um problema a mais que o do garoto. Inicialmente a mãe foi para ambos o primeiro objeto, não nos surpreendemos se o garoto o mantém no complexo de Édipo. Mas como chega a menina a abandoná-lo e tomar o pai como objeto? Perseguindo essa questão, fiz certas constatações que podem lançar alguma luz precisamente sobre a pré-história da relação edípica na menina.

Todo psicanalista já encontrou mulheres que se atêm com particular intensidade e persistência à ligação com o pai e ao desejo de ter um filho dele, coroa-

* "Fantasias primordiais": *Urphantasien*. O *Vocabulário da psicanálise* prefere "fantasias originárias". O prefixo alemão *ur* denota antiguidade, primazia no tempo. Os outros tradutores usaram *protofantasías*, *fantasías primordiales*, *fantaisies originaires*, *primal phantasies*, *oerfantasieën*.

mento de tal ligação. Temos bom motivo para supor que essa fantasia envolvendo um desejo* era também a força motriz de sua masturbação infantil, e facilmente nos vem a impressão de estar ante um fato elementar, não mais suscetível de decomposição,** da vida sexual infantil. Uma análise mais aprofundada desses casos, no entanto, mostra algo distinto, ou seja, que o complexo de Édipo tem aí uma longa pré-história e é, em certa medida, uma formação secundária.

Conforme uma observação do velho pediatra S. Lindner, a criança descobre a zona genital como fonte de prazer — o pênis ou o clitóris — ao mamar prazerosamente (sugar). Deixarei em aberto a questão de saber se de fato a criança toma essa nova fonte de prazer em substituição à teta perdida da mãe, como talvez indiquem fantasias

* "Fantasia envolvendo um desejo": tradução-paráfrase para *Wunschphantasie*, que também foi traduzida, em outros volumes, por "fantasia-desejo" ou simplesmente "desejo". Nas versões estrangeiras consultadas: *fantasía desiderativa*, *fantasía de deseo*, *fantasia di desiderio*, *fantaisie de souhait*, *wishful phantasy*, *wensfantasie*. Logo em seguida, "força motriz" é tradução de *Triebkraft*, que os outros verteram por *fuerza impulsora*, *fuerza pulsional*, *forza motrice*, *force de pulsion*, *motive force*, *drijfkracht*. O termo original é corriqueiro; significa simplesmente a força que move uma máquina — e, figuradamente (como Freud o emprega), o "móvel" de uma ação. O tradutor argentino e o francês deram ênfase ao sentido técnico que enxergaram no termo, conforme suas orientações estritamente literais.

** "Não mais suscetível de decomposição": *nicht weiter auflösbar* — nas versões consultadas: *irreducible*, *no suscetible de ulterior resolución* [*sic*], *non ulteriormente decomponibile*, *non décomposable plus avant*, *unanalysable*, *dat niet verder kan worden ontleed* [que não pode ser dissecado mais].

futuras (felação). Em suma, a zona genital é descoberta de alguma maneira, e não parece justificado atribuir um conteúdo psíquico às primeiras atividades que a ela se relacionam. O passo seguinte na fase fálica que assim começa, porém, não é o nexo dessa masturbação com os investimentos objetais do complexo de Édipo, mas uma descoberta rica de consequências, que cabe à menina fazer. Ela nota o pênis de um irmão ou companheiro de jogos, flagrantemente visível e de tamanho notável, reconhece-o de imediato como a superior contrapartida de seu próprio órgão pequeno e oculto, e passa a ter inveja do pênis.

Eis um interessante contraste no comportamento dos dois sexos: na situação análoga, quando o garoto avista pela primeira vez a região genital da menina, ele se mostra inicialmente indeciso, pouco interessado; ele nada vê, ou recusa* sua percepção, enfraquece-a, busca expedientes para harmonizá-la com sua expectativa. Somente depois, quando uma ameaça de castração teve influência sobre ele, tal observação lhe será significativa; sua recordação ou renovação suscita nele uma terrível tempestade de afetos e o força a crer na realidade da ameaça até então desdenhada. Essa conjunção leva a duas reações, que podem se tornar fixas e então, separadamente ou juntas, ou em conjunção com outros fatores, determinarão permanentemente sua relação com as mulheres: aversão à criatura mutilada ou triunfante

* "Recusa": *verleugnet* — os tradutores consultados empregam *repudia*, *desmiente*, *rinnega*, *dénie*, *disavows*, *loochent*. Ver nota sobre o termo em "A organização genital infantil", neste volume. Mais adiante aparece o substantivo, *Verleugnung*.

menosprezo dela. Mas esses desenvolvimentos pertencem ao futuro, se bem que a um futuro pouco distante.

Com a menina é diferente. Num instante ela faz seu julgamento e toma sua decisão. Ela viu, sabe que não tem e quer ter.[2]

Neste ponto se separa* o chamado complexo de masculinidade da mulher, que eventualmente reservará grandes dificuldades ao desenvolvimento prescrito rumo à feminilidade, caso não seja logo superado. A esperança de ainda ter um pênis, tornando-se igual ao homem, pode se manter por um período improvavelmente longo e se tornar motivo de atos peculiares, de outra forma incompreensíveis. Ou surge o processo que eu designaria como "recusa", que na vida psíquica da criança parece não ser raro nem muito perigoso, mas que no adulto daria início a uma psicose. A menina se recusa** a admitir o fato de sua castração, aferra-se à

2 Eis a oportunidade de corrigir uma afirmação que fiz anos atrás. Achei que o interesse sexual das crianças, como o dos púberes, não seria despertado pela diferença entre os sexos, mas pelo problema da origem das crianças. Ao menos para a menina isso certamente não é válido. No caso do menino, algumas vezes poderá ser assim, outras vezes, de outro modo; ou eventos fortuitos decidirão quanto a isso no caso dos dois sexos.

* "Se separa": *zweigt* [...] *ab* — nas versões estrangeiras consultadas: *arranca*, *se bifurca*, *si diparte*, *bifurque*, *branches off*, *splitst* [...] *af*. O verbo *abzweigen*, relacionado a *Zweig* ("ramo, galho"), pode ter o sentido de "bifurcar-se" ou de "separar-se, brotar num ponto"; é claramente este o pretendido por Freud. Ele empregou a mesma palavra, na mesma frase, em "A dissolução do complexo de Édipo".

** "Se recusa": *verweigert* — nas versões consultadas: *rehúsa*, *se rehúsa*, *rifiuta*, *refuse*, *may refuse*, *weigert*. O verbo aqui usado por

convicção de que possui um pênis, e se vê compelida, subsequentemente, a agir como se fosse um homem.

As consequências psíquicas da inveja do pênis, na medida em que não é assimilada na formação reativa do complexo de masculinidade, são diversas e de largo alcance. Com o reconhecimento da ferida narcísica, produz-se na mulher — como uma cicatriz, por assim dizer — um sentimento de inferioridade. Depois de haver superado a primeira tentativa de explicar sua falta de pênis como castigo pessoal e haver apreendido a universalidade dessa característica sexual, ela começa a partilhar o menosprezo do homem por um sexo reduzido num ponto decisivo, e ao menos nesse juízo permanece equiparada ao homem.[3]

---

Freud tem sentido igual àquele que traduzimos por "recusar" (*verleugnen*). Mas os tradutores se veem obrigados a buscar outro termo, receando a eventual crítica de que estariam favorecendo uma confusão. Se recorrermos ao verbo "negar", haverá o perigo de lembrar o conceito de "negação"; se empregarmos "rejeitar" ou "repudiar", teremos de suprimir o verbo "admitir".

3 Em minha primeira manifestação crítica a respeito da "História do movimento psicanalítico" (1913), reconheci que este é o núcleo de verdade que há na teoria de Adler, a qual não hesita em explicar o mundo inteiro com base nesse ponto (inferioridade do órgão — protesto masculino — afastamento da linha feminina), e se gaba de nisso haver despojado a sexualidade de sua importância, em favor do afã de poder! O único órgão "inferior", que inequivocamente merece tal denominação, seria então o clitóris. Por outro lado, ouvimos falar de analistas que se gabam de jamais terem percebido a existência de um complexo de castração, mesmo após décadas de trabalho. Temos de nos curvar admirados ante a magnitude desta façanha, ainda que seja tão só negativa, uma proeza de descuido e desconhecimento. As duas teorias formam um interessante par de opostos: nesta, nenhum traço de complexo de castração; naquela, nada senão consequências dele.

Mesmo tendo renunciado a seu verdadeiro objeto, a inveja do pênis não deixa de existir, persiste no traço de caráter do *ciúme* com ligeiro deslocamento. Claro que o ciúme não é próprio de um sexo apenas, e se fundamenta numa base mais ampla, mas acho que desempenha um papel muito maior na vida psíquica da mulher, porque obtém um enorme reforço da fonte que é a inveja do pênis desviada. Antes de conhecer essa derivação do ciúme, eu tinha construído, para a fantasia masturbatória "Uma criança é espancada", tão frequente em meninas, uma primeira fase, em que o seu significado é que uma outra criança, uma rival da qual se tem ciúme, seria espancada.[4] Essa fantasia parece ser uma relíquia do período fálico da garota; a singular rigidez que me chamou a atenção na monótona fórmula "Uma criança é espancada" permite provavelmente uma interpretação especial. A criança que aí é espancada — acariciada — pode não ser outra coisa, no fundo, do que o clitóris mesmo, de modo que a declaração contém, no nível mais profundo, a confissão da masturbação, que desde o início, na fase fálica, até uma época tardia, está ligada ao conteúdo da fórmula.

Uma terceira consequência da inveja do pênis parece ser o afrouxamento da relação terna com o objeto materno. O conjunto não é muito claro, mas estamos convencidos de que quase sempre, afinal, a menina vê a mãe como responsável pela falta de pênis, por tê-la posto no mundo tão insuficientemente aparelhada. A his-

4 "Batem numa criança" (1919).

tória é, frequentemente, que após descobrir a desvantagem no genital a menina tem ciúme de outra criança, supostamente mais amada pela mãe, o que lhe fornece motivação para desprender-se do vínculo materno. Está de acordo com isso que esta criança privilegiada pela mãe venha a ser o primeiro objeto da fantasia de espancamento que termina em masturbação.

Um outro efeito surpreendente da inveja do pênis — ou da descoberta da inferioridade do clitóris — é sem dúvida o mais importante. Eu já tivera frequentemente a impressão de que em geral a mulher tolera menos que o homem a masturbação, opõe-se a ela com mais frequência e não é capaz de servir-se dela em circunstâncias em que o homem recorreria a tal expediente sem hesitação. É compreensível que a experiência ofereça inúmeras exceções a esta afirmação, se tentarmos estabelecê-la como regra. As reações dos indivíduos de ambos os sexos são mesclas de traços masculinos e femininos. Mas continua a parecer que a natureza da mulher se acha mais distante da masturbação, e para resolver o problema colocado podemos aduzir a reflexão de que pelo menos a masturbação do clitóris seria uma prática masculina, e que uma condição para o desenvolvimento da feminilidade seria a eliminação da sexualidade clitoridiana. As análises do período fálico remoto me ensinaram que na garota, após os primeiros indícios de inveja do pênis, surge uma intensa corrente contrária à masturbação, que não pode ser ligada apenas à influência da pessoa que a cria. Esse impulso é claramente um prenúncio da onda repressiva que vai remover boa parte da sexualidade masculina na época da puberdade, para abrir espaço ao desenvolvimento da feminilidade. Pode suceder que esta primeira oposição à atividade autoerótica não atinja sua meta. Assim também aconteceu nos casos por mim analisados. O conflito prosseguiu então, e a garota fez tudo, na época e depois, a fim de livrar-se da compulsão de masturbar-se. Muitas manifestações ulteriores da vida psíquica da mulher permanecem incompreensíveis, caso não se reconheça este poderoso motivo.

Não posso explicar essa revolta da menina contra a masturbação fálica senão pela hipótese de que essa atividade prazerosa é estragada por um fator paralelo. Esse fator não precisa ser buscado longe; teria de ser a humilhação narcísica relacionada à inveja do pênis, a lembrança de que neste ponto não é possível ficar à altura dos garotos, sendo melhor deixar de lado a concorrência com eles. Dessa maneira, o reconhecimento da diferença sexual anatômica impele a menina a afastar-se da masculinidade e da masturbação masculina, em direção a novas trilhas que levam ao desenvolvimento da feminilidade.

Até o momento não se falou do complexo de Édipo, que não desempenhou nenhum papel até aqui. Mas agora a libido da garota passa — ao longo da equação simbólica pênis = criança, é tudo o que podemos dizer — para uma nova posição. Ela abandona o desejo de possuir um pênis, para substituí-lo pelo desejo de ter uma criança, e *com esta intenção* toma o pai por objeto amoroso. A mãe se torna objeto de ciúme; a menina se tornou uma pequena mulher. Se me é permitido crer numa observação psicanalítica isolada, nessa nova situação pode haver sensações físicas que devem ser consideradas um despertar prematuro do aparelho genital feminino. Se depois essa ligação ao pai fracassar e tiver de ser abandonada, pode ceder lugar a uma identificação com o pai, pela qual a menina retorna ao complexo de masculinidade e eventualmente se fixa nele.

Já disse agora o essencial do que tinha a dizer, e me detenho para uma visão geral do resultado. Obtivemos algum conhecimento da pré-história do complexo de Édipo na menina. O período correspondente no garoto é um tanto desconhecido. Na menina o complexo de Édipo é uma formação secundária. Os efeitos do complexo de castração o precedem e o preparam. No que toca à relação entre complexo de Édipo e complexo de castração, surge um contraste fundamental entre os dois sexos. *Enquanto o complexo de Édipo do menino sucumbe ao complexo de castração,*[5] *o da menina é possibilitado e introduzido pelo complexo de castração.* Essa contradição é esclarecida se ponderarmos que o complexo de castração sempre age no sentido de seu conteúdo, inibindo e limitando a masculinidade e promovendo a feminilidade. A diferença, neste trecho do desenvolvimento sexual do homem e da mulher, é uma consequência compreensível da diversidade anatômica dos genitais e da situação psíquica a ela relacionada; corresponde à diferença entre a castração realizada e aquela apenas ameaçada. Portanto, no fundo o nosso resultado é evidente e poderia ser previsto.

5 Ver "A dissolução do complexo de Édipo" [1924].

No entanto, o complexo de Édipo é algo tão significativo que não pode deixar de ter consequências a forma como nele se entrou e dele se saiu. No menino — como expus na publicação mencionada, à qual se ligam as observações feitas aqui — o complexo de Édipo não é simplesmente reprimido, ele realmente se despedaça com o choque da ameaça de castração. Seus investimentos libidinais são abandonados, dessexualizados e parcialmente sublimados, seus objetos são incorporados ao Eu, onde formam o âmago do Super-eu e emprestam a essa nova formação traços característicos. No caso normal — melhor dizendo: ideal — não subsiste mais um complexo de Édipo no inconsciente, o Super-eu é o seu herdeiro. Como o pênis — seguindo Ferenczi — deve seu investimento narcísico excepcionalmente elevado à sua importância para a propagação da espécie, a catástrofe do complexo de Édipo — o abandono do incesto, a instauração de consciência e moralidade — pode ser vista como um triunfo da geração* sobre o indivíduo. Uma perspectiva interessante, quando se considera que a neurose se baseia numa revolta do Eu contra as exigências da função sexual. Mas deixar o ponto de vista da psicologia individual não ajuda, no momento, a esclarecer essas emaranhadas relações.

Na garota falta o motivo para a destruição do complexo de Édipo. A castração já produziu antes o seu efeito, que consistiu em impelir a criança para a situação do complexo

* "Geração": *Generation* — as versões consultadas empregam: *de la generación*, *de la raza* [o tradutor espanhol usa os dois termos]; na tradução inglesa se acha *race*, e nas demais, também a tradução literal.

de Édipo. Por isso este escapa ao destino que o aguarda no menino, pode ser lentamente abandonado, liquidado mediante repressão ou seus efeitos podem prosseguir até bem longe na vida psíquica normal da mulher. Hesitamos em expressar isto, mas não podemos nos esquivar da noção de que o nível do que é eticamente normal vem a ser outro para a mulher. O Super-eu jamais se torna tão inexorável, tão impessoal, tão independente de suas origens afetivas como se requer que seja no homem. Traços de caráter que sempre foram criticados na mulher — que ela mostra menos senso de justiça que o homem, menor inclinação a submeter-se às grandes exigências da vida, que é mais frequentemente guiada por sentimentos afetuosos e hostis ao tomar decisões — encontrariam fundamento suficiente na distinta formação do Super-eu que acabamos de inferir. Em tais juízos não nos deixaremos influenciar pela contestação dos partidários do feminismo, que desejam nos impor uma total equiparação e equivalência dos sexos, mas admitiremos de bom grado que também a maioria dos homens fica muito atrás do ideal masculino e que todos os indivíduos, graças à disposição bissexual e à herança genética cruzada, reúnem em si caracteres masculinos e femininos, de modo que a masculinidade e a feminilidade puras permanecem construções teóricas de conteúdo incerto.

Inclino-me a dar valor às considerações aqui apresentadas sobre as consequências psíquicas da diferença anatômica entre os sexos, mas sei que esta apreciação poderá ser mantida apenas se as descobertas feitas num punhado de casos tiverem confirmação geral e mostrarem ser típicas. De outro modo, apenas contribuiriam para um conhecimento dos múltiplos caminhos que há no desenvolvimento da vida sexual.

Nos valiosos e substanciosos trabalhos sobre os complexos de masculinidade e da castração* na mulher, de Abraham ("Formas de manifestação do complexo da castração feminino", *Internationale Zeitschrift für Psychoanalyse*, v. VII [1921]), Horney ("Sobre a gênese do complexo da castração feminino", ibidem, v. IX), Helene Deutsch ("Psicanálise das funções sexuais femininas", *Neue Arbeiten zur ärztlichen Psychoanalyse*, V), há muita coisa que se aproxima de minha exposição e nada que coincide inteiramente com ela, de modo que também por isso creio que se justifica esta minha publicação.

* No original: *über den Männlichkeits- und Kastrationskomplex des Weibes*. Freud usa "complexo" uma vez. López-Ballesteros e Strachey adotam o plural, entendendo que ele se refere a um e a outro, enquanto Etcheverry e Laplanche usam o singular, exprimindo um só complexo. Penso que os dois primeiros estão certos, pois no contexto do artigo se vê que são duas coisas distintas. Além disso, em alemão não é raro o emprego de um sujeito "duplo", no caso de duas palavras compostas que partilham um termo. Assim, em *Männlichkeitskomplex* foi omitido o termo principal, partilhado com o composto que segue; daí se usar um hífen após o primeiro termo, indicando que ele será completado em seguida.

# OBSERVAÇÕES SOBRE A TEORIA E A PRÁTICA DA INTERPRETAÇÃO DOS SONHOS (1923)

TÍTULO ORIGINAL: "BEMERKUNGEN ZUR THEORIE UND PRAXIS DER TRAUMDEUTUNG". PUBLICADO PRIMEIRAMENTE EM *INTERNATIONALE ZEITSCHRIFT FÜR PSYCHOANALYSE* [REVISTA INTERNACIONAL DE PSICANÁLISE], V. 9, N. 1, PP. 1-11. TRADUZIDO DE *GESAMMELTE WERKE* XIII, PP. 301-14; TAMBÉM SE ACHA EM *STUDIENAUSGABE, ERGÄNZUNGSBAND* [VOLUME COMPLEMENTAR], PP. 257-70.

A circunstância fortuita de as últimas impressões da *Interpretação dos sonhos* terem sido feitas em pranchas estereotípicas me leva a publicar de forma independente as observações seguintes, que normalmente teriam entrado como modificações ou acréscimos ao texto.

## I

Ao interpretar um sonho na análise, pode-se escolher entre procedimentos técnicos diferentes.

Podemos: *a*) proceder cronologicamente e fazer com que o sonhador apresente suas associações aos elementos do sonho na sequência em que eles ocorrem no relato do sonho. Essa é a conduta original, clássica, que ainda me parece a melhor quando analisamos os próprios sonhos.

Ou podemos: *b*) iniciar o trabalho de interpretação por um determinado elemento do sonho, escolhido de qualquer ponto dele; por exemplo, pelo trecho mais notável ou pelo que possui a maior nitidez ou intensidade sensorial, ou partindo de uma fala nele contida, da qual esperamos que conduza à lembrança de uma fala da vida desperta.

Podemos: *c*) não considerar inicialmente o conteúdo manifesto do sonho e perguntar ao sonhador que eventos do dia anterior ele associa ao sonho relatado.

Por fim, se o sonhador já estiver familiarizado com a técnica da interpretação, podemos: *d*) abandonar todo preceito e deixar que ele decida com quais associações relativas ao sonho começará. Não posso afirmar que uma dessas técnicas seja preferível ou proporcione resultados melhores.

## II

Bem mais importante é se o trabalho de interpretação ocorre sob *pressão de resistência baixa* ou *elevada*, e acerca disso o analista não permanece em dúvida por muito tempo. Sendo elevada a pressão, podemos chegar a saber de que coisas o sonho trata, mas não descobrimos o que diz acerca dessas coisas. É como se atentássemos para uma conversa distante ou em voz muito baixa. Então percebemos que não se pode falar exatamente de um trabalho conjunto com o sonhador, resolvemos não nos incomodar muito e não ajudá-lo muito, contentando-nos em lhe sugerir algumas traduções de símbolos que nos parecem prováveis.

A maioria dos sonhos numa análise difícil é desse gênero, de modo que não podemos aprender muito sobre a natureza e o mecanismo da formação dos sonhos com eles, e menos ainda obter resposta à corriqueira pergunta de onde está a realização de desejos no sonho.

No caso de uma pressão de resistência extremamente alta, sucede o fenômeno de a associação do sonhador se dar para os lados, em vez de para o fundo. No lugar das desejadas associações com o sonho relatado aparecem novos pedaços de sonhos, que continuam desassociados. Só quando a resistência se mantém em limites moderados surge o conhecido quadro do trabalho de interpretação, em que as associações do sonhador inicialmente *divergem* dos elementos manifestos, de modo que inúmeros temas e grupos de ideias são tocados, até que uma segunda série de associações rapidamente *converge*, a partir deles, para os pensamentos oníricos buscados.

Então se torna possível também o trabalho conjunto do analista com o sonhador; sob alta pressão de resistência isso não seria adequado.

Um certo número de sonhos que acontecem durante a análise são intraduzíveis, apesar de neles a resistência não se mostrar de forma clara. Eles representam elaborações livres dos pensamentos oníricos latentes que estão em sua base, são comparáveis a obras de literatura bem realizadas, supertrabalhadas, em que os temas básicos são ainda reconhecíveis, mas sofreram misturas e transformações. Estes sonhos servem, no tratamento, como introdução aos pensamentos e lembranças do sonhador, não sendo considerado seu conteúdo mesmo.

## III

Podemos diferenciar entre sonhos *de cima* e sonhos *de baixo*, se não tomarmos essa distinção com demasiada rigidez. Sonhos de baixo são aqueles provocados pela força de um desejo inconsciente (reprimido) que conseguiu fazer-se representar em alguns resíduos diurnos. Equivalem a irrupções do reprimido na vida desperta. Sonhos de cima correspondem a pensamentos ou intenções diurnas que lograram obter, durante a noite, um reforço do material reprimido afastado do Eu. Via de regra, a análise não considera esse aliado inconsciente e realiza a inserção dos pensamentos oníricos latentes na trama do pensamento desperto. Essa distinção não requer mudança na teoria dos sonhos.

## IV

Em algumas análises, ou durante certos períodos de uma análise, manifesta-se uma separação entre a vida onírica e a vida desperta, similar à separação entre a atividade da fantasia que mantém uma *continued story* (um romance em devaneios) e o pensamento desperto. Então um sonho se encadeia no outro, toma como seu ponto central um elemento que foi ligeiramente tocado no anterior etc. Mas é muito mais frequente o outro caso, de os sonhos não serem ligados, e sim intercalados em porções sucessivas do pensamento desperto.

## V

A interpretação de um sonho se divide em duas fases: a tradução e seu julgamento ou apreciação. Durante a primeira não devemos nos deixar influenciar por nenhuma consideração relativa à segunda. É como se tivéssemos à nossa frente um capítulo de um autor de língua estrangeira, Tito Lívio, por exemplo. Primeiro queremos saber o que Tito Lívio conta nesse capítulo, e somente depois discutimos se o que foi lido é uma narrativa histórica, uma lenda ou uma digressão do autor.

Que inferências podemos tirar de um sonho corretamente traduzido? Tenho a impressão de que nisso a prática psicanalítica nem sempre evitou erros e superestimações, em parte por excessivo respeito ante o "misterioso inconsciente".

Com facilidade nos esquecemos de que, em geral, um sonho é apenas um pensamento como qualquer outro, possibilitado pelo relaxamento da censura e pelo reforço inconsciente, e deformado pela interferência da censura e a elaboração inconsciente.

Vejamos o exemplo dos chamados sonhos de convalescença. Quando um paciente teve um sonho desses, em que parece furtar-se às limitações da neurose — em que supera uma fobia, por exemplo, ou abandona uma ligação afetiva —, tendemos a acreditar que fez um enorme progresso, que está pronto a adaptar-se a uma nova situação de vida, que já conta com o restabelecimento etc. Muitas vezes isso pode ser correto, mas outras tantas vezes tais sonhos de convalescença possuem apenas o valor de sonhos de conveniência; implicam o desejo de finalmente estar são, a fim de poupar-se uma nova porção do trabalho analítico, que sentem como algo iminente. Em tal sentido, os sonhos de convalescença ocorrem muito frequentemente, por exemplo, quando o paciente vai entrar numa nova, para ele dolorosa, fase da transferência. Então ele se comporta exatamente como alguns neuróticos que após umas poucas sessões se dizem curados, pois desejam escapar a tudo de desagradável que ainda será expresso na análise. Também os neuróticos de guerra que abandonaram seus sintomas porque a terapia dos médicos militares lhes tornou a doença ainda mais incômoda do que o serviço na frente de luta — eles seguiram as mesmas premissas econômicas, e nos dois casos as curas não se revelaram duradouras.

## VI

É realmente difícil chegar a conclusões gerais acerca do valor de sonhos corretamente traduzidos. Quando no paciente há um conflito de ambivalência, um pensamento hostil que nele surge não significa certamente uma duradoura superação do impulso afetuoso, ou seja, uma resolução do conflito, e tampouco tem esse significado um sonho com o mesmo conteúdo hostil. Durante tal conflito de ambivalência, é frequente que em cada noite haja dois sonhos, cada um com a atitude oposta. O progresso consiste, então, em obter um completo isolamento dos dois impulsos contrastantes e poder acompanhar e entender cada qual até seu extremo, com a ajuda de seus fortalecimentos inconscientes. Às vezes um dos dois sonhos ambivalentes é esquecido, então não devemos nos deixar enganar e supor que foi tomada a decisão em favor de um lado. O esquecimento de um dos sonhos mostra, é verdade, que no momento aquela orientação predomina, mas isso vale apenas para aquele dia, podendo mudar. A noite seguinte talvez apresente em primeiro plano a manifestação oposta. O verdadeiro estado do conflito pode ser determinado apenas considerando-se todas as outras indicações, inclusive as da vida desperta.

## VII

A questão do valor a se atribuir aos sonhos liga-se estreitamente à de que possam ser influenciados pela "sugestão" do médico. Talvez o analista se espante inicialmente, ao ouvir falar dessa possibilidade; se refletir um pouco mais, no entanto, esse espanto dará lugar à compreensão de que influir nos sonhos do paciente não é, para o analista, infortúnio ou vergonha maior do que dirigir seus pensamentos conscientes.

O fato de o conteúdo manifesto do sonho ser influenciado pelo tratamento analítico não necessita ser demonstrado. É consequência da percepção de que os sonhos se ligam à vida desperta e elaboram incitações que vêm dela. Naturalmente, o que sucede na terapia analítica faz parte das impressões da vida desperta, e das mais fortes entre elas. Não admira, portanto, que o paciente sonhe com coisas que o médico abordou com ele e acerca das quais despertou expectativas nele. Não é de admirar mais, em todo caso, do que o que se acha no conhecido fato dos sonhos "experimentais".*

* Referência a duas passagens da *Interpretação dos sonhos*: cap. v, parte A, nota acrescentada em 1919 sobre experimentos de O. Pötzl com o material envolvido na formação de sonhos, e cap. vi, parte E, seção xii, sobre experimentos de K. Schrötter com o simbolismo sexual dos sonhos.

Em seguida, nosso interesse contempla a questão de saber se também os pensamentos oníricos latentes a serem dilucidados pela interpretação podem ser influenciados, sugeridos pelo analista. Outra vez a resposta deve ser: Evidentemente sim, pois uma parte desses pensamentos oníricos latentes corresponde a formações de pensamento pré-conscientes, totalmente capazes de se tornar conscientes, com que o sonhador poderia reagir às observações do médico também estando acordado — as réplicas do paciente indo ao encontro ou contrariamente a essas observações. Pois se substituímos o sonho pelos pensamentos oníricos que contém, a questão de em que medida podemos sugerir os sonhos coincide com outra mais ampla: de até onde o paciente em análise é acessível à sugestão.

Quanto ao mecanismo da formação dos sonhos em si, ao trabalho do sonho propriamente, nele jamais chegamos a influir; disso podemos ter certeza.

Além da porção que discutimos, os pensamentos oníricos pré-conscientes, cada autêntico sonho contém indícios dos desejos reprimidos a que deve a possibilidade de sua formação. Um cético dirá que eles aparecem no sonho porque o sonhador sabe que deve apresentá-los, que o psicanalista os aguarda. O psicanalista mesmo pensará de modo diferente, e com razão.

Quando o sonho traz situações que podem ser interpretadas como se referindo a cenas do passado do sonhador, parece particularmente relevante a questão de se teria havido influência médica nesses conteúdos oníricos. Essa questão é mais premente nos sonhos chamados *confirmadores*, que "seguem atrás" da análise. Em alguns pacientes são os únicos que obtemos. Tais pacientes reproduzem as vivências esquecidas de sua infância apenas depois que as "construímos" a partir de sintomas, pensamentos espontâneos e alusões, e as comunicamos a eles. Disso resultam os sonhos confirmadores, em relação aos quais há a dúvida de que tenham valor comprobatório, pois podem haver sido fantasiados por instigação do médico, em vez de trazidos à luz desde o inconsciente do sonhador. Não é possível evitar essa situação ambígua na análise, pois quando não interpretamos, "construímos" e comunicamos, no caso desses pacientes, jamais obtemos acesso ao que neles é reprimido.

As coisas ficam mais favoráveis quando a análise de um desses sonhos confirmadores, que "seguem atrás", é imediatamente acompanhada por uma sensação de recordar o que até então foi esquecido.

O cético ainda tem a saída de afirmar que seriam ilusões de lembranças. Além disso, em geral tais sensações de recordar não se apresentam. Deixa-se passar apenas aos poucos o material reprimido, e toda lacuna inibe ou atrasa o estabelecimento de uma convicção. Também pode se tratar não da reprodução de um evento real esquecido, mas da apresentação de uma fantasia inconsciente, em relação à qual nunca se espera uma sensação de recordar, embora seja possível uma sensação de convicção subjetiva.

Os sonhos confirmadores podem realmente ser consequência da sugestão, isto é, sonhos "obsequiadores"? Os pacientes que trazem apenas sonhos confirmadores são os mesmos nos quais a dúvida tem o papel de resistência principal. Não tentamos calar essa dúvida com a nossa autoridade ou fulminá-la com argumentos. Ela deve permanecer, até que se resolva no prosseguimento da análise. Também o analista pode manter uma dúvida assim em determinados casos. O que lhe dá segurança, por fim, é justamente a complicação da tarefa que tem à frente, comparável à solução de um desses jogos infantis chamados "quebra-cabeças". Neles há um desenho colorido, colado a uma fina tábua de madeira e inserido numa moldura, que se acha dividido em muitos pedaços de contornos sinuosos. Se conseguimos ordenar o amontoado de fragmentos, cada um dos quais mostrando um pedaço incompreensível do desenho, de modo que a imagem adquira um sentido, não haja nenhum espaço vazio e o conjunto preencha a moldura, então sabemos que a solução do quebra-cabeças foi encontrada e que não existe outra.

Uma comparação desse tipo, é claro, nada pode significar para o paciente enquanto o trabalho da análise não é completado. Lembro-me da discussão que fui levado a ter com um analisando cuja atitude excepcionalmente ambivalente se expressava na mais extrema dúvida compulsiva. Ele não contestava as interpretações de seus sonhos e estava bastante impressionado com o fato de eles se harmonizarem com as minhas conjecturas. Mas perguntava se aqueles sonhos confirmadores não poderiam ser expressão de sua docilidade em relação a mim. Quando mostrei que aqueles sonhos também traziam bom número de pormenores que eu não podia suspeitar, e que sua conduta na terapia não evidenciava exatamente docilidade, ele mudou para outra teoria e perguntou se o seu desejo narcísico de ficar são não poderia tê-lo ensejado a produzir tais sonhos, já que eu lhe havia acenado com a perspectiva de cura se ele fosse capaz de aceitar minhas construções. Pude responder apenas que ainda não havia deparado com tal mecanismo de formação dos sonhos, mas a resolução veio por outro caminho. Ele se lembrou de sonhos que tivera antes de começar a análise, antes mesmo que soubesse alguma coisa acerca dela, e a análise desses sonhos imunes à suspeita de sugestão trouxe as mesmas interpretações que a dos mais recentes. Sua obsessão em contradizer ainda achou outra saída, a de que os sonhos anteriores seriam menos nítidos do que os tidos durante o tratamento, mas a mim bastou-me a concordância entre eles. Acho bom nos lembrarmos ocasionalmente que as pessoas já costumavam sonhar antes que existisse psicanálise.

## VIII

Bem pode ser que os sonhos ocorridos durante uma análise consigam revelar mais amplamente o reprimido do que os sonhos tidos fora da situação analítica. Mas isso não pode ser provado, já que as duas situações não são comparáveis; o emprego de sonhos na análise é algo distante do propósito original deles. Por outro lado, não pode haver dúvida de que numa análise há muito mais material reprimido que vem à luz juntamente com os sonhos do que recorrendo-se a outros métodos. Deve haver um motor por trás dessa maior produção, uma força inconsciente que seja mais capaz de favorecer as intenções da análise durante o sono do que em outras ocasiões. Ora, dificilmente podemos invocar outro fator que não a docilidade do paciente em relação ao analista, oriunda do complexo parental — ou seja, a parte positiva do que denominamos "transferência"; e, de fato, em muitos sonhos que trazem material esquecido e reprimido não logramos descobrir nenhum outro desejo inconsciente a que se pudesse atribuir a força motriz para a formação do sonho. Portanto, se alguém quiser afirmar que a maioria dos sonhos aproveitáveis na análise é de sonhos "obsequiadores" e que devem sua origem à sugestão, do ponto de vista da teoria psicanalítica não há o que objetar a isso. Apenas remeterei ao que disse nas *Conferências introdutórias à psicanálise* [1916-7, conferência 28], em que lido com a relação entre transferência e sugestão e mostro como a confiabilidade de nossos resultados é pouco afetada pelo reconhecimento do efeito da sugestão, tal como a entendemos.

Em *Além do princípio do prazer* abordei o problema econômico de como vivências desagradáveis do primeiro período sexual infantil podem ter êxito em chegar a algum tipo de reprodução. Tive que atribuir-lhes, na forma de uma "compulsão à repetição", um impulso para cima* extraordinariamente forte, capaz de superar a repressão que — a serviço do princípio do prazer —

* "Impulso para cima": tradução que aqui se deu a *Auftrieb*, composto de *Trieb* mais o prefixo *auf*, que indica movimento para cima; as versões estrangeiras consultadas recorreram a: *pujanza de afloramiento*, *pulsión ascensional*, *spinta ascensionale*, *upward drive*.

pesa sobre elas; mas não antes que "o trabalho terapêutico, vindo-lhe ao encontro, afrouxe a repressão".* Devemos acrescentar que a transferência positiva presta essa ajuda à compulsão à repetição. Nisso chega-se a uma aliança entre a terapia e a compulsão à repetição, que inicialmente se dirige contra o princípio do prazer, mas em última instância visa estabelecer o domínio do princípio da realidade. Conforme expus ali, sucede frequentemente que a compulsão à repetição se libere dos compromissos dessa aliança e não se contente com o retorno do reprimido em forma de imagens oníricas.

## IX

Até onde vejo atualmente, os sonhos das neuroses traumáticas são a única exceção real da tendência à satisfação de desejos presente nos sonhos, e os sonhos de castigo, a única exceção aparente. Nesses últimos ocorre o fato notável de que realmente nada que faz parte dos pensamentos oníricos latentes é incluído no conteúdo onírico manifesto; em seu lugar aparece algo muito diferente, que deve ser caracterizado como formação reativa aos pensamentos oníricos, como rejeição e total contradição a eles. Uma tal interferência no sonho pode vir apenas da instância crítica do Eu, e temos de supor que essa, provocada pela inconsciente realização do desejo, também se restabelece temporariamente durante o

* *Além do princípio do prazer*, cap. III (1920).

sono. Ela também poderia reagir a esse conteúdo onírico indesejado com o despertar do sonhador, mas encontra na formação do sonho de castigo uma maneira de evitar a interrupção do sono.

Assim, por exemplo, nos conhecidos sonhos do poeta Rosegger, que discuto na *Interpretação dos sonhos*, é de supor a existência de um texto suprimido, de conteúdo arrogante e jactancioso, mas o sonho apenas lhe diz: "Você é um mau aprendiz de alfaiate". Não faria sentido, naturalmente, buscar um desejo reprimido como força motriz desse sonho manifesto; é preciso contentar-se com a realização de desejo da autocrítica.

A estranheza ante uma construção onírica desse tipo é atenuada se lembramos como é frequente a deformação onírica a serviço da censura substituir um elemento particular por algo que lhe seja oposto ou contrário em algum sentido. Daí é breve o caminho até a substituição de uma porção característica do conteúdo onírico por algo que a contradiz de forma defensiva, e com mais um passo temos a substituição de todo o conteúdo onírico escandaloso pelo sonho de castigo. Darei um ou dois exemplos dessa fase intermediária no falseamento do conteúdo manifesto.

Eis parte do sonho de uma garota com forte fixação no pai, que tem dificuldade em se expressar na análise. Ela está sentada no aposento com uma amiga, vestindo apenas um quimono. Entra um senhor que a faz sentir-se incomodada. Mas ele diz: "Esta é a garota que já vimos uma vez, belamente vestida". — Este senhor sou eu; voltando mais atrás, é o pai. Nada podemos fazer com o sonho, até que nos decidimos a trocar o elemento mais importante na fala do senhor pelo seu contrário: "Esta é a garota que já vi uma vez, *despida* e muito bonita". Quando tinha três ou quatro anos de idade, ela dormiu no mesmo aposento do pai por algum tempo, e tudo indica que costumava descobrir-se enquanto dormia, para agradar ao pai. A subsequente repressão de seu prazer exibicionista é que agora motiva sua reticência na terapia, seu desagrado em se mostrar.

Eis outra cena do mesmo sonho. Ela está lendo seu próprio caso clínico, em forma impressa. Ali se acha que "um homem jovem mata sua namorada... cacau... isso é parte do erotismo anal". Essa frase é um pensamento que ela tem, no sonho, ao surgir a palavra "cacau".* — A interpretação desse trecho do sonho é mais difícil que a do anterior. Ficamos sabendo, enfim, que antes de dormir ela leu a "História de uma neurose infantil" ["O homem dos lobos", 1918], em cujo centro se acha a observação real ou fantasiada de um coito dos pais do paciente. Essa história clínica ela já relacionou à sua própria pessoa antes, e este não é o único indício de que também no seu caso devemos considerar a possibilidade de tal observação. O homem jovem que mata a namorada é então uma nítida referência à visão sádica da cena do coito, mas o elemento seguinte, o cacau, afasta-se bastante disso. Ao cacau ela associa apenas o que sua mãe costuma dizer, que ele dá dor de cabeça, e de outras mulheres ela diz ter ouvido a mesma coi-

* Em alemão, *Kakao* pode lembrar *Kaka*, que significa "cocô".

sa. Aliás, durante algum tempo ela se identificou com a mãe por causa justamente dessas dores de cabeça. O único vínculo que posso achar entre os dois elementos do sonho está na suposição de que ela deseja escapar às inferências da observação do coito. Não, isso nada tem a ver com a geração de crianças. Elas vêm de alguma coisa que se come (como nas fábulas); e a menção do erotismo anal, que parece uma tentativa de interpretação no sonho, completa a teoria infantil a que recorre, acrescentando-lhe o nascimento anal.

## X

Às vezes ouvimos expressões de espanto pelo fato de o Eu do sonhador aparecer duas ou três vezes no sonho manifesto, uma vez como sua própria pessoa e outras escondido atrás de outras pessoas. Durante a formação do sonho, a elaboração secundária buscou evidentemente eliminar essa multiplicidade do Eu, que não se adequa a nenhuma situação cênica; mas ela é restabelecida pelo trabalho de interpretação. Em si, ela não é mais notável que a múltipla aparição do Eu num pensamento diurno, desperto, sobretudo quando o Eu se divide em sujeito e objeto, contrapõe-se a outra parte sua, como instância observadora e crítica, ou compara seu ser atual a um passado, lembrado, que um dia também foi Eu. Isso ocorre nas seguintes frases, por exemplo: "Quando *eu* penso no que *eu* fiz a esta pessoa", "Quando *eu* penso que *eu* também já fui criança". No entanto, gostaria de rejeitar como especulação vazia e não justificada a ideia de que todas as pessoas que aparecem num sonho seriam divisões e representantes do próprio Eu. Basta nos atermos ao fato de que a separação entre o Eu e uma instância observadora, crítica, punitiva (ideal do Eu) deve ser considerada também na interpretação de sonhos.

# ALGUNS COMPLEMENTOS À INTERPRETAÇÃO DOS SONHOS (1925)

TÍTULO ORIGINAL: "EINIGE NACHTRÄGE ZUM GANZEN DER TRAUMDEUTUNG". PUBLICADO PRIMEIRAMENTE EM *GESAMMELTE SCHRIFTEN* III, PP. 172-84. TRADUZIDO DE *GESAMMELTE WERKE* I, PP. 559-73 [ZUSATZ ZUM XIV. BANDE [SUPLEMENTO AO VOLUME XIV]).

## A. OS LIMITES DA INTERPRETABILIDADE

Cabe perguntar se é possível dar uma tradução completa e segura de cada produto da vida onírica na linguagem da vida desperta (isto é, uma interpretação). Essa questão não será tratada de maneira abstrata, mas com referência às condições em que se faz o trabalho da interpretação de sonhos.

Nossas atividades mentais procuram ou um objetivo útil ou um ganho imediato de prazer. No primeiro caso, trata-se de decisões intelectuais, preparativos para ações ou comunicações a outras pessoas; no segundo, nós as denominamos jogo ou fantasia. Como se sabe, também o útil é apenas um rodeio para a satisfação prazerosa. Ora, sonhar é uma atividade do segundo tipo, que realmente, em termos de história da evolução, é o mais antigo. Seria errado dizer que o sonho se ocupa de tarefas iminentes da vida ou procura dar conta de problemas do trabalho diurno. Isso é atribuição do pensamento pré-consciente. Tal intenção utilitária é tão alheia ao sonho quanto o propósito de comunicar uma informação a outra pessoa. Quando um sonho lida com um problema da vida, seu modo de resolvê-lo corresponde ao de um desejo irracional, não ao de uma reflexão ponderada. Apenas uma intenção utilitária, uma função, pode ser atribuída ao sonho: a de evitar a perturbação do sono. Podemos caracterizá-lo como uma porção de fantasia a serviço da preservação do sono.

Segue-se que para o Eu que dorme é indiferente, no conjunto, o que durante a noite é sonhado, desde que o sonho realize sua incumbência, e que os sonhos de que nada sabemos dizer após despertar são aqueles que melhor cumpriram sua função. Se frequentemente sucede o contrário, se lembramos os sonhos — até durante anos e decênios —, isto sempre significa uma irrupção do inconsciente reprimido no Eu normal. Sem esta compensação, o reprimido não prestaria sua ajuda para eliminar a ameaça de perturbação do sono. Sabemos que é o fato dessa irrupção que confere ao sonho sua importância para a psicopatologia. Se conseguimos desvendar o motivo que o impele, obtemos insuspeitada informação sobre os impulsos reprimidos no inconsciente; por outro lado, se desfazemos suas deformações, espreitamos o pensamento pré-consciente em estados de concentração* interior, que não teriam atraído para si a consciência durante o dia.

Ninguém pode exercer a interpretação de sonhos como prática isolada; ela é parte do trabalho analítico. Nele dirigimos nosso interesse, conforme a necessidade, ora para o conteúdo pré-consciente do sonho, ora para a contribuição inconsciente à sua formação, e frequentemente negligenciamos um desses elementos em favor do outro. E em nada adiantaria se alguém se pusesse a interpretar sonhos fora da análise. Tal pessoa não escaparia às condições da situação analítica e, ao

* "Concentração": *Sammlung* — nas versões consultadas: *concentración*, *recogimiento*, *concentrazione*, *reflection*.

trabalhar seus próprios sonhos, estaria realizando sua autoanálise. Essa observação não vale para aquele que renuncia à colaboração do sonhador e busca interpretar sonhos por compreensão intuitiva. Mas uma interpretação desse tipo, que não leva em conta as associações do sonhador, ainda é, no melhor dos casos, um virtuosismo não científico de valor duvidoso.

Se se pratica a interpretação de sonhos conforme o único procedimento técnico justificável, logo se percebe que o êxito depende cabalmente da tensão que a resistência cria entre o Eu desperto e o inconsciente reprimido. O trabalho sob "alta pressão de resistência" requer do analista, como expliquei em outra ocasião,* uma conduta diferente daquele sob pequena pressão. Na análise é preciso lidar, por longos períodos, com fortes resistências que ainda não são conhecidas e que, de todo modo, não podem ser superadas enquanto permanecem desconhecidas. Não é de admirar, portanto, que possamos traduzir e utilizar apenas certa parte dos produtos oníricos de um paciente, e mesmo ela de forma geralmente incompleta. Ainda que mediante a prática cheguemos a compreender muitos sonhos em cuja interpretação o sonhador teve pouca participação, não devemos jamais esquecer que a certeza dessa interpretação é discutível, e hesitaremos em impor nossa conjectura ao paciente.

Neste ponto será levantada a seguinte objeção: se não é possível interpretar todos os sonhos com que tra-

* Cf. "Observações sobre a teoria e a prática da interpretação de sonhos", seção II, neste volume.

balhamos, tampouco devemos afirmar mais do que o que podemos sustentar, contentando-nos em dizer que alguns sonhos a interpretação demonstra terem sentido, mas acerca de outros não sabemos. No entanto, justamente o fato de o sucesso da interpretação depender da resistência dispensa de tal modéstia o analista. Ele pode ter a experiência de um sonho inicialmente incompreensível tornar-se claro na mesma sessão ainda, depois que um diálogo feliz logrou eliminar uma resistência do sonhador. De repente ocorre a este um pedaço de sonho esquecido, que traz a chave para a interpretação, ou surge uma nova associação, com cujo auxílio a obscuridade se desfaz. Também acontece de, após meses e anos de empenho analítico, retornarmos a um sonho que no começo do tratamento parecia absurdo e incompreensível e que, graças às percepções* desde então obtidas, é completamente elucidado. E se acrescentamos um argumento da teoria dos sonhos, de que as exemplares produções oníricas infantis são sempre dotadas de sentido e facilmente interpretáveis,

* "Percepções": tradução dada a *Einsichten* no presente contexto. O substantivo alemão é cognato do verbo *einsehen*, formado de *sehen*, "ver", e do prefixo *ein*, que indica movimento para dentro, e normalmente os dicionários bilíngues trazem os seguintes equivalentes para ele: "inspeção, conhecimento, exame, compreensão, penetração, inteligência". Em vários sentidos ele corresponde ao inglês *insight*. Com exceção do argentino, que sempre usa *intelecciones* (!) como equivalente dessa palavra, os tradutores consultados (inclusive o inglês) recorreram aqui a "conhecimentos", que nos parece positivo demais; cf. notas à tradução do termo em "O uso da interpretação dos sonhos na psicanálise" (1911) e "O inconsciente" (1915), parte VII.

então será justificada a afirmação de que o sonho é, de maneira bastante geral, uma formação psíquica passível de interpretação, embora nem sempre a situação permita que se dê uma interpretação.

Uma vez encontrada a interpretação de um sonho, nem sempre é fácil decidir se ela é "completa", ou seja, se outros pensamentos pré-conscientes não acharam também expressão no mesmo sonho. Deve-se considerar provado o sentido que pode ser referido aos pensamentos espontâneos do sonhador e à nossa avaliação da situação, sem que possamos rejeitar outro sentido por isso, no entanto. Este continua sendo possível, embora não provado; é preciso que nos habituemos ao fato de um sonho poder admitir significados diversos. De resto, isso nem sempre pode ser imputado a uma incompletude do trabalho de interpretação, também pode ser inerente aos próprios pensamentos oníricos latentes. Ocorre igualmente na vida diurna, fora da situação de interpretar sonhos, que fiquemos incertos se algo que ouvimos, uma informação que recebemos, admite essa ou aquela significação, alude a alguma coisa além de seu sentido evidente.

Foram muito pouco investigados os casos interessantes em que o mesmo conteúdo onírico manifesto dá expressão simultânea a um conjunto de ideias concretas e uma série de pensamentos abstratos que se apoia naquele. Naturalmente, o trabalho do sonho tem dificuldade em achar meios para representar pensamentos abstratos.

## B. A RESPONSABILIDADE MORAL PELO CONTEÚDO DOS SONHOS

No capítulo introdutório deste livro ("A literatura científica sobre os problemas do sonho") expus a maneira como os autores reagem ao fato, sentido como embaraçoso, de o conteúdo desbragado dos sonhos frequentemente contrariar a sensibilidade moral do sonhador. (Evito deliberadamente falar de sonhos "criminosos", pois essa designação, que ultrapassa os limites do interesse psicológico, parece-me completamente dispensável.) A natureza imoral dos sonhos forneceu, compreensivelmente, um novo motivo para negar o valor psíquico do sonho: se ele é o produto sem sentido de uma atividade psíquica perturbada, não há por que assumir responsabilidade pelo seu conteúdo aparente.

Esse problema da responsabilidade pelo conteúdo onírico manifesto foi profundamente modificado, até mesmo eliminado pelos esclarecimentos da *Interpretação dos sonhos*.

Sabemos agora que o conteúdo manifesto é uma aparência, uma fachada. Não vale a pena submetê-lo a um exame ético, levar suas infrações da moral mais a sério que as da lógica e da matemática. Ao falar de "conteúdo" dos sonhos, só podemos nos referir ao conteúdo dos pensamentos pré-conscientes e do desejo reprimido, que o trabalho de interpretação revela por trás da fachada do sonho. Entretanto, ainda essa fachada imoral nos coloca uma questão. Vimos que os pensamentos oníricos latentes têm de passar por uma rigorosa censura, antes que lhes seja permitido o acesso ao conteúdo manifesto. Como pode então suceder que essa censura, que faz reparos a coisas mais insignificantes, falhe de maneira tão completa perante os sonhos manifestamente imorais?

Não é fácil encontrar a resposta, e talvez ela não se mostre completamente satisfatória. Inicialmente será preciso submeter esses sonhos à interpretação, e depois se verá que alguns deles não ofenderam a censura, pois no fundo nada significam de ruim. São bravatas inócuas, identificações com uma máscara pretensiosa; não foram censurados, pois não dizem a verdade. Mas outros — a maioria, admitamos — significam realmente o que apregoam, não sofreram deformação pela censura. São expressão de impulsos imorais, incestuosos e perversos, ou de desejos sádicos, homicidas. O sonhador reage a muitos desses sonhos despertando angustiado; nesse caso, a situação já não é obscura para nós. A censura negligenciou sua tarefa, isso foi notado tardiamente, e a geração de angústia é o sucedâneo para a deformação não ocorrida. Em outros exemplos desses sonhos, mesmo essa expressão de afeto está ausente. O conteúdo chocante é sustentado pela forte excitação sexual alcançada no sonho, ou goza da tolerância que mesmo a pessoa desperta pode ter em relação a um ataque de raiva, um estado de aborrecimento, um regalar-se em fantasias cruéis.

Mas nosso interesse pela gênese desses sonhos manifestamente imorais decresce muito quando vemos, a partir da análise, que a maioria dos sonhos — inofensivos, sem afetos e angustiados — se revela, quando são desfeitas as deformações da censura, como satisfação de desejos imorais — egoístas, sádicos, perversos, incestuosos. Tal como no mundo da vida desperta, esses delinquentes disfarçados são bem mais numerosos que os de rosto descoberto. O sonho direto e franco de relação sexual com a mãe, que Jocasta menciona em *Édipo rei*, é uma raridade em comparação com todos os diversos sonhos que a psicanálise tem de interpretar no mesmo sentido.

Dessa característica dos sonhos — que constitui o motivo da deformação onírica — já tratei tão minuciosamente neste livro,* que posso de imediato passar ao problema à nossa frente: Deve-se assumir a responsabilidade pelos próprios sonhos? Acrescentemos que os sonhos não trazem sempre satisfações de desejos imorais, mas também, com frequência, reações enérgicas a eles, na forma de "sonhos de castigo". Em outras palavras, a censura onírica pode não apenas se manifestar em deformações e no desenvolvimento de angústia, mas chegar ao ponto de eliminar inteiramente o conteúdo imoral e substituí-lo por outro que sirva de expiação, no qual aquele ainda seja reconhecido, porém. O problema da responsabilidade pelo conteúdo onírico imoral não existe para nós tal como antes existia para os autores que nada sabiam sobre pensamentos oníricos latentes e sobre o reprimido em nossa psique. É claro que a pessoa tem de se considerar responsável pelos impulsos maus de seus sonhos. Que outra atitude se poderia ter para

* Referência à *Interpretação dos sonhos*, pois Freud pensava em inserir o texto nesse livro, o que afinal não aconteceu.

com eles? Se o conteúdo onírico — corretamente entendido — não é inspirado por outros espíritos, então é parte de meu ser. Se procuro classificar como boas e más as tendências que em mim se encontram, segundo critérios sociais, então devo ter responsabilidade pelos dois tipos; e se digo, defendendo-me, que o que em mim é desconhecido, inconsciente e reprimido não é meu "Eu", então não me acho no terreno da psicanálise, não aceitei suas explicações e podem me abrir os olhos a crítica de meus semelhantes, a confusão de meus sentimentos e os distúrbios em meus atos. Posso aprender que o que estou negando não apenas "é" dentro de mim, mas ocasionalmente "atua" também a partir de mim.

No sentido metapsicológico, porém, esse material reprimido mau não pertence a meu "Eu" — caso eu seja uma pessoa moralmente inatacável —, e sim a um "Id" sobre o qual se acha meu Eu. Mas esse Eu se desenvolveu a partir do Id, forma com ele uma unidade biológica, é apenas uma parte especialmente modificada e periférica dele, está sujeito às influências e obedece às incitações que vêm dele.

Além disso, caso eu cedesse à minha altivez moral e decretasse que em toda avaliação ética posso menosprezar o mau no Id e não preciso tornar meu Eu responsável por ele, de que me adiantaria isso? A experiência me mostra que eu realmente o torno responsável, que de alguma forma sou compelido a fazê-lo. A psicanálise nos fez conhecer uma condição patológica, a neurose obsessiva, em que o pobre Eu se sente culpado por todo tipo de impulsos maus de que nada sabe, que lhe são recriminados na consciência, mas que ele não pode absolutamente reconhecer. Um pouco disso se acha em todo indivíduo normal. Curiosamente, sua "consciência"* é tanto mais sensível quanto mais moral ele é. Pode-se dizer, como equivalente disso, que uma pessoa é tanto mais "enfermiça", tanto mais suscetível a infecções e efeitos de traumas, quanto mais é saudável. Isso provavelmente decorre do fato de a consciência mesma ser uma formação reativa ao mau que é percebido no Id. Quanto mais forte é a supressão dele, mais viva é a consciência moral.

O narcisismo ético do ser humano deveria contentar-se em saber que a deformação onírica, os sonhos angustiados e de castigo lhe trazem provas inequívocas de sua natureza moral, exatamente como a interpretação de sonhos lhe oferece testemunhos da existência e da força de sua natureza má. Quem, não satisfeito com isso, quer ser "melhor" do que como é feito, que experimente se na vida chega a ir além da hipocrisia ou da inibição.

O médico deixa para o jurista a tarefa de construir, para fins sociais, uma responsabilidade artificialmente limitada ao Eu metapsicológico. Todos sabemos como é difícil tirar dessa construção consequências práticas que não se achem em desarmonia com os sentimentos humanos.

* O termo alemão, aqui e no resto do parágrafo, é *Gewissen*, que denota a consciência moral — diferentemente de *Bewußsein*, que é o estado de consciência. As aspas estão no original.

# C. O SIGNIFICADO OCULTISTA DOS SONHOS

Se os problemas da vida onírica parecem não ter fim, isto surpreenderá apenas quem esquecer que todos os problemas da vida psíquica reaparecem também no sonho, acrescidos de alguns novos, relativos à natureza especial dos sonhos. Entretanto, muitas das coisas que estudamos nos sonhos, porque neles se apresentam, pouco ou nada têm a ver com essa particularidade psíquica. O simbolismo, por exemplo, não é um problema dos sonhos, mas um tema ligado a nosso pensamento arcaico, nossa "língua fundamental", na ótima expressão do paranoico Schreber,* e domina tanto os mitos e os rituais religiosos como os sonhos; está longe de ser exclusividade do simbolismo onírico ocultar sobretudo o que tem significação sexual! Também não se espera que o sonho angustiado receba explicação pela teoria dos sonhos, a angústia é antes um problema da neurose, restando apenas discutir como pode surgir nas condições do sonho.

Acho que não é diferente no que toca à relação entre os sonhos e os pretensos fatos do mundo oculto. Mas, como os sonhos mesmos sempre foram algo misterioso, foram postos em conexão íntima com esses outros mistérios. E provavelmente tinham um direito histórico a isso, pois nos tempos primevos, quando se formou nos-

* Cf. "Observações psicanalíticas sobre um caso de paranoia" ("O caso Schreber", 1911), seção 1.

sa mitologia, as imagens oníricas podem ter desempenhado um papel na gênese da ideia de almas.

Supõe-se haver duas categorias de sonhos que se incluiriam entre os fenômenos ocultos: os proféticos e os telepáticos. Fala em favor de ambas uma verdadeira multidão de testemunhas, e contra elas a obstinada aversão — ou, caso se prefira, o preconceito — da ciência.

Não há dúvida de que existem sonhos proféticos, no sentido de que seu conteúdo traz alguma representação do futuro, mas a questão é se tais predições coincidem de alguma forma notável com o que depois realmente sucede. Confesso que nesse caso a intenção de imparcialidade me abandona. A ideia de que seja possível, para alguma operação psíquica, exceto o cálculo inteligente, prever acontecimentos futuros específicos, contraria totalmente as expectativas e atitudes da ciência e corresponde muito fielmente a antiquíssimos e bem familiares desejos humanos, que a crítica tem de rejeitar como injustificadas pretensões. Acho, então, que se juntamos a inconfiabilidade, ingenuidade e inverossimilhança da maioria dos relatos com a possibilidade de equívocos de lembrança facilitados por afetos e a inevitabilidade de alguns acertos ocasionais, é provável que o espectro dos sonhos proféticos verídicos se dissolva em nada. Pessoalmente jamais vivenciei ou tive conhecimento de algo que pudesse criar uma atitude mais favorável.

É diferente o caso dos sonhos telepáticos. Mas registremos, antes de tudo, que até agora ninguém afirmou que o fenômeno telepático — a recepção por uma pessoa de um evento* psíquico de outra, por outra via que não a da percepção sensorial — está relacionado exclusivamente ao sonho. Assim, também a telepatia não é um problema do sonho; o julgamento acerca de sua existência não precisa recorrer ao estudo dos sonhos telepáticos.

Se submetemos os relatos sobre acontecimentos telepáticos (em termos mais imprecisos: transmissão de pensamentos) à mesma crítica com que rechaçamos outras afirmações ocultistas, ainda temos um material considerável, que não podemos ignorar facilmente. E nesse âmbito há maior possibilidade de reunir observações e experiências próprias que justifiquem uma postura favorável ao problema da telepatia, embora não bastem para produzir uma convicção segura. Formamos provisoriamente a opinião de que pode ser que a telepatia realmente exista e constitua o cerne de verdade de muitas outras afirmativas, que de outra forma seriam inacreditáveis.

É certamente correto, também na questão da telepatia, defender obstinadamente uma posição cética e render-se de má vontade ao poder das provas. Eu acredito haver encontrado um material que está isento da maioria das objeções normalmente admissíveis: as profecias não cumpridas de videntes profissionais. Infelizmente disponho apenas de algumas dessas observações,

* "Evento": versão dada a *Vorgang* nesse contexto. O substantivo alemão é geralmente traduzido por "processo" em textos teóricos, mas significa também "aquilo que ocorre", conforme seu verbo cognato, *vorgehen* (literalmente "ir adiante", "proceder"); nas versões consultadas se acha "processo", exceto na italiana, que também preferiu "evento".

mas duas delas produziram forte impressão em mim. Não posso comunicá-las minuciosamente, de modo que tivessem efeito semelhante em outras pessoas. Devo limitar-me a focalizar alguns pontos essenciais.

Em suma, foi predito para certas pessoas — num lugar que não lhes era conhecido, por um vidente que também não conheciam, que fazia algum ritual, provavelmente sem maior relevância — que algo lhes aconteceria em determinado tempo, o que *não* sucedeu. A época de cumprimento da profecia tinha passado havia muito. Era digno de nota que as pessoas em questão relatassem a experiência não com zombaria ou desapontamento, mas com evidente satisfação. Nas profecias que escutaram achavam-se pormenores específicos, aparentemente arbitrários e incompreensíveis, que teriam se justificado apenas com sua realização. Assim, o quiromante disse a uma mulher de 27 anos, mas que parecia bem mais jovem e havia retirado o anel de matrimônio, que ela se casaria e teria dois filhos antes de completar 32 anos. Ela tinha 43 quando, tendo adoecido gravemente, contou-me esse episódio na análise; ela não teve filhos. Conhecendo-se a sua história particular, que o "professor" consultado no hall do hotel parisiense certamente não conhecia, podia-se compreender os dois números da profecia. Jovem, ela se casara depois de uma ligação extraordinariamente forte com o pai e desejara ardentemente ter filhos, para poder pôr o marido no lugar do pai. Após anos de decepção, à beira de uma neurose, ela obteve a predição, que lhe prometia... o destino de sua mãe. Pois esta sim, tivera dois filhos antes dos 32 anos.

Assim, apenas com a ajuda da psicanálise foi possível dar uma interpretação significativa das peculiaridades de uma mensagem supostamente vinda de fora. Mas então não se podia explicar melhor todo o evento, tão inequivocamente determinado, do que pela suposição de que um forte desejo da mulher — na verdade, o mais forte desejo inconsciente de sua vida afetiva e o motor de sua neurose incipiente — se teria dado a conhecer ao vidente por transmissão direta, estando ele ocupado com ações que lhe tomavam a atenção.*

Também com experimentos em círculos íntimos, em várias ocasiões, tive a impressão de que recordações fortemente afetivas podem ser transmitidas sem maior dificuldade. Ousando-se submeter à indagação analítica as associações da pessoa a quem se espera que será transmitido algo, frequentemente aparecem concordâncias que de outro modo ficariam inadvertidas. Com base em diversas experiências, tendo a concluir que tais transmissões ocorrem sobretudo no momento em que uma ideia emerge do inconsciente; em termos teóricos, quando passa do "processo primário" ao "processo secundário".

Não obstante a cautela requerida pela importância, novidade e obscuridade do tema, achei que não mais se justificava guardar estas considerações sobre o problema da telepatia. A única relação que existe entre essas coisas e o sonho é a seguinte. Se existem mensagens telepáticas, não se deve excluir a possibilidade de que alcancem também aquele que sonha e sejam apreendidas

* Cf. "Psicanálise e telepatia" (1921), seção I.

por ele no sonho. Mais ainda: em analogia com outro material relativo à percepção e ao pensamento, também não se pode excluir que as mensagens telepáticas recebidas durante o dia sejam processadas apenas no sonho da noite seguinte. Então não seria uma objeção que o material comunicado telepaticamente fosse transformado e remodelado no sonho como qualquer outro. Bem gostaríamos de ter, com o auxílio da psicanálise, mais e melhores conhecimentos acerca da telepatia.

# JOSEF POPPER-LYNKEUS E A TEORIA DOS SONHOS (1923)

TÍTULO ORIGINAL: "JOSEF POPPER-LYNKEUS UND DIE THEORIE DES TRAUMES". PUBLICADO PRIMEIRAMENTE EM *ALLGEMEINE NÄHRPFLICHT* (VIENA), N. 6. TRADUZIDO DE *GESAMMELTE WERKE* XIII, PP. 357-9.

Há muita coisa interessante a se dizer sobre a suposta originalidade científica. Quando surge uma nova ideia na ciência, que primeiramente é considerada uma descoberta e via de regra também é combatida por isso, logo depois a investigação objetiva demonstra que ela não é propriamente uma novidade. Em geral, já foi feita repetidamente e depois esquecida, com frequência em épocas distanciadas uma da outra. Ou ao menos teve precursores, foi vagamente presumida ou imperfeitamente enunciada. Isso é bastante conhecido, não requer maior atenção nossa.

Mas também o lado subjetivo da originalidade merece consideração. Um homem de ciência pode se perguntar de onde vêm as ideias que lhe são peculiares, por ele aplicadas ao seu material. No tocante a uma parte delas ele achará, sem muito refletir, as incitações a que elas remontam, as indicações que ele tomou de outros estudiosos, modificou e desenvolveu de forma consequente. Com relação a outra parte de suas ideias ele não poderá fazer uma admissão desse tipo, terá de supor que esses pensamentos e pontos de vista se originaram — ele não sabe como — de seu próprio pensar, e neles se fundamenta sua reivindicação de originalidade.

Uma investigação psicológica apurada limita ainda mais essa reivindicação. Revela fontes ocultas, há muito esquecidas, das quais partiu a incitação para as ideias aparentemente originais, e substitui a pretensa nova criação por um revivescimento de algo esquecido, aplicado a novo material. Não há o que lamentar nisso; afinal, não tínhamos o direito de esperar que o que é "original" fosse algo não derivável de outra coisa, indeterminável.

Desse modo, também no meu caso evaporou-se a originalidade de muitas novas ideias que empreguei na interpretação de sonhos e na psicanálise. Apenas de uma dessas ideias não conheço a procedência. Ela se tornou a chave de minha concepção dos sonhos, ajudou-me a solucionar seus enigmas, até onde podem ser atualmente solucionados. Parti do caráter estranho, confuso e insensato que apresentam muitos sonhos, e ocorreu-me que um sonho tem de ser assim porque nele luta por exprimir-se algo que tem contra si a resistência de outros poderes da psique. No sonho se agitam impulsos ocultos, que se acham em contradição com as crenças éticas e estéticas oficiais, por assim dizer, do indivíduo que sonha. Por isso ele se envergonha desses impulsos, afasta-os durante o dia, recusa-se a saber deles e, se durante a noite não consegue lhes vedar qualquer expressão, obriga-os à *deformação onírica*, em virtude da qual o conteúdo do sonho aparece confuso e insensato. Chamei de *censura onírica* o poder psíquico que leva em conta essa contradição interior e deforma os impulsos instintuais primitivos do sonho em prol das exigências convencionais ou daquelas moralmente elevadas.

Mas justamente essa parte essencial de minha teoria dos sonhos foi descoberta por Popper-Lynkeus de forma independente. Veja-se a seguinte citação de sua narrativa *Träumen wie Wachen* [Sonhar como estando acordado], de *Phantasien eines Realisten* [Fantasias de um realista, 1899], que foi escrita sem o conhecimento da "teoria dos sonhos" que tornei pública em 1900, assim como eu não conhecia então as *Fantasias* de Lynkeus:

"Sobre um homem que tem a singular característica de jamais sonhar absurdos [...]. Essa formidável característica de sonhar como se estivesse acordado se deve a suas virtudes, a sua bondade, seu senso de justiça, seu amor à verdade: é a limpidez moral de sua natureza que me faz compreender tudo em você."

"Mas se reflito bem", respondeu o outro, "eu me inclino a crer que todos são feitos como eu, e ninguém jamais sonha absurdos! Um sonho que recordamos tão claramente que depois podemos relatá-lo — que não é um sonho febril, portanto — *sempre* faz sentido. E não pode ser de outra forma! Coisas que se contradizem mutuamente não poderiam se agrupar num todo. O fato de tempo e lugar serem frequentemente embaralhados não afeta o verdadeiro conteúdo do sonho, pois certamente nenhum dos dois teve importância para seu teor essencial. Muitas vezes fazemos assim acordados também: pense nos contos de fadas, em tantas criações da fantasia plenas de sentido, das quais apenas um homem insensato diria: 'Isto é absurdo, pois é impossível!'."

"Se as pessoas sempre soubessem interpretar corretamente os sonhos, como você acaba de fazer com o meu", disse o amigo.

"Isto certamente não é tarefa simples, mas, com alguma atenção, aquele que sonha deveria sempre conseguir realizá-la. Por que geralmente não o consegue? Em vocês parece existir algo oculto nos sonhos, algo impudico de espécie particular e mais elevada, um certo sigilo em seu ser que é difícil de conceber. Por isso os seus sonhos parecem tantas vezes sem sentido, ou mesmo um contrassenso. Mas no fundo não é assim; não pode absolutamente ser assim, pois trata-se da mesma pessoa, esteja acordada ou sonhando."

Acho que o que me capacitou a descobrir a causa da deformação onírica foi minha coragem moral. No caso de Popper foi a pureza, o amor à verdade e a limpidez moral de seu ser.

# PREFÁCIOS E TEXTOS BREVES (1923-1925)

# PRÓLOGO A *RELATÓRIO SOBRE A POLICLÍNICA PSICANALÍTICA DE BERLIM*, DE MAX EITINGON*

Meu amigo Max Eitingon, que criou a Policlínica Psicanalítica de Berlim e a manteve até agora com seus próprios meios, informa, nas páginas seguintes, sobre os motivos da fundação e também sobre a organização e as realizações do Instituto. Posso apenas acrescentar, ao que foi escrito, o desejo de que em outros lugares sejam igualmente encontrados homens e associações que, seguindo o exemplo de Eitingon, deem vida a instituições semelhantes. Se a psicanálise, juntamente com sua importância científica, tem valor como método terapêutico, se é capaz de assistir indivíduos sofredores na luta pelo cumprimento das exigências da civilização, então essa ajuda também deve ser oferecida ao grande número daqueles que são pobres demais para remunerar o analista por seu penoso trabalho. Em nossa época isso constitui uma necessidade social, pois as camadas intelectuais da população, particularmente propensas à neurose, empobrecem a olhos vistos. Instituições como a Policlínica de Berlim são as únicas em condição de superar as dificuldades que geralmente se colocam para o ensino rigoroso da psicanálise. Elas possibilitam a formação de um número considerável de analistas treina-

* Título original: "Vorwort zu M. Eitingon, Bericht über die Berliner psychoanalytische Poliklinik". Publicado primeiramente na brochura com esse título, Leipzig e Viena: Internationaler Psychoanalytischer Verlag, 1928. Traduzido de *Gesammelte Werke* XIII, p. 441.

dos, cuja atividade deve ser a única garantia possível contra os danos que indivíduos ignorantes e não qualificados, sejam médicos ou leigos, infligem aos doentes.

## CARTA A LUIS LÓPEZ-BALLESTEROS Y DE TORRES*

*Siendo yo un joven estudiante, el deseo de leer el inmortal* Don Quijote *en el original cervantino me llevó a aprender, sin maestros, la bella lengua castellana. Gracias a esta afición juvenil puedo ahora — ya en edad avanzada — comprobar el acierto de su version española de mis obras, cuya lectura me produce siempre un vivo agrado por la correctísima interpretación de mi pensamiento y la elegancia del estilo. Me admira, sobre todo, cómo no siendo usted médico ni psiquiatra de profe-*

* Datada de 7 de maio de 1923. Publicada originalmente em espanhol, no volume IV das *Obras completas del Profesor S. Freud*, Madri: Biblioteca Nueva, 1923 (agora se acha na p. 2821 da edição em três volumes, no v. II). Transcrita de *Gesammelte Werke* XIII, p. 442. Não há texto alemão dessa carta, mas é pouco provável que Freud a tenha redigido em espanhol, como acredita Strachey. Quanto ao seu conteúdo, infelizmente não corresponde aos fatos, pois um cotejo da tradução espanhola com o original mostra um sem-número de erros e também de omissões — de palavras e de passagens inteiras. Para uma crítica dessas deficiências (e também da pobreza estilística da nova tradução da Amorrortu), ver Antonio Garcia de la Hoz, "Freud en castellano", em *Libros*, n. 36, pp. 3-9 (Madri, 1985; disponível na internet). Ao que tudo indica, Freud apenas passou os olhos na tradução e, lisonjeado por se ver editado em espanhol, na primeira edição estrangeira de suas obras completas, desmanchou-se em elogios ao tradutor.

*sión ha podido alcanzar tan absoluto y preciso dominio de una materia harto intrincada y a veces oscura.*

[Quando eu era um jovem estudante, o desejo de ler o imortal *Dom Quixote* no original de Cervantes me levou a aprender, sem professores, a bela língua castelhana. Graças a esse entusiasmo juvenil, sou capaz agora — já em idade avançada — de comprovar o acerto de sua versão espanhola de minhas obras, cuja leitura me agrada vivamente, pela corretíssima interpretação de meu pensamento e pela elegância do estilo. Admira-me, sobretudo, o fato de que o senhor, não sendo médico nem psiquiatra de formação, tenha alcançado um domínio tão absoluto e preciso sobre uma matéria bastante intrincada e às vezes obscura.]

## CARTA A FRITZ WITTELS*

Não agradecer um presente de Natal que se ocupa tão extensamente da pessoa presenteada seria um ato indeli-

* Datada de 18 de dezembro de 1923. Publicada primeiramente em inglês, como prefácio à edição inglesa da biografia nela mencionada, escrita pelo destinatário (*Sigmund Freud: his personality, his teaching and his School*, Londres e Nova York, 1924). Traduzida de *Gesammelte Werke*, *Nachtragsband*, pp. 754-6; também se acha em Sigmund Freud. *Briefe 1873-1939*, Frankfurt: Fischer, 1960, pp. 344-5.
Fritz Wittels (1880-1950) foi um dos primeiros membros da Sociedade Psicanalítica de Viena; abandonou-a em 1910, mas foi novamente admitido em 1927.

cado, que pressuporia fortes motivos. Percebo, com satisfação, que em nosso caso eles não existem. Seu livro não é inamistoso nem demasiadamente indiscreto, demonstra sério interesse e também, como era de esperar, sua arte de escrever e de expor.

Naturalmente eu jamais desejaria ou favoreceria um livro como esse. Parece-me que o público não tem nenhum direito sobre a minha pessoa e nem pode aprender algo com ela, desde que meu caso — por motivos diversos — não pode ser tornado inteiramente claro. O sr. pensa de outra forma, e assim pôde escrever esse livro. Sua distância pessoal em relação a mim, que o sr. avalia como pura vantagem, tem também grandes desvantagens. O sr. sabe pouco sobre seu objeto [de estudo], e por isso não pode evitar o risco de tratá-lo grosseiramente. Além disso, é duvidoso que, assumindo o ponto de vista de Stekel e abordando-me desse ângulo, o sr. tenha facilitado para si a tarefa de obter uma justa visão de seu objeto.

Quanto às distorções que acredito perceber, também as atribuo a uma opinião preconcebida sua, que posso adivinhar. O sr. provavelmente acha que um grande homem tem de evidenciar esses ou aqueles méritos, defeitos e extremos, que eu sou um grande homem e, por conseguinte, sente-se autorizado a me imputar todas essas características — frequentemente contraditórias. Haveria muita coisa interessante e de alcance mais geral a dizer sobre isso, mas infelizmente seu vínculo com Stekel exclui um maior empenho de compreensão de minha parte.

Por outro lado, admito com prazer que sua perspicácia distinguiu corretamente várias coisas em mim — que me são bem conhecidas; por exemplo, que tenho necessidade de seguir meu próprio caminho, frequentemente meus rodeios, e não sei aproveitar pensamentos alheios que me chegam fora do tempo. Também no que toca à relação com Adler o sr. demonstrou equanimidade, para minha grande satisfação. O sr. certamente não sabe que tive a mesma indulgência e tolerância ao lidar com Stekel. Durante muito tempo eu o defendi dos ataques de todos, apesar de seus modos insuportáveis e sua maneira impossível de fazer ciência; esforcei-me em relevar sua ampla falta de autocrítica e amor à verdade — ou seja, de veracidade tanto externa como interna —, até que enfim, num episódio bem específico de exploração e perfídia, também a mim "todos os botões saltaram da calça da paciência".* (É certo que o sr. não me defendeu do equívoco segundo o qual renego o que simplesmente não posso ainda julgar ou assimilar.)

O sr. deve saber que estive seriamente enfermo; e, embora esteja convalescendo, tenho motivos para tomar o acontecido como advertência de que o fim não está longe. Nessa condição de parcial afastamento, posso lhe pedir que não enxergue em mim a menor intenção de perturbar seu vínculo com Stekel. Apenas lamento que esse tenha tido influência em seu livro sobre mim.

* No original: "*alle Knöpfe rissen an der Hose der Geduld*" — citação de Heinrich Heine, *Romanzero*, livro III, "Hebräische Melodien".

Não me parece improvável que o sr. venha a se encontrar na situação de revisar esse livro para uma segunda tiragem. Para esse caso, coloco à sua disposição uma lista de correções, aqui anexa. São dados absolutamente confiáveis, independentes de minhas apreciações subjetivas. Alguns são de natureza trivial; outros, talvez aptos a abalar ou modificar algumas de suas conjecturas. Peço-lhe que veja nessas informações um sinal de que, mesmo não podendo aprovar seu trabalho, de maneira nenhuma o menosprezo.

## DECLARAÇÃO SOBRE CHARCOT*

Entre os muitos ensinamentos que no passado (1885-86) me foram prodigalizados por mestre Charcot na Salpêtrière, dois me deixaram uma impressão bastante profunda: que não devemos nos cansar de sempre considerar novamente os mesmos problemas (ou de lhes sentir os efeitos) e que não devemos nos preocupar com a oposição geral, se trabalhamos com honestidade.

* Datada de 26 de fevereiro de 1924. Publicada originalmente em francês, na revista *Le Disque Vert* (editada em Paris e Bruxelas), em número especial sobre "Freud et la Psychanalyse", junho de 1924. Traduzida de *Gesammelte Werke* XIII, p. 446; não há texto alemão dessa carta.

# PRÓLOGO A *JUVENTUDE ABANDONADA*, DE AUGUST AICHHORN*

De todas as aplicações da psicanálise, nenhuma gerou tanto interesse, despertou tantas esperanças e, em consequência, atraiu tantos colaboradores capazes como o seu emprego na teoria e na prática da educação de crianças. Isso é fácil de compreender. A criança se tornou o principal objeto da pesquisa psicanalítica; nesse sentido tomou o lugar do neurótico, com o qual essa pesquisa tivera início. A psicanálise mostrou que no enfermo a criança continua a viver, pouco alterada, e também no artista e na pessoa que sonha; lançou luz sobre as forças motrizes e as tendências que dão ao pequeno ser o seu cunho próprio, e seguiu os percursos de desenvolvimento que o levam à maturidade do adulto. Não surpreende, portanto, que aparecesse a expectativa de que o trabalho psicanalítico com crianças beneficiaria a atividade pedagógica, cuja intenção é guiar, estimular e proteger de equívocos a criança, em seu caminho até a maturidade.

Minha contribuição pessoal nessa aplicação da psicanálise foi bastante pequena. Bem no início adotei o gracejo segundo o qual as três profissões impossíveis são educar, curar e governar, e já era suficientemente

* Título original: "Geleitwort zu August Aichhorn, *Verwahrloste Jugend. Die Psychoanalyse in der Fürsorgeerziehung*" [Juventude abandonada. A psicanálise na educação assistencial]. Leipzig e Viena: Internationaler Psychoanalytischer Verlag, 1925. Traduzido de *Gesammelte Werke* XIV, pp. 565-7.

tomado pela segunda dessas tarefas. Mas nem por isso desconheço o alto valor social que o trabalho de meus colegas pedagogos pode reivindicar.

Este livro do diretor August Aichhorn se ocupa de uma parte do grande problema, da influência educacional sobre a infância desamparada. Durante anos o autor dirigiu instituições municipais de assistência social, antes de conhecer a psicanálise. Sua atitude para com os jovens sob tutela se originava de um vivo interesse pelo destino desses infelizes e era corretamente guiada por uma percepção intuitiva de suas necessidades psíquicas. A psicanálise não pôde lhe ensinar muita coisa nova em termos práticos, mas deu-lhe uma clara visão teórica das justificativas para seu modo de agir e o colocou em posição de fundamentá-lo perante os demais.

Não se pode imaginar que todo educador tenha esse dom da compreensão intuitiva. Duas lições me parecem resultar da experiência e do sucesso do diretor Aichhorn. Uma delas é que educador deve ser psicanaliticamente instruído, senão o objeto de seus esforços, a criança, permanecerá um enigma para ele. Tal instrução é alcançada da melhor maneira quando o próprio educador se submete a uma análise, experimenta-a em si mesmo. O aprendizado teórico em psicanálise não vai suficientemente fundo e não produz convicção.

A segunda lição tem um matiz um tanto conservador; ela diz que o trabalho da educação é algo *sui generis*, que não pode ser confundido com a influência mediante a psicanálise nem ser substituído por ela. A psicanálise infantil pode ser utilizada pela educação como recurso auxiliar; mas não tem condições de tomar o lugar dela. Não somente razões de ordem prática o impedem, mas também considerações teóricas o desaconselham. A relação entre educação e tratamento psicanalítico será provavelmente objeto de exame aprofundado num futuro pouco distante. Apenas mencionarei algumas coisas aqui. Não nos deixemos levar pela afirmação, de resto plenamente justificada, de que a psicanálise do adulto neurótico equivale a uma reeducação dele. Uma criança, mesmo desencaminhada e abandonada, não é um neurótico, e reeducação é algo bem diferente da educação de um imaturo. A possibilidade da influência analítica se baseia em premissas bem determinadas, que podem ser resumidas como "situação analítica"; ela requer o desenvolvimento de certas estruturas psíquicas e uma atitude especial para com o analista. Onde essas não existem, como na criança, no menor abandonado e, via de regra, também no criminoso por instinto,* é preciso fazer outra coisa que não seja análise, mas que venha a corresponder a ela na intenção. Os capítulos teóricos deste livro devem dar ao leitor uma primeira orientação no que toca à variedade das decisões em pauta.

* "Criminoso por instinto": *triebhafter Verbrecher* — as versões consultadas utilizam: *criminal impulsivo*, *delincuente impulsivo*, *individuo con impulsi criminali*, *impulsive criminals*.

Acrescento ainda uma conclusão que já não é relevante para a teoria da educação, mas para a posição do educador. Se ele aprendeu a análise mediante a experiência em sua própria pessoa e está em condição de aplicá-la em casos fronteiriços e mistos, como ajuda em seu trabalho, então se deve permitir a ele o exercício da psicanálise e não lhe pôr nisso obstáculos por motivos mesquinhos.

## JOSEF BREUER [1842-1925]*

Em 20 de junho de 1925 faleceu em Viena, aos 84 anos, o dr. Josef Breuer, criador do método catártico, cujo nome se acha, por isso, indissoluvelmente ligado aos primórdios da psicanálise.

Breuer foi médico internista, aluno do clínico Oppolzer. Na juventude ele desenvolveu trabalho com Ewald Hering acerca da fisiologia da respiração; mais tarde, nos poucos momentos de folga de uma extensa prática médica, fez bem-sucedidos experimentos sobre a função do aparelho vestibular em animais. Nada em sua formação podia criar a expectativa de que ele teria a primeira compreensão decisiva do velho enigma da neurose histérica e daria uma contri-

* Publicado primeiramente em *Internationale Zeitschrift für Psychoanalyse*, n. 11, 1925, pp. 255-6. Traduzido de *Gesammelte Werke* XIV, pp. 562-3.

buição de perene valor ao conhecimento da psique humana. Mas ele era um homem de rico e universal talento, e seus interesses se estendiam muito além de sua atividade profissional.

Foi em 1880 que o acaso levou ao seu encontro uma paciente especial, uma jovem de inteligência extraordinária que adoecera de uma grave histeria enquanto cuidava do pai enfermo. O que ele realizou nesse "primeiro caso", a imensa dedicação e paciência com que empregou a técnica inventada, até que a paciente se livrasse de todos os seus incompreensíveis sintomas — isso o mundo soube apenas catorze anos depois, em nossa publicação conjunta *Estudos sobre a histeria* (1895), infelizmente apenas em forma bastante abreviada e, devido à discrição médica, censurada.

Nós, psicanalistas, que há muito estamos habituados a dedicar centenas de horas a um único paciente, já não podemos conceber a novidade que esse empenho representou 45 anos atrás. Pode ter envolvido boa parte de interesse pessoal e de libido médica, se for permitida a expressão, mas também considerável medida de liberdade de pensamento e segurança no julgamento. Na época de nossos *Estudos* já podíamos nos remeter aos trabalhos de Charcot e às pesquisas de Pierre Janet, que então retiravam parcialmente a prioridade das descobertas de Breuer. Mas quando este tratou seu primeiro caso (1881-2), ainda não estavam disponíveis esses trabalhos. *L'automatisme psychologique*, de Janet, apareceu em 1889, e sua segunda obra, *L'état mental des hystériques*, apenas em

1892. Ao que parece, Breuer pesquisou de forma inteiramente original, guiado apenas pelos estímulos que o caso lhe oferecia.

Mais de uma vez — por último em meu *Estudo autobiográfico* (1925), na coletânea *Die Medizin der Gegenwart* [A medicina contemporânea], de Grote — procurei delimitar minha participação nos *Estudos* que publicamos conjuntamente. Meu mérito consistiu essencialmente em reavivar em Breuer um interesse que parecia extinto, e depois induzi-lo à publicação. Um certo acanhamento que lhe era próprio, uma íntima modéstia, surpreendente numa personalidade tão brilhante, tinham-no levado a manter oculto por longo tempo seu achado espantoso, até que esse deixou de ser inteiramente novo. Depois vim a ter motivos para a suposição de que também um fator puramente emocional lhe havia tirado o gosto em prosseguir no trabalho de elucidação das neuroses. Ele havia deparado com a transferência — indefectível — da paciente para o médico e não havia compreendido a natureza impessoal deste processo. Quando cedeu a minha influência e preparou a publicação dos *Estudos*, seu julgamento sobre a significação desse trabalho parecia seguro. Ele disse naquele momento: "Acho que é a coisa mais importante que nós dois teremos a comunicar ao mundo".

Além da história clínica de seu primeiro caso, Breuer contribuiu com um ensaio teórico para os *Estudos* que está longe de ter envelhecido, contendo ideias e sugestões que ainda não foram suficientemente exploradas.

Quem se aprofundar nesse texto especulativo terá uma impressão correta da envergadura intelectual desse homem, cujo interesse científico se voltou para nossa psicopatologia apenas durante um breve episódio de sua longa vida, infelizmente.

## EXCERTO DE UMA CARTA SOBRE O JUDAÍSMO*

[...] Posso dizer que sou tão distante da religião judaica quanto de todas as demais, ou seja, para mim as religiões têm enorme significação como objeto de interesse científico, não me acho envolvido afetivamente com elas. Por outro lado, sempre tive um forte sentimento de pertencer a meu povo, e alimentei-o em meus filhos também. Todos nós continuamos a nos denominar judeus.

Durante minha infância e juventude, nossos liberais professores de religião não se preocupavam em que seus alunos adquirissem conhecimentos da língua e da literatura hebraicas. Por isso minha educação permaneceu deficiente nesse ponto, o que depois vim a lamentar diversas vezes.

* Publicada na *Jüdische Presszentrale Zürich* em 26 de fevereiro de 1925. Traduzida de *Gesammelte Werke* XIV, p. 556.

# MENSAGEM NA INAUGURAÇÃO DA UNIVERSIDADE HEBRAICA*

*Historians have told us that our small nation withstood the destruction of its independence as a State only because it began to transfer in its estimation of values the highest rank to its spiritual possessions, to its religion and its literature.*

*We are now living in a time when this people has a prospect of again winning the land of its fathers with the help of a Power that dominates the world, and it celebrates the occasion by the foundation of a University in its ancient capital city.*

*A University is a place in which knowledge is taught above all differences of religions and of nations, where investigation is carried on, which is to show mankind how far they understand the world around them and how far they can control it.*

*Such an undertaking is a noble witness to the development to which our people has forced its way in two thousand years of unhappy fortune.*

*I find it painful that my ill-health prevents me from being present at the opening festivities of the Jewish University in Jerusalem.*

* Publicada no quinzenal *The New Judaea* em 27 de março de 1925. Não há texto alemão dessa mensagem, que provavelmente foi redigida em inglês. Transcrita e traduzida de *Gesammelte Werke* XIV, pp. 556-7.

[Os historiadores nos dizem que nossa pequena nação suportou a destruição de sua independência como Estado apenas porque começou a transferir, em sua apreciação dos valores, o mais alto posto a seus bens espirituais, a sua religião e sua literatura.

Agora vivemos numa época em que esse povo tem a perspectiva de novamente ganhar a terra de seus pais com a ajuda de uma Potência que domina o mundo* e celebra a ocasião com a fundação de uma Universidade em sua antiga capital.

Uma Universidade é um lugar em que o conhecimento é ensinado acima de todas as diferenças religiosas e nacionais, onde a investigação é realizada a fim de mostrar aos homens até que ponto compreendem o mundo ao seu redor e até que ponto podem controlá-lo.

Tal empreendimento é um nobre testemunho do desenvolvimento que nosso povo alcançou em dois mil anos de infortúnio.

Lamento que minha saúde frágil me impeça de estar presente nas cerimônias de inauguração da Universidade Hebraica de Jerusalém.]

* Referência à Grã-Bretanha.

# ÍNDICE REMISSIVO

AS INDICAÇÕES *NA* E *NT* DESIGNAM
AS NOTAS DO AUTOR E DO TRADUTOR,
RESPECTIVAMENTE

**SIGMUND FREUD,**
**OBRAS COMPLETAS**
**EM 20 VOLUMES**

COORDENAÇÃO DE PAULO CÉSAR DE SOUZA

1. **TEXTOS PRÉ-PSICANALÍTICOS** (1886-1899)
2. **ESTUDOS SOBRE A HISTERIA** (1893-1895)
3. **PRIMEIROS ESCRITOS PSICANALÍTICOS** (1893-1899)
4. **A INTERPRETAÇÃO DOS SONHOS** (1900)
5. **PSICOPATOLOGIA DA VIDA COTIDIANA E SOBRE OS SONHOS** (1901)
6. **TRÊS ENSAIOS SOBRE A TEORIA DA SEXUALIDADE, ANÁLISE FRAGMENTÁRIA DE UMA HISTERIA ("O CASO DORA") E OUTROS TEXTOS** (1901-1905)
7. **O CHISTE E SUA RELAÇÃO COM O INCONSCIENTE** (1905)
8. **O DELÍRIO E OS SONHOS NA GRADIVA, ANÁLISE DA FOBIA DE UM GAROTO DE CINCO ANOS ("O PEQUENO HANS") E OUTROS TEXTOS** (1906-1909)
9. **OBSERVAÇÕES SOBRE UM CASO DE NEUROSE OBSESSIVA ("O HOMEM DOS RATOS"), UMA RECORDAÇÃO DE INFÂNCIA DE LEONARDO DA VINCI E OUTROS TEXTOS** (1909-1910)
10. **OBSERVAÇÕES PSICANALÍTICAS SOBRE UM CASO DE PARANÓIA RELATADO EM AUTOBIOGRAFIA ( "O CASO SCHREBER"), ARTIGOS SOBRE TÉCNICA E OUTROS TEXTOS** (1911-1913)
11. **TOTEM E TABU, HISTÓRIA DO MOVIMENTO PSICANALÍTICO E OUTROS TEXTOS** (1913-1914)
12. **INTRODUÇÃO AO NARCISISMO, ENSAIOS DE METAPSICOLOGIA E OUTROS TEXTOS** (1914-1916)
13. **CONFERÊNCIAS INTRODUTÓRIAS À PSICANÁLISE** (1916-1917)
14. **HISTÓRIA DE UMA NEUROSE INFANTIL ("O HOMEM DOS LOBOS"), ALÉM DO PRINCÍPIO DO PRAZER E OUTROS TEXTOS** (1917-1920)
15. **PSICOLOGIA DAS MASSAS E ANÁLISE DO EU E OUTROS TEXTOS** (1920-1923)
16. **O EU E O ID, "AUTOBIOGRAFIA" E OUTROS TEXTOS** (1923-1925)
17. **INIBIÇÃO, SINTOMA E ANGÚSTIA, O FUTURO DE UMA ILUSÃO E OUTROS TEXTOS** (1926-1929)
18. **O MAL-ESTAR NA CIVILIZAÇÃO, NOVAS CONFERÊNCIAS INTRODUTÓRIAS E OUTROS TEXTOS** (1930-1936)
19. **MOISÉS E O MONOTEÍSMO, COMPÊNDIO DE PSICANÁLISE E OUTROS TEXTOS** (1937-1939)
20. **ÍNDICES E BIBLIOGRAFIA**

PARA MAIS INFORMAÇÕES SOBRE OS VOLUMES PUBLICADOS, ACESSE:
www.companhiadasletras.com.br

ESTA OBRA FOI COMPOSTA
EM FOURNIER E CONDUIT
POR ALICE VIGGIANI
E IMPRESSA EM OFSETE PELA
GEOGRÁFICA SOBRE PAPEL
PÓLEN NATURAL DA SUZANO S.A.
PARA A EDITORA SCHWARCZ
EM MAIO DE 2023

A marca FSC® é a garantia de que a madeira utilizada na fabricação do papel deste livro provém de florestas que foram gerenciadas de maneira ambientalmente correta, socialmente justa e economicamente viável, além de outras fontes de origem controlada.